O Vento pela Fechadura

STEPHEN KING

A TORRE NEGRA

O Vento pela Fechadura

TRADUÇÃO
André Gordirro

SUMA

Grafia atualizada segundo o Acordo Ortográfico da Língua Portuguesa de 1990, que entrou em vigor no Brasil em 2009.

Título original
The Dark Tower VIII: The Wind Trough the Keyhole

Capa
Estúdio Nono

Ilustração de capa
Weberson Santiago

Ilustração de orelha
Estúdio Nono baseado em foto de Shane Leonard

Preparação
Stella Carneiro

Revisão
Ana Maria Barbosa
Renata Callari

Dados Internacionais de Catalogação na Publicação (CIP)
(Câmara Brasileira do Livro, SP, Brasil)

King, Stephen
O vento pela fechadura / Stephen King ; tradução André Gordirro. — 2ª ed. — Rio de Janeiro : Suma, 2025.

Título original: The Dark Tower VIII: The Wind Trough the Keyhole
ISBN 978-85-5651-255-0

1. Ficção de suspense 2. Ficção norte-americana. I. Título. II. Série.

25-291952 CDD-813

Índice para catálogo sistemático:
1. Ficção de suspense : Literatura norte-americana 813

Cibele Maria Dias – Bibliotecária – CRB-8/9427

EDITORA SCHWARCZ S.A.
Praça Floriano, 19, sala 3001 — Cinelândia
20031-050 — Rio de Janeiro — RJ
Telefone: (21) 3993-7510
www.companhiadasletras.com.br
www.blogdacompanhia.com.br
facebook.com/editorasuma
instagram.com/editorasuma

Este é para Robin Furth
e para a galera da Marvel Comics.

PREFÁCIO

Muitas pessoas que estão com este livro em mãos acompanham as aventuras de Roland e seu grupo — seu ka-tet — há anos; algumas desde o início. Outras pessoas — e eu espero que haja muitas, tanto leitores recém-chegados quanto Leitores Fieis — podem se perguntar: *Será que é possível ler e curtir esta história sem ter lido os outros livros de A Torre Negra?* Minha resposta é sim, desde que você tenha em mente algumas coisas.

Primeiro: o Mundo Médio fica próximo ao nosso mundo, e há muitas superposições. Em alguns lugares, há portas entre os dois mundos, e às vezes existem locais finos, porosos, onde os dois mundos chegam a se misturar. Três integrantes do ka-tet de Roland — Eddie, Susannah e Jake — foram escolhidos, um a um, de suas vidas conturbadas em Nova York para a jornada de Roland no Mundo Médio. O quarto companheiro de viagem, o billy-malhado chamado Oi, é uma criatura de olhos dourados, natural do Mundo Médio. O Mundo Médio é muito velho e decadente, repleto de monstros e magia traiçoeira.

Segundo: Roland Deschain de Gilead é um pistoleiro — um integrante de um pequeno grupo que tenta manter a ordem em um mundo cada vez mais sem lei. Se você imaginar os pistoleiros de Gilead como uma estranha mistura dos cavaleiros errantes e dos xerifes do Velho Oeste, não estará muito longe da verdade. A maioria deles, embora não todos, é descendente da linhagem do antigo Rei Branco, conhecido como Arthur Eld (eu avisei que havia superposições).

Terceiro: Roland leva a vida sob uma terrível maldição. Ele matou a mãe, que estava tendo um caso — em grande parte contra a própria vontade e certamente contra o seu bom senso — com um sujeito que você encontrará nestas páginas. Embora tenha sido por acidente, Roland se considera responsável, e a infeliz morte de Gabrielle Deschain o atormenta desde a sua entrada na vida adulta. Esses eventos são narrados em sua plenitude na série A Torre Negra, mas, para o que pretendemos aqui, acho que é tudo o que você precisa saber.

Para os leitores de longa data, este livro deve ser colocado na prateleira entre *Mago e vidro* e *Lobos de Calla*... o que o torna, creio, A Torre Negra 4,5.

Quanto a mim, adorei descobrir que meus velhos amigos tinham um pouco mais a dizer. Foi um grande presente encontrá-los novamente, anos depois de pensar que suas histórias estavam contadas por completo.

Stephen King
14 de setembro de 2011

BORRASCA

1

Durante os dias após eles terem saído do Palácio Verde, que não era Oz, afinal de contas — mas que agora era a tumba do sujeito desagradável que o ka-tet de Roland conhecera como o Homem do Tique-taque —, o menino Jake começou a andar cada vez mais à frente de Roland, Eddie e Susannah.

— Você não fica preocupado com ele? — perguntou Susannah a Roland. — Sozinho por aí?

— Ele está com Oi — comentou Eddie ao se referir ao malhado que adotara Jake como amigo. — O sr. Oi se dá muito bem com gente boa, mas tem uma boquinha cheia de dentes afiados para quem não for tão gente boa assim. Como aquele tal de Gasher descobriu, pra infelicidade dele.

— Jake também tem a arma do pai — acrescentou Roland. — E sabe como usá-la. Isso Jake sabe muito bem. E ele não sairá do Caminho do Feixe. — Roland apontou adiante com a mão sem dois dedos. O céu nublado estava quase limpo, mas um único corredor de nuvens se movia gradualmente para sudeste, na direção da terra do Trovão, se o bilhete deixado para eles pelo homem que se chamava RF dissesse a verdade.

Na direção da Torre Negra.

— Mas por quê… — Susannah começou a perguntar, porém a cadeira de rodas topou em um calombo. — Cuidado por onde você me empurra, docinho.

— Foi mal — disse Eddie. — O Departamento Rodoviário anda meio relapso com a manutenção desse trecho. Eles devem estar lidando com cortes no orçamento.

Não era uma rodovia, mas *era* uma estrada… ou tinha sido: dois sulcos praticamente invisíveis, com uma cabana caindo aos pedaços para marcar o caminho, de vez em quando. Naquela manhã, mais cedo, até passaram por uma loja abandonada com uma placa quase ilegível: ARMAZÉM DE TOOK. Eles investigaram o interior atrás de mantimentos — Jake e Oi ainda estavam presentes então — e não encontraram nada além de antigas teias de aranha empoeiradas e o esqueleto do que tinha sido um grande guaxinim, um pequeno cachorro ou um billy-malhado. Oi deu uma cheirada superficial e depois mijou nos ossos, antes de sair da loja para se sentar no calombo no meio da velha estrada com o rabinho em volta do corpo. O malhado se virou para a direção de onde eles vieram e fungou o ar.

Roland tinha visto o malhado fazer isso várias vezes ultimamente, e, embora não tenha dito nada, ficou refletindo a respeito. Alguém que os seguia, talvez? Roland não chegava a acreditar nessa possibilidade, mas a postura do malhado — o focinho empinado, as orelhas eriçadas, o rabo enroscado — evocava uma velha memória ou associação que o pistoleiro não sabia dizer qual era exatamente.

— Por que Jake quer ficar sozinho? — perguntou Susannah.

— Você considera isto preocupante, Susannah de Nova York? — indagou Roland.

— Sim, Roland de Gilead, eu considero isso *preocupante*. — Susannah deu um sorriso razoavelmente amável, mas os olhos tinham o velho brilho cruel. Era a parte Detta Walker dentro dela, considerou Roland. Esse traço jamais sumiria por completo, e o pistoleiro não achava isso ruim. Sem a mulher estranha que Susannah fora um dia cravada em seu coração como uma lasca de gelo, ela seria apenas uma bela jovem negra com as pernas cortadas abaixo dos joelhos. Com Detta a bordo, Susannah era uma pessoa que impunha respeito. Uma pessoa perigosa. Uma pistoleira.

— Ele tem muito o que pensar — falou Eddie baixinho. — Jake passou por muita coisa. Nem todo garoto volta dos mortos. E é como o Roland diz: se alguém tentar ir pra cima dele, vai se dar mal. — Eddie parou de empurrar a cadeira de rodas, limpou a testa suada com o braço e olhou para Roland. — *Tem* alguém neste fim de mundo em especial, Roland? Ou todos seguiram em frente?

— Ah, imagino que tenha algumas pessoas.

Roland mais do que imaginava; o grupo tinha sido espiado várias vezes enquanto continuava a seguir pelo Caminho do Feixe. Em uma ocasião, eles foram vistos por uma mulher assustada, abraçada a duas crianças e com um bebê em uma tipoia pendurada no pescoço. Outra vez, foram observados por um velho fazendeiro, um meio-mutante com um tentáculo que estrebuchava, pendurado em um canto da boca. Eddie e Susannah não viram nenhuma dessas pessoas, nem sentiram a presença de outras que Roland tinha certeza de que, da segurança do bosque e do matagal alto, acompanhavam o avanço do grupo. Eddie e Susannah tinham muito o que aprender.

Mas, ao que parecia, pelo menos eles aprenderam um pouco do que precisariam, porque Eddie agora perguntava:

— São essas pessoas cujo cheiro Oi não para de sentir?

— Não sei. — Roland pensou em acrescentar que tinha certeza de que havia outra coisa na estranha cabecinha de malhado de Oi, mas decidiu manter isso para si mesmo. O pistoleiro passara muitos anos sem um ka-tet, e não revelar os pensamentos se tornara um hábito. Um hábito que ele teria que romper, se quisesse que o tet permanecesse forte. Mas não agora, não naquela manhã.

— Vamos seguir em frente — disse ele. — Tenho certeza de que encontraremos Jake à nossa espera mais adiante.

2

Duas horas depois, quase ao meio-dia, eles passaram por uma elevação e pararam, com vista para um largo rio que se movia lentamente, como chumbo líquido sob o céu nublado. Na margem noroeste — o lado do ka-tet —, havia uma construção parecida com um celeiro, pintada num tom de verde tão intenso que parecia berrar no dia enevoado. A boca se projetava sobre a água, apoiada em estacas pintadas no mesmo tom de verde. Ancorada por cabos grossos em duas dessas estacas estava uma grande balsa quadrada, com quase trinta metros de largura e pintada em listras vermelhas e amarelas. Um poste alto de madeira, parecido com um mastro, se erguia no meio, mas não havia sinal de vela. Várias cadeiras de vime ficavam diante do poste, voltadas para a margem do lado do rio onde o grupo se encontrava. Jake estava sentado em uma das cadeiras. Ao lado dele, havia um velho com um grande chapéu de palha, calças verdes folgadas e botas de cano alto. O velho usava uma veste branca e fina — o tipo de camisa que Roland conhecia como *slincum*. Jake e o velho pareciam comer popquins fartos, que deixaram Roland salivando.

Oi estava mais adiante dos dois, na beirada da balsa com pintura de circo, e parecia fascinado com o próprio reflexo na água. Ou talvez com o reflexo do cabo de aço que corria acima, de uma ponta à outra do rio.

— É o Whye? — perguntou Susannah a Roland.

— É sim.

Eddie sorriu.

— Se você diz que é o Whye, eu digo: Uai, por que não? — Ele ergueu uma mão e acenou sobre a cabeça. — Jake! Ei, Jake! Oi!

Jake devolveu o aceno e, embora o rio e a balsa ainda estivessem a uns quatrocentos metros de distância, os olhos de todos os integrantes do grupo estavam aguçados, e eles viram o branco dos dentes do sorriso de retribuição de Jake.

Susannah colocou as mãos em concha em volta da boca.

— Oi! *Oi!* Venha para mim, docinho! Venha com a mamãe!

Oi soltou ganidos agudos, que eram o mais perto que ele chegava de latidos, e veio em disparada pela balsa, desaparecendo dentro da estrutura parecida com um celeiro, e depois saindo do lado mais próximo de onde estavam.

O malhado subiu correndo pelo caminho com as orelhas abaixadas junto ao crânio e com um brilho nos olhos debruados de dourado.

— Devagar, docinho, ou vai ter um ataque cardíaco! — berrou Susannah, rindo.

Oi pareceu encarar isso como uma ordem para acelerar. Ele chegou à cadeira de rodas de Susannah em menos de dois minutos, saltou no colo dela, depois pulou para o chão novamente e olhou para todos alegremente.

— Olan! Ed! Suze!

— *Hail*, sir Throcken. — Roland usou a antiga palavra para malhado que ouvira pela primeira vez em um livro que a mãe lera para ele: *O Throcken e o dragão*.

Oi ergueu a pata, urinou na grama, depois voltou a olhar pelo caminho por onde viera e fungou com os olhos no horizonte.

— Por que ele não para de fazer isso, Roland? — perguntou Eddie.

— Não sei. — Mas ele *quase* sabia. Será que não era alguma história antiga, não *O Throcken e o dragão*, mas outra parecida? Roland achava que sim. Por um instante, ele pensou em olhos verdes que observavam no escuro e sentiu um pequeno arrepio, não de medo exatamente (embora pudesse ser um pouco disso), mas de recordação. Então a sensação passou.

Haverá água, se Deus quiser, pensou Roland, e só percebeu que havia falado em voz alta quando Eddie disse:

— Hã?

— Deixa pra lá — falou Roland. — Vamos confabular com o novo amigo de Jake, que tal? Talvez ele tenha um ou dois popquins sobrando.

Eddie, cansado da comida difícil de mastigar que eles chamavam de burritos dos pistoleiros, se animou na mesma hora.

— Aí sim — ele disse e olhou para um relógio imaginário no pulso bronzeado. — Olha só, tá bem na hora de encher o bucho.

— Cale a boca e empurre, fofinho — falou Susannah.

Eddie calou a boca e empurrou.

3

O velho estava sentado quando eles entraram no ancoradouro e se levantou quando eles surgiram no lado do rio. Viu as armas que Roland e Eddie carregavam — os grandes revólveres com cabos de sândalo —, e seus olhos se arregalaram. O velho ficou em um joelho só. O dia estava calmo, e Roland chegou a ouvir os ossos do homem estalarem.

— *Hail*, pistoleiro — cumprimentou ele e levou ao centro da testa um punho inchado pela artrite. — Eu vos saúdo.

— Levante-se, amigo — falou Roland, na esperança de que o velho *fosse* um amigo; Jake parecia achar que ele era, e Roland tinha passado a confiar nos instintos do garoto. Isso sem falar nos instintos do billy-malhado. — Levante-se, *do*.

Como o velho estava com dificuldade para ficar de pé, Eddie subiu a bordo e ofereceu um braço.

— Obrigado, filho, obrigado. Você é um pistoleiro também ou um aprendiz?

Eddie olhou para Roland. Roland não disse nada, então Eddie se voltou para o velho, deu de ombros e sorriu.

— Acho que um pouco dos dois. Eu sou Eddie Dean, de Nova York. Esta é minha esposa, Susannah. E este é Roland Deschain, de Gilead.

O ribeirinho arregalou os olhos.

— Da Gilead que foi? Foi isso que você disse?

— Da Gilead que foi — concordou Roland e sentiu uma melancolia pouco costumeira no peito. O tempo era um rosto na água e, como o grande rio diante deles, só fazia fluir.

— Subam a bordo, então. E sejam bem-vindos. Este jovem e eu já somos grandes amigos, somos sim. — Oi subiu na grande balsa e o velho se curvou para fazer carinho na cabeça erguida do malhado. — E nós também, né, companheiro? Você se lembra do meu nome?

— Bix! — respondeu Oi prontamente, depois se voltou para noroeste de novo e ergueu o focinho. Os olhos debruados de dourado encaravam com fascínio a coluna de nuvens em movimento que marcava o Caminho do Feixe.

4

— Querem comer? — perguntou Bix. — O que tenho é pouco e ruim, mas, seja como for, eu ficaria feliz em dividir.

— Obrigada — disse Susannah. Ela olhou para o cabo acima, que corria pelo rio na diagonal. — Isto é uma balsa, não é?

— Sim — concordou Jake. — Bix me contou que tem gente do outro lado. Não perto, mas também não longe. Ele acha que são agricultores de arroz, mas não vêm muito por aqui.

Bix saiu da grande balsa e entrou no ancoradouro. Eddie esperou até ouvir o velho remexer as coisas de um lado para o outro, depois se abaixou até Jake e disse em voz baixa:

— Ele é confiável?

— Sim — respondeu Jake. — É para lá que nós vamos mesmo, e ele está contente em ter alguém para levar. Bix disse que faz anos que isso não acontece.

— Aposto que faz — concordou Eddie.

Bix reapareceu com um cesto de vime, que Roland tirou dele — caso contrário o velho poderia ter tropeçado e caído na água. Logo todos estavam sentados em cadeiras de vime, mastigando popquins recheados com alguma espécie de peixe rosa. Estavam bem temperados e deliciosos.

— Comam o quanto quiserem — falou Bix. — O rio está cheio de lambaris, e a maioria é normal. Os mutantes eu devolvo. Antigamente a ordem era jogar os ruins nos bancos de areia para que não se reproduzissem mais, e por um tempo eu fiz isso, mas agora... — Ele deu de ombros. — Viva e deixe viver é o que eu digo. Como alguém que viveu muito, sinto como se eu *pudesse* afirmar isso.

— Quantos anos você tem? — perguntou Jake.

— Eu fiz cento e vinte há algum tempo, mas já perdi a conta, então é isso. O tempo é curto deste lado da porta, entende?

Deste lado da porta. A memória de uma história antiga passou pela cabeça de Roland novamente, e sumiu.

— Vocês seguem aquilo? — O velho apontou para a faixa de nuvens em movimento no céu.

— Sim.

— Para Callas ou mais além?

— Mais além.

— Para a grande escuridão? — Bix parecia perturbado e fascinado pela ideia.

— Nós seguimos nosso rumo — falou Roland. — Quanto você cobraria para nos levar, *sai* balseiro?

Bix riu. O som era rouco e alegre.

— Dinheiro não serve para nada se não tiver no que gastar. Vocês não têm gado, e é bem óbvio que eu tenho mais comida do que vocês. E você sempre pode sacar a arma e me obrigar a levá-los.

— Jamais — disse Susannah, parecendo chocada.

— Eu sei disso — falou Bix enquanto abanava a mão para ela. — Os Salteadores poderiam fazer isso, e depois ainda queimar minha balsa assim que chegassem ao outro lado, mas pistoleiros de verdade, jamais. E pistoleiras também, creio eu. Você não parece armada, senhorita, mas com mulher nunca dá para dizer.

Susannah deu um sorrisinho ao ouvir isso e não falou nada.

Bix se voltou para Roland.

— Vocês vêm de Lud, creio eu. Ouvi falar de Lud e de como as coisas estão por lá. Porque aquela era uma cidade maravilhosa, era sim. Já estava decadente e se tornando estranha quando a conheci, mas ainda assim maravilhosa.

Os quatro trocaram um olhar que era puro *an-tet*, aquela telepatia peculiar que eles compartilhavam. Um olhar que também era maculado pela verecunda, o antigo termo do Mundo Médio que significava vergonha, mas também tristeza.

— O que foi? — perguntou Bix. — O que foi que eu disse? Se pedi alguma coisa que não podem dar, rogo seu perdão.

— De maneira alguma — falou Roland —, mas Lud...

— Lud é poeira ao vento — disse Susannah.

— Bem — comentou Eddie —, não exatamente poeira.

— Cinzas — falou Jake. — Do tipo que brilha no escuro.

Bix refletiu a respeito disso, depois assentiu com a cabeça devagar.

— Eu gostaria de ouvir, de qualquer forma, ou o quanto vocês conseguirem contar em uma hora. É o tempo da travessia.

5

Bix ficou irritado quando eles se ofereceram para ajudá-lo com os preparativos. Era o trabalho dele, disse o velho, e ainda era capaz de executá-lo — não tão rápido quanto antigamente, quando havia fazendas e pequenos entrepostos comerciais em ambas as margens do rio.

De qualquer forma, não havia muito a ser feito. Bix trouxe do ancoradouro um banquinho e uma grande argola de pau-ferro, subiu no banquinho para prender a argola no topo do poste, depois passou o cabo pelo aro. O velho retornou o banquinho ao ancoradouro e voltou com uma grande manivela de metal no formato de uma letra Z. Bix a pousou com alguma cerimônia ao lado de um suporte de madeira no fim da balsa.

— Não chutem aquilo para fora da balsa, ou eu jamais voltarei para casa — disse ele.

Roland se agachou para examinar o objeto e chamou Eddie e Jake, que se juntaram a ele. Roland apontou para as palavras gravadas ao longo do traço do Z.

— Isto diz o que eu estou pensando?

— Sim — falou Eddie. — North Central Positronics. Nossos velhos amigos.

— Quando você conseguiu isso aqui, Bix? — perguntou Susannah.

— Há noventa anos, mais ou menos, se eu fosse chutar. Tem um lugar subterrâneo lá. — Ele apontou vagamente na direção do Palácio Verde. — Tem muitos quilômetros de extensão e está cheio de coisas que pertenceram ao Povo Antigo, perfeitamente preservadas. Uma música estranha ainda toca vinda do alto, música do tipo que vocês jamais ouviram. Ela confunde as ideias. E não ousem ficar muito tempo por lá ou formam feridas no corpo, vomitam e os dentes começam a cair. Eu fui uma vez. Nunca mais. Por um tempo, pensei que fosse morrer.

— Você perdeu o cabelo assim como os dentes? — perguntou Eddie.

Bix pareceu surpreso e em seguida concordou com a cabeça.

— Sim, alguns, mas cresceu de volta. Aquela manivela é de *osso*, vocês sabem.

Eddie refletiu sobre isso por um momento. Como ele podia achar que a manivela era feita de osso? Então notou que o velho queria dizer *aço*.

— Estão prontos? — perguntou Bix. Os olhos brilhavam tanto quanto os de Oi. — Posso zarpar?

Eddie bateu continência.

— Ié, meu capitão. Rumo às ilhas do Tesouro, Ié, nós vamos.

— Venha e me ajude com estes cabos, Roland de Gilead, pode ser?

Roland ajudou de bom grado.

6

A balsa percorreu lentamente o cabo diagonal ao ser puxada pela lenta correnteza do rio. Peixes pulavam ao redor enquanto o ka-tet de Roland se revezava na tarefa de contar ao velho a respeito da cidade de Lud e do que se passou com eles lá. Por um tempo, Oi observou os peixes com interesse, com as patas plantadas na borda da proa da balsa. Depois ele se sentou novamente e encarou a direção de onde o grupo viera, com o focinho erguido.

Bix resmungou quando eles contaram como saíram da cidade condenada.

— O Mono Blaine, vocês dizem. Trem maluco. Eu lembro. Havia outro também, embora eu não me recorde do nome…

— Patricia — falou Susannah.

— Ié, isso mesmo. Lindas laterais de vidro, ela tinha. E vocês dizem que a cidade foi destruída?

— Completamente — concordou Jake.

Bix baixou a cabeça.

— Que tristeza.

— É sim — disse Susannah ao pegar a mão de Bix e dar um aperto de leve. — O Mundo Médio é um lugar triste, embora também seja muito bonito às vezes.

Então eles chegaram à metade do rio, e uma leve brisa, supreendentemente quente, lhes agitou os cabelos. Todos haviam tirado as camadas de roupas pesadas e se sentado relaxados nas cadeiras de vime, que giravam de um lado para outro, supostamente para que seus ocupantes pudessem desfrutar melhor da vista. Um peixe grande — provavelmente do tipo que eles comeram na hora de encher o bucho — pulou na balsa e ficou ali, se debatendo aos pés de Oi. Embora o malhado geralmente matasse qualquer pequena criatura que cruzasse seu caminho, ele não parecia sequer ter notado. Roland chutou o peixe de volta para a água com a sua bota gasta.

— Seu throcken sabe o que está vindo — comentou Bix. Ele olhou para Roland. — Melhor tomar cuidado, ié?

Por um momento, Roland não disse nada. Uma memória nítida surgiu do fundo da mente, uma lembrança de uma dezena de gravuras coloridas à mão em um velho e amado livro. Seis malhados sentados numa árvore caída em uma floresta sob a lua crescente, todos com os focinhos erguidos. Aquele livro, *Contos mágicos do Eld*, Roland amara mais do que todos os outros quando criança, e sua mãe lia para que ele dormisse no quarto da torre alta, enquanto um vento forte de outono cantava uma canção solitária, chamando o inverno. "O vento pela fechadura" era o nome da história que acompanhava a ilustração, e o conto era ao mesmo tempo terrível e maravilhoso.

— Por todos os deuses na colina! — exclamou Roland, batendo na testa com a base da palma da mão direita sem dois dedos. — Eu deveria ter sabido logo de cara. Nem que fosse pelo calor que anda fazendo nos últimos dias.

— Quer dizer que não sabia? — perguntou Bix. — E você uma pessoa do Mundo Interior? — O velho fez um muxoxo de desdém.

— Roland? — indagou Susannah. — O que foi?

Roland a ignorou. Ele olhou de Bix para Oi e de novo para o velho.

— A borrasca está chegando.

Bix concordou.

— Ié. É o que diz o throcken, e sobre a borrasca os throckens nunca erram. Além de saber falar um pouquinho, essa é a luz deles.

— Que luz? — perguntou Eddie.

— Ele quer dizer o talento dos throckens — explicou Roland. — Bix, você conhece um lugar do outro lado onde possamos nos esconder e esperar que a borrasca passe?

— Por acaso eu conheço sim. — O velho apontou para os morros cobertos por bosques que desciam suavemente do outro lado do Whye, onde outro píer e outro ancoradouro, este sem pintura e bem menos grandioso, aguardava por eles. — Do outro lado vocês encontrarão o seu caminho adiante, uma pequena trilha que antigamente era uma estrada. Ela segue o Caminho do Feixe.

— Com certeza — concordou Jake. — Todas as coisas servem ao Feixe.

— Isso mesmo, jovem, isso mesmo. O que vocês usam, rodas ou quilômetros?

— Ambos — falou Eddie —, mas, para a maioria de nós, preferimos quilômetros.

— Muito bem, então. Sigam a velha estrada de Calla por oito quilômetros... talvez uns nove e meio... e chegarão a um vilarejo deserto. A maioria dos prédios é de madeira e não serve para vocês, mas o salão comunitário é de pedra sólida. Vocês estarão seguros lá. Eu já estive do lado de dentro, e há uma bela e enorme lareira. É melhor dar uma boa olhada na chaminé, é claro, pois vocês mandarão muita fumaça pelo cano acima, durante o dia ou dois que terão que esperar. Quanto à lenha, podem usar o que sobrou das casas.

— O que é essa borrasca? — perguntou Susannah. — É uma tempestade?

— Sim — confirmou Roland. — Eu não vejo uma há muitos e muitos anos. Sorte que temos Oi conosco. Mesmo assim eu não teria sabido, se não fosse por Bix. — Ele apertou o ombro do velho. — Obrigado-sai. Todos agradecemos.

7

O ancoradouro da margem sudeste do rio estava à beira do colapso, como tantas coisas no Mundo Médio; havia morcegos pendurados de ponta-cabeça nas vigas e aranhas grandes que subiam correndo pelas paredes. Todos ficaram contentes em sair do ancoradouro e voltar para o ar livre. Bix amarrou a balsa e se juntou a eles. Cada membro do grupo o abraçou, com cuidado para não apertá-lo com força e machucar os velhos ossos.

Depois que todos tiveram sua vez, o velho secou os olhos, em seguida se abaixou e fez carinho na cabeça de Oi.

— Cuide bem deles, sir Throcken.

— Oi! — respondeu o malhado. Depois: — Bix!

O velho se endireitou, e novamente eles ouviram os ossos estalarem. Bix colocou as mãos na lombar e fez uma careta.

— Você vai conseguir atravessar de volta numa boa? — perguntou Eddie.

— Ah, ié — respondeu Bix. — Se fosse primavera, talvez não; o Whye não é tão plácido quando a neve derrete e a chuva chega. Mas agora? Molezinha. A tempestade ainda está um pouco longe. Eu giro a manivela um pouco contra a corrente, aí prendo com firmeza para que eu possa descansar e ela não gire ao contrário, e depois giro mais um pouco. Pode levar quatro horas em vez de uma, mas eu chego lá. Sempre cheguei, de qualquer maneira. Só queria ter mais comida para dar a vocês.

— Vamos ficar bem — disse Roland.

— Ótimo, então. Ótimo. — O velho parecia relutar em ir embora. Ele olhou cada rosto, um por vez, com uma expressão séria, e depois sorriu e exibiu as gengivas sem dentes. — Que bom que nossos caminhos se cruzaram, não foi?

— Foi sim — concordou Roland.

— E, se voltarem por aqui, parem um pouco e façam uma visita ao velho Bix. Contem a ele sobre suas aventuras.

— Faremos isso — disse Susannah, embora soubesse que eles jamais voltariam àquela direção. Era algo de que todos tinham consciência.

— E cuidado com a borrasca. Ela não é de brincadeira. Mas talvez vocês tenham um dia, até mesmo dois. Ele não está ainda andando em círculos, você está, Oi?

— Oi! — concordou o malhado.

Bix suspirou e disse:

— Agora, sigam seu caminho que eu sigo o meu. Todos estaremos abrigados em breve.

Roland e seu tet começaram a andar.

— Mais uma coisa! — Bix os chamou quando deram as costas, e eles se voltaram para o velho. — Se vocês virem aquele desgraçado do Andy, digam a ele que não quero mais canções, nem quero que leia meu maldito *horroscopo* para mim!

— Quem é Andy? — perguntou Jake.

— Ah, deixa pra lá, acho que vocês nem vão se encontrar com ele, de qualquer maneira.

Foi a última coisa que o velho falou, e nenhum deles pensou mais nisso, embora realmente tenham se encontrado com Andy, na comunidade agrícola de Calla Bryn Sturgis. Mas isso foi mais tarde, depois que a tempestade passou.

8

Foram apenas oito quilômetros até o vilarejo deserto, e eles chegaram em menos de uma hora depois de terem deixado a balsa. Levou menos tempo do que isso para Roland explicar a borrasca.

— Elas costumavam cair na Grande Floresta ao norte de Nova Canaã uma ou duas vezes por ano, embora nunca tenhamos tido uma em Gilead; as borrascas sempre se desfaziam nos céus antes de chegar tão longe. Mas eu me lembro de ver carroças lotadas de corpos congelados sendo conduzidas pela estrada de Gilead. Eram fazendeiros e suas famílias, creio. Onde estavam seus throckens, seus billy-malhados, eu não sei. Talvez tenham ficado doentes e morrido. De qualquer maneira, sem malhados para alertá-los, aquela gente estava despreparada. A borrasca vem de repente, sabem? Num momento, a pessoa está quentinha, porque a temperatura sempre aumenta antes, e no outro a borrasca cai como lobos em cima de carneiros. O único aviso é o barulho que as árvores fazem quando o frio da borrasca passa por elas. Uma espécie de baque, como *grenados* cobertos de terra. O som que madeira faz quando se contrai toda num só instante, creio eu. E, ao ouvir isso, já é tarde demais para quem estivesse nos campos.

— Frio — refletiu Eddie. — Frio quanto?

— A temperatura cai a cerca de quarenta limbits baixo de zero em menos de uma hora — afirmou Roland com a expressão séria. — Lagos congelam em um instante, com o som de vidraças quebradas por balas. Pássaros viram estátuas de gelo no céu e despencam como pedras. Grama vira vidro.

— Você está exagerando — retrucou Susannah. — Só pode estar.

— Nem um pouco. Mas o frio é apenas parte da borrasca. O vento também vem, com a força de um vendaval, e quebra as árvores congeladas como gravetos. Tempestades assim podem durar trezentas rodas antes de irem embora tão repentinamente quanto chegaram.

— Como os malhados sabem? — perguntou Jake.

Roland apenas balançou a cabeça. Ele nunca se interessou muito pelo como e pelo porquê das coisas.

9

Eles esbarraram com o pedaço quebrado de uma placa caído na trilha. Eddie pegou e leu os resquícios apagados de uma única palavra.

— Isto resume à perfeição o Mundo Médio — afirmou. — Misterioso e estranhamente hilário. — Ele se virou para os outros com o pedaço de madeira na altura do peito. O que as letras grandes e irregulares diziam era GOOK.

— Um gook é um poço artesiano — falou Roland. — A lei diz que qualquer viajante pode beber do poço sem permissão ou punição.

— Bem-vindos a Gook — disse Eddie ao jogar a placa nos arbustos ao lado da estrada. — Curti o nome. Na verdade, quero um adesivo de para-choque que diga: Eu Esperei a Borrasca Passar em Gook.

Susannah riu. Jake, não. Ele apenas apontou para Oi, que começou a andar rápido em círculos, como se perseguisse o próprio rabo.

— Acho melhor a gente se apressar um pouco — disse o garoto.

10

O bosque recuou e a trilha se alargou até virar aquilo que fora um dia a rua principal do vilarejo. O vilarejo em si demonstrava uma situação melancólica de abandono que corria pelos dois lados da rua por cerca de quatrocentos metros. Algumas das construções tinham sido casas, outras, lojas, mas agora era impossível dizer o que fora o quê. Elas não passavam de estruturas desmoronadas que fitavam através de órbitas escuras e vazias que um dia podiam ter tido vidro. A única exceção ficava no extremo sul da cidade. Lá a rua principal tomada pelo mato se dividia em volta de um edifício baixo, parecido com um forte, feito de pedra cinzenta de acabamento rústico. A construção estava tomada por arbustos até o telhado e parcialmente escondida por jovens abetos que deviam ter florescido desde que Gook fora abandonada; as raízes já tinham começado a penetrar nas fundações do salão. Com o tempo, elas iriam derrubá-lo, e tempo era uma coisa que o Mundo Médio possuía em abundância.

— Ele estava certo quanto à lenha — falou Eddie, que pegou uma tábua castigada pelo tempo e pousou sobre os braços da cadeira de rodas de Susannah como uma mesa improvisada. — Nós teremos muita. — Eddie deu uma olhadela no companheiro peludo de Jake, que novamente andava em círculos. — Se tivermos tempo de catar lenha, quer dizer.

— Começaremos a recolher assim que tivermos certeza de que o tal prédio de pedra lá é nosso — determinou Roland. — Vamos nos apressar.

11

O auditório de Gook era frio, e pássaros — aqueles que os nova-iorquinos chamavam de andorinhas, e Roland chamava de ferrugens — ocupavam o segundo andar, mas, tirando isso, o lugar era realmente do ka-tet. Assim que se viu debaixo de um teto, Oi pareceu livre da compulsão de se virar para o noroeste ou andar em círculos. O malhado imediatamente recuperou sua natureza curiosa e subiu as escadas bambas aos pulos na direção do bater de asas e dos pios acima. Ele começou a soltar seus latidos agudos, e logo os integrantes do tet viram os ferrugens saírem voando para áreas menos populosas do Mundo Médio. *Embora, se Roland estivesse certo*, pensou Jake, *aqueles que fossem na direção do rio Whye em breve virariam picolés de aves.*

O primeiro andar consistia em um único salão. Mesas e bancos haviam sido empilhados contra as paredes. Roland, Eddie e Jake levaram esses móveis para as janelas sem vidros, que por sorte eram pequenas, e cobriram as aberturas. As janelas do lado noroeste eles cobriram do lado de fora, para que o vento que viesse daquela direção as empurrasse com força em vez de arrancá-las.

Enquanto os três trabalhavam, Susannah rolou a cadeira de rodas até a boca da lareira, algo que conseguiu fazer sem sequer precisar abaixar a cabeça. Ela olhou para cima, pegou uma argola enferrujada e puxou. Houve um terrível som agudo... uma pausa... e depois uma grande nuvem escura de fuligem caiu pesadamente sobre a pistoleira. A reação foi imediata, pitoresca e totalmente Detta Walker.

— *Ah, mas que porra de cu podre!* — berrou ela. — *Sua filha da puta pegadora de picas, olha só esse caralho da porra!*

Susannah rolou para fora enquanto tossia e abanava as mãos em frente ao rosto. As rodas da cadeira deixaram um rastro na fuligem, e seu colo estava com um monte de cinzas. Susannah afastou a fuligem com uma série de pancadas fortes que mais pareciam socos.

— *Chaminé imunda do caralho! Boceta suja de velha! Sua sacana filha da puta da porra...*

Susannah se virou e viu que Jake a encarava, boquiaberto e de olhos arregalados. Atrás dele, nas escadas, Oi fazia o mesmo.

— Desculpe, querido — falou Susannah. — Eu me empolguei um pouco. Estou irritada comigo mesma, principalmente. Cresci com fogões e lareiras e deveria saber não fazer uma coisa dessas.

Em um tom de enorme respeito, Jake disse:

— Você sabe xingar melhor do que o meu pai. Eu não achava que *ninguém* soubesse palavrões melhores do que ele.

Eddie foi até Susannah e começou a limpar o rosto e o pescoço da esposa. Ela afastou a mão dele.

— Você só está espalhando a fuligem. Vamos ver se a gente consegue encontrar aquele *gook* ou seja lá o que for. Talvez ainda tenha água.

— Haverá água, se Deus quiser — falou Roland.

Susannah virou a cadeira para encará-lo com olhos franzidos.

— Está bancando o engraçadinho, Roland? É melhor não bancar o engraçadinho enquanto estou aqui sentada como uma boneca de piche.

— Não, sai, jamais foi minha intenção — disse Roland, mas o canto esquerdo de sua boca tremeu levemente. — Eddie, veja se consegue encontrar água do *gook* para Susannah poder se limpar. Jake e eu vamos catar lenha. Precisaremos que você venha nos ajudar assim que puder. Espero que seu amigo Bix tenha conseguido chegar ao lado do rio em que mora, porque acho que temos menos tempo do que ele calculou.

12

O poço da cidade ficava do outro lado do salão, naquilo que Eddie imaginou que um dia teria sido o mercado. A corda do mecanismo a manivela, que ficava pendurada debaixo da cobertura apodrecida do poço, sumira havia muito tempo, mas isso não era problema; eles tinham um rolo de corda de boa qualidade na *gunna*.

— O problema — comentou Eddie — é saber o que vamos amarrar na ponta da corda. Eu acho que um dos velhos alforjes de Roland poderia...

— O que é aquilo, docinho? — Susannah apontava para um trecho de grama alta e arbustos à esquerda do poço.

— Não estou vendo... — Mas aí ele viu. Um brilho de metal enferrujado. Tomando cuidado para não se arranhar o menos possível nos espinhos, Eddie meteu a mão no emaranhado de mato e, com um resmungo de esforço, puxou um balde enferrujado com um rolo de hera seca dentro. Havia até mesmo uma alça.

— Me deixe ver isso — disse Susannah.

Eddie jogou a hera fora e passou o balde. Ela testou o cabo, que se quebrou imediatamente, não com um estalo, mas com um suspiro suave. Susannah lançou um olhar de desculpas a Eddie e deu de ombros.

— Tudo bem — falou ele. — Melhor saber disso agora do que quando o balde estivesse no fundo do poço. — Eddie jogou a alça para o lado, cortou um pedaço da corda, desfiou as pontas para afiná-la e passou o que sobrou pelos buracos que seguravam a antiga alça.

— Nada mal — comentou Susannah. — Você é bem jeitoso para um branquelo. — Ela espiou pela borda do poço. — Estou vendo água. Está a um pouco menos de três metros de profundidade. Ah, parece *gelada*.

— Limpadores de chaminé não olham os dentes do cavalo dado.

O balde bateu na água, emborcou e depois começou a se encher. Quando afundou abaixo da superfície, Eddie o puxou para cima novamente. O balde revelou ter vários vazamentos em pontos corroídos pela ferrugem, mas eram pequenos. Ele tirou a camisa, molhou na água e começou a lavar o rosto de Susannah.

— Minha nossa Senhora! — exclamou Eddie. — Eu vejo uma menina!

Susannah pegou a camisa enrolada, molhou, torceu e começou a limpar os braços.

— Pelo menos eu abri o maldito cano da chaminé. Você pode pegar mais água assim que eu limpar a pior parte desta sujeira, e, quando conseguirmos acender um fogo, eu posso me lavar com água morna...

Ao longe, na direção noroeste, eles ouviram um estouro baixo. Houve uma pausa, e a seguir mais um estouro que foi seguido por vários outros. Depois uma salva de artilharia se repetindo e se aproximando dos dois como passos de uma marcha. Os olhares assustados de Eddie e Susannah se cruzaram.

Ele, de torso nu, foi para trás da cadeira de rodas.

— Acho melhor a gente se apressar.

Ao longe, mas definitivamente se aproximando, vieram sons que podiam ter sido de exércitos em guerra.

— Acho que você tem razão — disse Susannah.

13

Quando eles voltaram, viram Roland e Jake correndo na direção do salão com braçadas de tábuas podres e lascas de madeira. Ainda de bem distante do outro lado do rio, mas sem dúvidas chegando mais perto, vinham aquelas explosões baixas que aconteciam à medida que as árvores no caminho da borrasca se contraíam até os âmagos tenros. Oi estava no meio da rua principal tomada pelo mato e corria em círculos.

Susannah mergulhou da cadeira de rodas, pousou sobre as mãos e começou a rastejar na direção do salão comunitário.

— O que diabos você está fazendo? — perguntou Eddie.

— Você pode carregar mais lenha na cadeira. Faça uma boa pilha. Eu vou pedir a Roland que me dê a pederneira para acender o fogo.

— Mas...

— Preste atenção, Eddie. Me deixe ajudar como posso. E vista a camisa. Eu sei que está molhada, mas vai impedir que você se arranhe.

Eddie vestiu a camisa, depois virou a cadeira, inclinou-a nas grandes rodas traseiras e empurrou na direção da provável fonte de lenha mais próxima. No caminho, transmitiu a mensagem de Susannah ao pistoleiro. Roland assentiu com a cabeça e continuou correndo, enquanto olhava à frente por sobre a braçada de madeira.

Os três foram e voltaram sem falar nada enquanto recolhiam a lenha que espantaria o frio naquela tarde incomumente quente. O Caminho do Feixe no céu havia sumido temporariamente, porque todas as nuvens estavam em movimento, rumando na direção sudeste. Susannah acendera um fogo, que rugia como uma fera na chaminé. Havia uma enorme pilha de madeira no centro do grande salão do andar de baixo, e algumas tábuas tinham pregos enferrujados salientes. Até agora nenhum deles havia se cortado ou furado, mas Eddie achava ser apenas questão de tempo. Ele tentou se lembrar de quando foi a última vez que tomara uma injeção antitetânica, porém não conseguiu.

Quanto a Roland, pensou Eddie, *seu sangue provavelmente mataria qualquer germe que ousasse tentar entrar dentro daquele saco de couro que ele chama de pele.*

— Está sorrindo por quê? — perguntou Jake. As palavras saíram ofegantes. Os braços da camisa estavam imundos e cobertos de lascas; havia uma enorme mancha de terra na testa.

— Nada de mais, heroizinho. Cuidado com os pregos enferrujados. É melhor a gente trazer mais um lote cada um e parar por aí. A borrasca está próxima.

— Ok.

Os estouros agora estavam no lado deles do rio, e o ar, embora ainda quente, ficou pesado de uma maneira estranha. Eddie encheu a cadeira de rodas de Susannah pela última vez e a empurrou de volta ao auditório. Jake e Roland estavam à frente. Ele sentiu o calor sair pela porta aberta. *É melhor que esfrie* mesmo, pensou Eddie, *ou vamos assar pra caralho aí dentro.*

Então, enquanto Eddie esperava que os dois à frente virassem de lado para poder passar pela porta com a carga de lenha, um grito agudo e penetrante se juntou aos estalos e baques da madeira que se contraía. O som fez os pelos na nuca de Eddie se arrepiarem. O vento que vinha na direção deles soava vivo e em agonia.

O ar começou a se mover novamente. Primeiro era quente, depois fresco o bastante para secar o suor no rosto de Eddie, então ficou frio. Isto ocorreu em questão de segundos. O guincho assustador do vento foi acompanhado por um farfalhar que fez Eddie pensar nas flâmulas de plástico que costumavam ser penduradas em revendas de carros usados. O ruído aumentou e virou um zumbido, e as folhas começaram a ser arrancadas das árvores, primeiro em montes, depois em ondas. Os galhos batiam nas nuvens que escureceram enquanto Eddie olhava, boquiaberto.

— Ah, *merda* — praguejou ele e passou a cadeira de rodas pela porta. Pela primeira vez em dez viagens, ela ficou presa. As tábuas que Eddie empilhou sobre os braços da cadeira eram compridas demais. Com qualquer outra carga, as pontas teriam quebrado com o mesmo som suave, quase tímido, que a alça do balde fizera, mas não dessa vez. Ah, não, não agora que a tempestade estava quase aqui. Será que nada no Mundo Médio podia ser fácil? Ele meteu o braço por cima das costas da cadeira para empurrar as tábuas mais compridas para o lado, e foi aí que Jake gritou.

— *Oi! Oi ainda está lá fora! Oi! Vem, garoto!*

Oi não prestou atenção. Ele havia parado de andar em círculos. Agora estava apenas sentado com o focinho erguido na direção da tempestade vindoura, com os olhos debruados de dourado fixos e vagos.

14

Jake não pensou e não viu os pregos salientes do último lote de tábuas de Eddie. Ele simplesmente subiu pela pilha lascada e pulou. O garoto se chocou contra Eddie, que cambaleou para trás e tentou manter o equilíbrio, mas tropeçou nos próprios pés e caiu de bunda no chão. Jake caiu sobre um joelho e depois se levantou rapidamente, com os olhos arregalados e o cabelo comprido esvoaçando atrás da cabeça em um emaranhado de cachos.

— Jake, não!

Eddie tentou segurá-lo e só conseguiu agarrar a manga da camiseta do garoto, que estava puída por muitas lavagens em muitos córregos, e se rasgou.

Roland estava na porta. Ele empurrou para a direita e a esquerda as tábuas compridas demais, sem dar atenção aos pregos salientes, como Jake. O pistoleiro puxou a cadeira de rodas pela porta e grunhiu:

— Entre aqui.

— Jake…

— Jake vai ficar bem ou não. — Roland pegou Eddie pelo braço e o levantou. A velha calça jeans fazia um barulho de metralhadora em volta das pernas ao tremular ao vento. — Ele está por conta própria. Entre aqui.

— Não! Vá se foder!

Roland não discutiu e simplesmente deu um puxão em Eddie pela porta, e o rapaz caiu esparramado. Susannah estava sentada diante da lareira e olhou para Eddie. O suor pingava do rosto dela, e a frente da camisa de pele de cervo estava ensopada.

Roland ficou parado na porta, com uma expressão séria enquanto observava Jake correr até o amigo.

15

Jake sentiu a temperatura do ar despencar. Um galho se partiu com um estalo seco, e o garoto se abaixou assim que ele passou assobiando pela cabeça. Oi ficou imóvel até ser levantado por Jake. Depois o malhado olhou em volta freneticamente e arreganhou os dentes.

— Morda se quiser — afirmou Jake —, mas não vou colocar você no chão.

Oi não mordeu, e Jake provavelmente nem teria sentido se o malhado o tivesse feito, pois seu rosto estava dormente. O menino virou-se para o prédio, e o vento era como uma mão enorme e gelada plantada no meio das costas. Jake começou a correr de volta, ciente de que agora o fazia dando saltos absurdos, como um astronauta correndo pela superfície da Lua em um filme de ficção científica. Um salto... dois... três...

Mas, no terceiro salto, ele não pousou. Jake foi carregado para a frente pelo vento com Oi aninhado nos braços. Houve uma explosão gutural e estrondosa quando uma das velhas casas cedeu e saiu voando para sudeste em uma chuva de estilhaços. O garoto viu uma escadaria, com o corrimão tosco de madeira ainda preso, subir girando na direção das nuvens que corriam. *Seremos os próximos*, pensou ele; então uma mão com apenas três dedos, mas ainda forte, o pegou acima do cotovelo.

Roland virou Jake na direção da porta. Por um momento, tudo ficou incerto, pois o vento afastava os dois do abrigo. Então Roland investiu porta adentro com os dedos que restavam cravados na pele de Jake. A pressão do vento abandonou os dois abruptamente, e ambos caíram de costas.

— Graças a Deus! — gritou Susannah.

— Agradeça a Ele depois! — berrou Roland para ser ouvido mais alto do que o urro predominante da ventania. — Empurrem! Todos vocês, empurrem esta maldita porta! Susannah, você fica embaixo! Com força total! Você coloca a barra, Jake! Você entendeu? Deixe a barra cair nas braçadeiras! Não hesite!

— Não se preocupe comigo — disparou Jake. Algo lhe cortara a têmpora e um filete de sangue escorria pelo lado do rosto, mas os olhos estavam focados e determinados.

— Agora! Empurrem! Empurrem pela vida de vocês!

A porta se fechou lentamente. Eles não teriam conseguido segurá-la por muito tempo — meros segundos —, mas não foi preciso. Jake deixou cair a barra grossa de madeira, e, quando todos se afastaram com cuidado, as braçadeiras enferrujadas aguentaram. Eles se entreolharam, ofegantes, depois olharam para Oi, que deu um simples latidinho contente e foi se esquentar diante da lareira. O feitiço que a vindoura tempestade lançara sobre o malhado parecia ter sido quebrado.

Longe da lareira, o grande salão já esfriava.

— Você devia ter me deixado pegar o moleque, Roland — disse Eddie. — Ele podia ter morrido lá fora.

— Oi era responsabilidade de Jake. Ele deveria tê-lo trazido para dentro mais cedo. Amarrado o malhado em alguma coisa, caso fosse necessário. Ou você discorda, Jake?

— Não, eu concordo. — Jake se sentou ao lado de Oi, acariciando o pelo grosso do malhado com uma das mãos enquanto a outra limpava o sangue do rosto.

— Roland — argumentou Susannah —, ele é apenas um menino.

— Não é mais — disse Roland. — Rogo seu perdão, mas... não é mais.

16

Pelas primeiras duas horas da borrasca, eles chegaram a duvidar que o salão comunitário de pedra fosse aguentar. O vento gritava e as árvores estalavam. Uma delas caiu e esmagou o teto. Um jato de ar frio penetrou pelas tábuas acima do grupo. Susannah e Eddie se abraçaram. Jake protegeu Oi — que agora estava deitado placidamente, com as patinhas espalhadas para os quatro pontos cardeais — e ergueu os olhos para a nuvem rodopiante de cocô de pássaros que entrou pelas frestas do teto. Roland continuou a preparar o jantar modesto sem se abalar.

— O que você acha, Roland? — perguntou Eddie.

— Acho que, se este prédio durar mais uma hora, ficaremos bem. O frio vai se intensificar, mas o vento vai ceder um pouco quando chegar a escuridão. Vai ceder ainda mais ao amanhecer, e depois de amanhã, o ar ficará parado e bem mais quente. Não como ficou antes da chegada da tempestade, pois aquele calor era anormal, e todos nós sabíamos disso.

Roland olhou para eles com um meio sorriso. A expressão pareceu estranha no rosto do pistoleiro, que costumava ser alerta e sério.

— Enquanto isso, nós temos um bom fogo, que pode até não esquentar a sala inteira, mas nos aquecerá bastante se ficarmos perto dele. Temos também um pouco de tempo para descansar. Passamos por muita coisa, não foi?

— Sim — falou Jake. — *Muita* coisa até.

— E muito mais nos espera no futuro, não tenho dúvida. Perigo, trabalho duro, tristeza. Morte, talvez. Então agora podemos ficar sentados diante da lareira, como nos velhos tempos, e aproveitamos a calmaria que for possível. — Roland os observou, ainda com o meio sorriso. A luz do fogo criou um jogo estranho de imagens e o fez parecer jovem de um lado do rosto e velho do outro. — Nós somos ka-tet. Somos um de muitos. Agradeçam o calor, o abrigo e o companheirismo diante da tempestade. Outros podem não ter tanta sorte assim.

— Vamos torcer para que eles tenham — disse Susannah, pensando em Bix.

— Venham — falou Roland. — Comam.

Eles foram, se sentaram em volta do *dinh* e comeram o que o pistoleiro serviu.

17

Susannah dormiu uma ou duas horas no começo da noite, mas os sonhos — de comidas ruins e podres que de alguma forma ela se sentia forçada a comer — a acordaram. Lá fora, o vento continuava a uivar, embora o som não fosse mais tão constante. Às vezes, a ventania parecia parar por completo, depois aumentava de novo e soltava guinchos longos e gelados ao correr sob as calhas em correntezas frias, sacudindo as arcaicas estruturas do prédio de pedra. A porta batia em ritmo constante contra a barra que a mantinha fechada, mas, assim como o telhado acima deles, tanto a barra quanto as braçadeiras enferrujadas pareciam estar aguentando o tranco. Susannah pensou no que poderia ter acontecido com eles se a viga de madeira tivesse estado tão podre quanto o cabo do balde que eles encontraram perto do *gook*.

Roland estava acordado e sentado perto da lareira com Jake. Entre os dois, Oi dormia com uma pata sobre o focinho. Susannah se juntou ao trio.

O fogo havia diminuído um pouco, mas, tão perto assim, ela recebia um calor reconfortante nos braços e no rosto. Ela pegou uma tábua, pensou em quebrá-la ao meio, depois decidiu que a ação poderia acordar Eddie, e jogou a madeira no fogo como estava. Fagulhas subiram pela chaminé e rodopiaram quando a corrente de ar as pegou.

Susannah não precisava ter se dado àquele trabalho, porque, enquanto as fagulhas ainda giravam, uma mão lhe fez carinho na nuca, logo abaixo da linha dos cabelos. Ela nem precisou olhar; teria reconhecido aquele toque em qualquer lugar. Sem se virar, Susannah pegou a mão, levou à boca e beijou a palma. A palma *branca*. Mesmo após todo aquele tempo juntos e todas as vezes que fizeram amor, ela às vezes mal conseguia acreditar. E, no entanto, era verdade.

Pelo menos não tenho que levá-lo para casa para conhecer meus pais, pensou ela.

— Não conseguiu dormir, docinho?

— Só um pouco. Não muito. Tive sonhos estranhos.

— É o vento que traz — disse Roland. — Qualquer pessoa em Gilead lhe diria a mesma coisa. Mas eu adoro o som do vento. Sempre gostei. Ele me tranquiliza e me faz pensar nos velhos tempos.

Ele afastou o olhar, como se tivesse ficado envergonhado de ter dito tanta coisa.

— Nenhum de nós consegue dormir — comentou Jake. — Então conte uma história pra gente.

Roland fitou o fogo por um tempo, depois Jake. O pistoleiro sorria novamente, mas seu olhar estava distante. Uma tora estourou na lareira.

Além das paredes de pedra, o vento gritava como se estivesse furioso por não conseguir entrar. Eddie passou o braço pela cintura de Susannah, que recostou a cabeça no ombro dele.

— Que história você gostaria de ouvir, Jake, filho de Elmer?

— Qualquer uma. — Ele fez uma pausa. — Sobre os velhos tempos.

Roland olhou para Eddie e Susannah.

— E vocês? Querem ouvir?

— Sim, por favor — pediu Susannah.

Eddie assentiu.

— Sim. Se você quiser contar, quer dizer.

Roland refletiu.

— Talvez eu conte duas histórias, já que temos muito tempo até a alvorada, e se quisermos podemos até dormir o dia de amanhã inteiro. Esses contos estão inseridos um no outro, porém o vento corta os dois, o que é uma boa coisa. Não há nada como histórias em uma noite de ventania em que as pessoas encontram um lugar quente em um mundo frio.

O pistoleiro pegou um pedaço quebrado de revestimento de madeira, cutucou as brasas incandescentes e depois o jogou nas chamas.

— Uma das histórias que conheço é verdadeira, pois eu a vivi com meu antigo parceiro de ka, Jamie DeCurry. A outra história, "O vento pela fechadura", minha mãe lia para mim quando eu era pequeno. Velhas histórias podem ser úteis, sabem, e esse conto deveria ter surgido na minha mente assim que vi Oi fungando o ar, mas aquilo foi há muito tempo. — Ele suspirou. — Dias passados.

Na escuridão além da luz da lareira, o vento aumentou e uivou. Roland esperou que diminuísse um pouco, depois começou. Eddie, Susannah e Jake escutaram, arrebatados, por toda aquela longa noite conturbada. Lud, o Homem do Tique-taque, o Mono Blaine, o Palácio Verde — todos foram esquecidos. Até mesmo a própria Torre Negra foi esquecida um pouco. Havia apenas a voz de Roland, que aumentava e diminuía.

Aumentava e diminuía como o vento.

— Não muito tempo após a morte da minha mãe, que, como vocês sabem, aconteceu pelas minhas próprias mãos…

O TROCA-PELE
(PARTE 1)

Não muito tempo após a morte da minha mãe, que, como vocês sabem, aconteceu pelas minhas próprias mãos, meu pai — Steven, filho de Henry, o Alto — me chamou ao gabinete na ala norte do palácio. Era um aposento pequeno e frio. Eu me lembro de como o vento gemia do lado de fora. Eu me lembro das estantes altas e abarrotadas de livros — eles valiam uma fortuna, mas nunca foram lidos. Não por ele, de qualquer forma. E me lembro da gola preta de luto que meu pai usava. Era igual à minha. Todo homem em Gilead usava a mesma gola ou uma faixa em volta da manga. As mulheres usavam redes pretas no cabelo. Isto duraria até se passarem seis meses de Gabrielle Deschain ter sido entregue ao seu túmulo.

Eu o cumprimentei com o punho na testa. Ele não tirou os olhos da papelada sobre a mesa, mas eu sabia que tinha visto o gesto. Meu pai via tudo, e muito bem. Eu aguardei. Ele assinou o nome várias vezes enquanto o vento assobiava e as gralhas crocitavam no pátio. A lareira estava apagada. Ele raramente mandava acender, mesmo nos dias mais frios.

Por fim meu pai ergueu os olhos.

— Como está Cort, Roland? Como vai seu antigo tutor? Você deve saber, porque pelo que entendi você passa a maior parte do dia na cabana dele, alimentando-o e coisas assim.

— Há dias em que ele me reconhece — respondi. — Já em outros, não. Ele ainda enxerga um pouco de um olho. O outro... — Não precisei terminar. O outro estava perdido. Meu falcão, David, tirou o olho de Cort no teste de maioridade. Cort, por sua vez, tirou a vida de David, mas aquela fora a última morte que causaria.

— Eu sei o que aconteceu com o outro olho. Você realmente dá de comer a Cort?

— Ié, pai, dou.

— Você o limpa quando ele se suja?

Fiquei parado em frente à mesa do meu pai como um aluno indisciplinado que foi chamado diante do diretor da escola, e foi assim que me senti. Só que quantos alunos indisciplinados mataram as próprias mães?

— Responda, Roland. Eu sou seu *dinh*, bem como seu pai, e quero saber sua resposta.

— Às vezes. — O que não chegava a ser uma mentira. Às vezes eu trocava os trapos sujos de Cort três ou quatro vezes ao dia; às vezes, nos dias bons, apenas uma vez ou nenhuma. Ele conseguia chegar à privada se eu o ajudasse. E se ele se lembrasse de que tinha que ir.

— Ele é visitado pelas irmãs brancas?

— Eu as dispensei — respondi.

Ele me olhou com curiosidade genuína. Procurei por desdém no rosto do meu pai, e parte de mim queria encontrar, mas não havia nenhum desprezo que eu pudesse ver.

— Eu ensinei você a usar um revólver para que você se tornasse uma irmã e cuidasse de um velho derrotado?

Senti uma pontada de raiva ao ouvir aquilo. Cort treinara um monte de meninos na tradição do Eld e na tradição do revólver. Aqueles que eram indignos ele vencia em combate e mandava para Oeste sem armas além do que restava de suas faculdades mentais. Lá, em Cressia e em lugares até mais distantes naqueles reinos anárquicos, muitos dos meninos derrotados se juntaram a Farson, o Bom Homem. Que, com o tempo, acabaria com tudo que a linhagem do meu pai defendia. *Farson* os armou, com certeza. Ele tinha armas e tinha planos.

— Você o descartaria, pai? Esta seria a recompensa por todos os anos de serviço de Cort? Quem seria o próximo, então? Vannay?

— Jamais nesta vida, como você sabe. Mas o que está feito está feito, Roland, como tu sabes também.

— Eu cuido dele por respeito!

— Se fosse apenas por respeito, creio que você o visitaria e leria para ele... Porque você lê bem, como sua mãe sempre disse, e ela falava a verdade a esse respeito. Mas você não limparia a merda de Cort nem trocaria a sua roupa de cama. Você está se martirizando pela morte de sua mãe, que não foi culpa sua.

Parte de mim sabia que era verdade. Parte de mim se recusava a acreditar naquilo. O obituário dela foi simples: "Gabrielle Deschain, de Arten, morreu ao ser possuída por um demônio que atormentava seu espírito". Era sempre dito dessa forma quando alguém de sangue nobre cometia suicídio, e, portanto, foi assim que se espalhou a história da morte dela. Isso foi aceito sem questionamento, mesmo por aquelas pessoas que, secretamente ou não tão secretamente, estavam do lado de Farson. Porque se tornou público — só os deuses sabem como, porque não fora por mim nem por meus amigos — que ela tinha se tornado a consorte de Marten Broadcloak, o mago da corte e conselheiro-chefe do meu pai, e que Marten fugira para o Oeste. Sozinho.

— Roland, preste bastante atenção. Eu sei que você se sentiu traído pela senhora sua mãe. Eu também. Sei que parte de você a odiou. Parte de mim a odiou também. Mas nós dois também a amávamos e ainda amamos. Você foi envenenado pelo brinquedo que trouxe de Mejis e foi enganado pela bruxa. Uma dessas coisas por si só poderia não ter causado o incidente, mas a esfera rosada e a bruxa juntas... ié.

— Rhea. — Senti os olhos arderem com lágrimas e as contive. Eu não choraria diante do meu pai. Nunca mais. — Rhea de Cöos.

— Ié, ela, aquela puta sem coração. Foi ela que matou sua mãe, Roland. Ela transformou você em um revólver... e depois puxou o gatilho.

Continuei em silêncio.

Ele deve ter notado meu incômodo, porque voltou a remexer a papelada e assinar o nome aqui e ali. Finalmente, meu pai ergueu a cabeça de novo.

— As irmãs terão que cuidar de Cort por algum tempo. Vou mandar você e um de seus companheiros de ka para Debaria.

— O quê? Para Serenity?

Ele riu.

— Aquele retiro onde sua mãe ficou?

— Sim.

— Não, para lá não, não mesmo. Serenity, que piada. Aquelas mulheres são as irmãs *pretas*. Elas arrancariam sua pele se você colocasse um pé para dentro das portas sagradas. A maioria das irmãs que moram lá prefere uma chupeta a um homem.

Eu não entendi o que ele quis dizer; lembrem-se de que eu ainda era muito jovem e muito inocente a respeito de várias coisas, apesar de tudo que havia passado.

— Não sei se estou pronto para outra missão, pai, quanto mais uma jornada.

Ele me olhou com frieza.

— Sou eu quem decide se você está pronto ou não. De qualquer forma, isto não tem nada a ver com aquela confusão toda em que você se enfiou em Mejis. Pode haver perigo, quem sabe até um tiroteio, mas no fim das contas é apenas um serviço que precisa ser feito. Em parte para que as pessoas que passaram a duvidar possam ver que o Branco ainda é forte e fiel, mas principalmente porque não podemos tolerar o mal. Enfim, como eu disse, não vou mandar você sozinho.

— Quem vai comigo? Cuthbert ou Alain?

— Nenhum dos dois. Eu tenho trabalho aqui para Risadinha e Pezão. Você vai com Jamie DeCurry.

Refleti sobre aquilo e achei que seria bom ir com Jamie Mão Vermelha, embora eu tivesse preferido tanto Cuthbert quanto Alain, como meu pai certamente sabia.

— Você vai sem discutir ou continuará a me perturbar em um dia que tenho tanto a fazer?

— Eu vou. — Na verdade, seria bom sair do palácio, dos cômodos sombrios, das intrigas sussurradas, da sensação predominante de que a escuridão e a anarquia estavam vindo e nada poderia detê-las. O mundo seguia em frente, mas Gilead não o acompanhava. Aquela bolha linda e reluzente em breve estouraria.

— Ótimo. Você é um bom filho, Roland. Posso nunca ter lhe dito isso, mas é verdade. Não tenho nada contra você. Nada.

Baixei a cabeça. Quando a reunião finalmente acabasse, eu iria para qualquer canto e daria vazão ao sentimento, mas não naquela hora. Não diante dele.

— Dez ou doze rodas além do retiro das mulheres, Serenity ou seja lá como chamam, fica a cidade de Debaria propriamente dita, no limite da planície alcalina. Não há nada de sereno a respeito de Debaria. É uma cidade poeirenta e fedida no terminal da ferrovia, de onde gado e blocos de sal são enviados para o Sul, o Leste e o Norte, para todas as direções, exceto aquela onde o desgraçado Farson está armando seus planos. Há menos cidades ferroviárias hoje em dia, e eu suponho que Debaria vá em breve secar e ser levada pelo vento como tantos outros lugares do Mundo Médio, mas agora ainda é um lugar movimentado, cheio de saloons, bordéis, jogadores e vigaristas. Por mais difícil que seja de acreditar, há até algumas pessoas boas por lá. Uma delas é o xerife-mor Hugh Peavy. É com ele que você e DeCurry devem falar. Deixe que ele veja seus revólveres e um *sigul* que lhes darei. Você entendeu tudo que eu falei até agora?

— Sim, pai. O que há de tão ruim lá que necessita da atenção de pistoleiros? — Eu sorri brevemente, algo que quase nunca fazia após a morte da minha mãe. — Mesmo pistoleiros filhotes como nós?

— De acordo com os relatórios que recebi — ele ergueu alguns dos papéis e sacudiu para mim —, há um troca-pele em ação. Tenho minhas dúvidas a respeito disto, mas a população está definitivamente aterrorizada.

— Não sei o que é um troca-pele.

— Uma espécie de transmorfo, ou pelo menos é o que as velhas histórias dizem. Fale com Vannay quando sair. Ele anda juntando relatos.

— Certo.

— Faça o serviço, encontre esse lunático que anda por aí vestindo peles de animais, pois deve ser só isso, no final das contas, mas não se demore. Questões mais graves começaram a demandar atenção. Quero você e seus companheiros de ka aqui de volta antes que elas desmoronem.

Dois dias depois, Jamie e eu levamos os cavalos para o vagão-estábulo de um trem especial de dois vagões que nos foi reservado. Antigamente, a Linha Oeste percorria mil rodas ou mais, até o deserto Mohaine, mas, nos anos antes da queda de Gilead, ela terminava em Debaria. Depois dali, a maioria das ferrovias foi destruída por rachaduras no solo e terremotos. Outras foram tomadas por Salteadores e bandos itinerantes de fora da lei que se autodenominavam piratas terrestres, porque aquela parte do mundo tinha decaído em um caos sangrento. Nós chamávamos de Mundo Externo aquelas terras distantes a oeste, e elas também serviam aos objetivos de John Farson. Ele mesmo era, afinal de contas, nada mais do que um pirata terrestre. Um pirata com ambição.

O trem era pouco mais do que um brinquedo movido a vapor; o povo de Gilead o chamava de Apitinho e ria ao vê-lo soltando baforadas na ponte a oeste do palácio. Poderíamos ter ido mais rápido a cavalo, mas o trem poupava as montarias. E os assentos empoeirados de veludo do vagão viravam camas, o que achamos uma vantagem. Até que tentamos dormir nelas, quer dizer. Em um solavanco especialmente forte, Jamie foi jogado da cama improvisada para o chão. Curthbert teria rido e Alain teria xingado, mas Jamie Mão Vermelha apenas se levantou, se acomodou novamente e voltou a dormir.

Nós conversamos pouco naquele primeiro dia, apenas olhando pelas janelas de mica que tremiam e observando a terra verdejante e cheia de florestas de Gilead dar lugar a uma vegetação de arbustos, alguns ranchos humildes e cabanas de pastores. Havia algumas cidades em que as pessoas — muitas delas mutantes — nos olhavam boquiabertas quando o Apitinho passava lentamente. Algumas apontavam para o meio da testa, como se indicassem um olho invisível. O gesto significava que as pessoas apoiavam Farson, o Bom Homem. Em Gilead, gente assim teria sido presa por deslealdade, mas Gilead tinha ficado para trás. Fiquei aflito com quanto a lealdade dessas pessoas, que um dia já fora dada como certa, diminuíra.

No primeiro dia da jornada, nos arredores de Beesford-em-Arten, onde alguns integrantes do povo da minha mãe ainda viviam, um homem gordo atirou uma pedra no trem. Ela quicou no vagão-estábulo fechado, e eu ouvi o relincho de surpresa dos cavalos. O homem gordo viu que nós o olhávamos. Fez uma cara feia, agarrou o saco com as duas mãos e foi embora.

— Tem gente que anda comendo bem em uma terra pobre — comentou Jamie ao observar a carne molenga e robusta dentro das calças velhas e remendadas.

Na manhã seguinte, depois que o criado serviu um café da manhã frio com mingau e leite, Jamie falou:

— Acho que é melhor você me contar o que vamos fazer.

— Você pode me dizer uma coisa antes? Se souber, naturalmente.

— É claro.

— Meu pai disse que as mulheres no retiro em Debaria preferem uma chupeta a um homem. Você sabe o que ele quis dizer?

Jamie me olhou em silêncio por um momento, como se para garantir que eu não estava fazendo nenhuma piada com ele, e depois contraiu os cantos dos lábios. Para Jamie, isso era o equivalente a rolar no chão com a mão na barriga e cair na gargalhada. O que era algo que Cuthbert Allgood com certeza teria feito.

— Deve ser o que as prostitutas na cidade baixa chamam de consolo. Isso ajuda a entender?

— Sério? E elas... o quê? Usam umas nas outras?

— É o que dizem, mas muita coisa é só balela. Você entende mais de mulher do que eu, Roland; eu nunca me deitei com uma. Mas deixa pra lá; com o tempo, imagino que eu me deite. Me diga o que faremos em Debaria.

— Aparentemente, um troca-pele está aterrorizando as pessoas de bem. Provavelmente as pessoas de mal também.

— Um homem que se transforma em algum tipo de animal?

Era até um pouco mais complicado nesse caso, mas ele entendera a essência da questão. O vento soprava com força e jogava punhados de rochas alcalinas contra a lateral do vagão. Depois de uma lufada especialmente violenta, o pequeno trem estremeceu. As tigelas vazias de mingau deslizaram. Nós as pegamos antes que caíssem. Se não fôssemos capazes de fazer coisas assim, e sem precisar pensar duas vezes, não seríamos dignos de portar as armas que portávamos. Não que Jamie preferisse o revólver. Dada a opção (e o tempo para escolher), ele teria pegado o arco ou o seu *bah*.

— Meu pai não acredita nisso — falei. — Mas Vannay, sim. Ele...

Naquele instante, fomos atirados nos assentos à nossa frente. O velho criado, que vinha pelo corredor central para recolher as tigelas e canecas, foi jogado para trás, contra a porta entre o vagão e a pequena cozinha. Os dentes da frente saíram voando da boca e caíram no seu colo, me sobressaltando.

Jamie disparou pelo corredor, que agora estava extremamente inclinado, e se ajoelhou ao lado do criado. Quando me juntei a ele, Jamie pegou os dentes e eu vi que eram feitos de madeira pintada e mantidos juntos de forma engenhosa por um clipe pequeno, quase imperceptível.

— Você está bem, sai? — perguntou Jamie.

O velho ficou de pé lentamente, pegou os dentes e os encaixou no buraco atrás do lábio superior.

— Estou bem, mas esta porra de trem descarrilou novamente. Chega de viagens a Debaria para mim, eu sou casado. Minha esposa é uma velha chata, e não vou deixar que ela viva mais do que eu. É melhor vocês jovens verificarem os cavalos. Com sorte, nenhum dos dois quebrou uma pata.

Nenhum dos cavalos quebrou uma pata, mas eles estavam nervosos e batiam os cascos, ansiosos para sair do confinamento. Nós abaixamos a rampa e conduzimos as montarias à barra de conexão entre os dois vagões, onde os cavalos ficaram com a cabeça baixa e as orelhas encolhidas contra o vento quente e cáustico que soprava do oeste. Então voltamos ao vagão de passageiros e pegamos a nossa *gunna*. O maquinista, um sujeito atarracado, de ombros largos e pernas arqueadas, desceu da lateral do trem inclinado seguido pelo velho criado. Quando chegou a nós, ele apontou para o que podíamos ver muito bem.

— Pra além daquela crista fica a estrada pra Debaria; estão vendo os marcos? Dá pra chegar no lugar das mulheres em menos de uma hora, mas nem percam tempo perguntando alguma coisa praquelas vadias porque elas não vão responder. — Ele abaixou a voz. — Elas comem homem, segundo dizem. E não é só modo de dizer, garotos: *elas... comem... os homens*.

Achei mais fácil acreditar nessa ideia do que no troca-pele, mas não falei nada. Era óbvio que o maquinista estava abalado, e uma das mãos do homem estava tão vermelha quanto a de Jamie. Porém, a mão do maquinista estava só um pouco queimada, e ia melhorar. A mão de Jamie continuaria vermelha quando ele fosse para a cova. Parecia que tinha sido mergulhada em sangue.

— Elas podem chamar vocês ou fazer uma porção de promessas. Podem até mesmo mostrar os peitinhos, porque elas sabem que os rapazes não conseguem resistir a uns peitinhos. Mas esqueçam isso. Não deem ouvidos pras promessas e tirem os olhos dos peitinhos. Vocês dois sigam em frente até a cidade. É menos de uma hora a cavalo. A gente precisa de uma equipe pra botar esta porra inútil em pé. Os trilhos tão bons; eu olhei. Só estão é cobertos por aquela bosta de poeira alcalina. Acho que vocês não têm como pagar pra que os homens venham aqui, mas, se vocês são do tipo que sabe as letras, e eu acho que uns bacanas que nem vocês sabem essas coisas, podem me dar uma nota premissária ou seja lá como é que se chama...

— Nós temos dinheiro vivo — afirmei. — O suficiente para contratar uma equipe modesta.

O maquinista arregalou os olhos ao ouvir isso. Imagino que ele teria arregalado ainda mais se eu contasse que meu pai me dera vinte moedas de ouro para levar em um bolso especial, costurado dentro do meu colete.

— E boi? Porque a gente vai precisar de boi se eles tiverem, ou então cavalos, se não tiverem.

— Nós vamos ao estábulo e veremos o que eles têm — assegurei ao montar. Jamie amarrou o arco em um dos lados da sela e depois foi para o outro, onde enfiou o *bah* na bota de couro que seu pai fizera especialmente para a arma.

— Não deixa a gente abandonado aqui, jovem sai — disse o maquinista. — A gente não tem cavalos nem armas.

— Não nos esqueceremos de vocês — prometi. — Mas fiquem dentro do trem. Se não conseguirmos despachar uma equipe hoje, mandaremos uma *bucka* levar vocês para a cidade.

— Obrigado. E fiquem longe daquelas mulheres. *Elas... comem... homens!*

O dia estava quente. Nós cavalgamos com os cavalos por um período, porque eles queriam esticar as patas após ficarem tanto tempo presos, depois diminuímos para um trote.

— Vannay — disse Jamie.

— Como?

— Antes de o trem descarrilar, você disse que seu pai não acreditava que existisse um troca-pele, mas Vannay, sim.

— Ele disse que, após ler os relatórios enviados pelo xerife-mor Peavy, foi difícil não acreditar. Você sabe o que ele fala, pelo menos uma vez em toda aula: "Quando os fatos falam, o sábio presta atenção". Vinte e três mortos são muitos fatos. Não a tiros ou facadas, veja bem, mas despedaçados.

Jamie resmungou.

— Famílias inteiras, em duas ocasiões. Eram das grandes, quase clãs. As casas estavam reviradas e sujas de sangue. Pernas e braços haviam sido arrancados dos corpos e levados embora, alguns foram encontrados parcialmente devorados, e outros, nem encontrados foram. Em uma daquelas fazendas, o xerife Peavy e o delegado encontraram a cabeça do menino mais novo enfiada na cerca com o crânio esmagado e o cérebro removido.

— Testemunhas?

— Algumas. Um pastor que voltava com ovelhas desgarradas viu o colega ser atacado. O que sobreviveu estava em um morro próximo. Os dois cachorros que estavam com ele desceram correndo para proteger o outro dono e foram estraçalhados junto com ela. A coisa subiu o morro atrás do pastor, mas em vez disso se distraiu com as ovelhas, de maneira que o sujeito deu sorte e escapou. Ele disse que era um lobo que corria de pé, como um homem. Depois teve a história da mulher com um jogador. O sujeito foi flagrado trapaceando em Olho Vivo em um dos antros de jogatina. Os dois receberam uma multa e ordens para sair da cidade até o anoitecer ou seriam açoitados. Eles estavam indo na direção da cidadezinha perto das minas de sal quando foram atacados. O homem lutou, o que deu tempo suficiente para a mulher escapar. Ela se escondeu atrás de algumas pedras até a criatura ir embora. Segundo ela, foi um leão.

— De pé sobre as patas traseiras?

— Se foi o caso, ela não esperou para ver. Da última vez, dois vaqueiros. Eles estavam acampados em Debaria Stream, perto de um jovem casal *manni* em viagem de núpcias, embora os vaqueiros não soubessem até ouvirem os gritos do casal. Quando se aproximaram para ver o que era o barulho, eles viram o assassino arrancar metade da perna da mulher com as mandíbulas. Só que não era um homem, mas os dois juraram de pés juntos que a criatura andava ereta como se fosse um homem.

Jamie se debruçou sobre o pescoço do cavalo e cuspiu.

— Não pode ser verdade.

— Vannay diz que pode. Ele diz que houve criaturas assim antes, embora não por muitos anos. Vannay acredita que existe alguma espécie de mutação que, na prática, tenha escapado da linhagem pura.

— Todas essas testemunhas viram animais diferentes?

— Ié. Os boiadeiros descreveram a criatura como um tigre. Ela tinha listras.

— Leões e tigres soltos por aí como feras treinadas em um circo itinerante. E soltos aqui no deserto. Você tem certeza de que não estão nos enganando?

Eu não tinha idade suficiente para ter certeza de muita coisa, mas sabia que os tempos estavam difíceis demais para que jovens pistoleiros fossem mandados até mesmo a Debaria por causa de um trote. Não que Steven Deschain pudesse ser descrito como um sujeito brincalhão mesmo na melhor das hipóteses.

— Estou só repassando o que Vannay falou. Os dois laçadores que vieram à cidade puxando um trenó com os restos dos dois *manni* nunca tinham nem mesmo *ouvido* falar de algo como um tigre. No entanto, foi o que eles descreveram. O testemunho está aqui, com olhos verdes e tudo o mais. — Peguei no bolso interno do colete as duas folhas de papel amassadas que Vannay me deu. — Quer ver?

— Eu não sou bom de leitura — disse Jamie. — Como tu sabes.

— Mas acredite no que digo. A descrição é igual à ilustração na velha história do menino pego na borrasca.

— Que velha história é essa?

— Aquela sobre Tim Coração Valente, "O vento pela fechadura". Deixa pra lá. Não é importante. Eu sei que os vaqueiros podem ter estado bêbados, eles geralmente estão se ficam nas redondezas de uma cidade que tem bebida, mas, se for um testemunho verídico, Vannay diz que a criatura não apenas *muda* de forma como *alterna* formas.

— Vinte e três mortos, você diz. Ai, ai.

Veio uma lufada de vento que levantou a poeira alcalina. Os cavalos se assustaram, e nós erguemos os lenços para cobrir o nariz e a boca.

— Droga de calor — disse Jamie. — E esta maldita *poeira*.

Então, como se percebesse que já falara demais, ele ficou em silêncio. O que por mim era bom, porque eu tinha muita coisa para pensar.

Um pouco menos de uma hora depois, subimos uma colina e vimos uma *haci* branca e reluzente abaixo de nós. Era do tamanho de uma mansão de baronato. Atrás, na direção de um córrego estreito, havia uma grande estufa e o que parecia ser um vinhedo. Fiquei com água na boca. Na última vez que eu comera uvas, meus sovacos ainda eram lisos, sem pelos.

Os muros da *haci* eram altos e cobertos por cacos de vidro reluzentes e ameaçadores, mas os portões de madeira estavam abertos, como se fosse um convite. Em frente a eles, sentada numa espécie de trono, estava uma mulher de vestido de musselina branca e capuz alvo de seda que se abria em volta da cabeça como asas de gaivota. Conforme nos aproximamos, observei que o trono era feito de pau-ferro. Com certeza nenhuma outra cadeira que não fosse feita de metal teria sustentado o peso da mulher, pois ela era a maior que já vi, uma giganta que poderia ter sido companheira lendário príncipe dos fora da lei, David Quick.

O colo dela estava coberto por apetrechos de costura. Ela poderia estar fazendo um cobertor, mas, diante daquele corpanzil e de seios tão grandes que teriam protegido completamente um bebê do sol, seja lá o que fosse que ela costurava parecia não ser maior do que um lenço. A mulher viu os dois pistoleiros, colocou a tarefa de lado e ficou de pé. Ela tinha perto de dois metros de altura, talvez um pouco mais. O vento era mais fraco nesse declive, mas havia o suficiente para fazer o vestido tremular contra as coxas compridas.

O tecido fazia um som como uma vela em uma brisa forte. Lembrei que o maquinista tinha me dito que *elas comiam os homens*, mas, quando a mulher colocou o enorme punho na imensidão da testa e levantou a lateral do vestido para fazer uma mesura, eu parei o cavalo.

— Hail, pistoleiros — saudou ela. A mulher tinha uma voz retumbante, não exatamente como o tom de barítono de um homem. — Em nome de Serenity e das mulheres que vivem aqui, eu vos saúdo. Que seus dias sejam longos sobre a terra.

Levamos nossos punhos à testa e desejamos que ela tivesse o mesmo em dobro.

— Vocês vieram do Mundo Interno? Acho que sim, pois suas roupas não estão sujas o suficiente para estes lados. Porém, sujas elas ficarão, se passarem mais do que um dia. — E ela riu. O som era um leve trovão.

— Viemos sim — respondi. Era óbvio que Jamie não falaria nada. Já mais acostumado a ficar calado, seu silêncio agora era de espanto. A sombra da mulher subia pela parede caiada atrás dela, tão alta quanto lorde Perth.

— E vieram atrás do troca-pele?

— Sim — falei. — Você viu o sujeito ou só sabe o que dizem os rumores? Se este for o caso, nós iremos em frente e agradecemos.

— Não é um sujeito, rapaz. Jamais pense assim.

Apenas olhei para ela. De pé, a mulher era quase alta o bastante para me olhar nos olhos, embora eu estivesse montado em Jovem Joe, um grande cavalo.

— Uma *coisa* — disse ela. — Um monstro das Profundezas, com tanta certeza quanto vocês servem ao Eld e ao Branco. Ele pode ter sido um homem um dia, mas não é mais. Sim, eu vi a coisa e sua obra. Fiquem sentados onde estão, não se movam e vocês também verão a obra da coisa.

Sem esperar por uma resposta, ela passou pelo portão aberto. Naquele vestido de musselina branca, a mulher era como uma chalupa correndo diante do vento. Eu olhei para Jamie, que deu de ombros e assentiu. Foi para isto que viemos, afinal de contas, e se o maquinista tivesse que esperar um pouco mais por ajuda para recolocar o Apitinho nos trilhos, que fosse.

— *ELLEN!* — berrou ela. A pleno volume, era como escutar uma mulher berrar em um megafone elétrico. — *CLEMMIE! BRIANNA! TRAGAM COMIDA! TRAGAM CARNE, PÃO E CERVEJA; A CLARA, NÃO, A ESCURA! TRAGAM UMA MESA, E NÃO SE ESQUEÇAM DA TOALHA! MANDEM FORTUNA VIR AQUI AGORA! ANDEM COM ISSO! RÁPIDO!*

Após dar as ordens, ela voltou para nós e ergueu com delicadeza a barra do vestido para protegê-la da poeira alcalina levantada pelas botas pretas que usava nos pés enormes.

— Dama-sai, nós agradecemos a oferta de hospitalidade, mas realmente precisamos...

— Vocês precisam comer, isso sim. Porque eu sei que tipo de histórias que eles contam sobre nós em Gilead, ié, todas nós sabemos. Os homens falam a mesma coisa sobre qualquer mulher que ouse viver por conta própria, acredite, pois faz com que eles duvidem do valor dos próprios martelos.

— Não ouvimos histórias sobre...

Ela riu e o busto ondulou como o mar.

— Educado da sua parte, jovem pistoleirozinho, ié, e muito esperto, mas eu fui desmamada há tempos. Nós não comeremos vocês. — Os olhos, tão pretos quanto os sapatos, reluziram. — Embora vocês fossem dar um bom lanche, creio eu. Um ou os dois. Eu sou Everlynne de Serenity. A prioresa, pela graça de Deus e do Homem Jesus.

— Roland de Gilead — falei. — E este é Jamie, do mesmo lugar.

Jamie fez uma reverência da sela.

Ela fez uma mesura novamente; dessa vez abaixou tanto a cabeça que as asas do capuz de seda se fecharam brevemente em volta do rosto como cortinas. Quando se levantou, uma pequena mulher passou de mansinho pelo portão aberto. Ou quem sabe ela tivesse uma altura normal, afinal de contas. Talvez a mulher só parecesse pequena ao lado de Everlynne. O robe era de algodão cinza em vez de musselina branca; os braços estavam cruzados sobre os seios pequenos, e as mãos estavam bem enfiadas nas mangas. Ela não usava capuz, mas ainda assim só conseguíamos ver metade do rosto. A outra metade estava escondida debaixo de uma espessa faixa de ataduras. A mulher fez uma mesura para nós, indo em seguida se aconchegar na imensa sombra da prioresa.

— Levante a cabeça, Fortuna, e mostre suas maneiras para esses jovens cavalheiros.

Quando ela finalmente ergueu o olhar, eu vi por que ela mantinha a cabeça baixa. As ataduras não conseguiam esconder completamente o dano ao nariz; do lado direito, uma boa parte dele havia sumido. Onde havia o nariz era apenas um canal vermelho de carne viva.

— Hail — sussurrou Fortuna. — Que seus dias sejam longos sobre a terra.

— E que você tenha isso em dobro — disse Jamie, e eu notei, pelo olhar triste que Fortuna dirigiu a ele com o único olho visível, que ela esperava que isso não fosse verdade.

— Conte a eles o que aconteceu — pediu Everlynne. — O que você lembra, de qualquer maneira. Sei que não é muita coisa.

— Preciso contar, madre?

— Precisa — disse ela —, porque eles vieram acabar com aquilo.

Fortuna nos olhou rapidamente, cheia de incredulidade, e depois se voltou para Everlynne.

— Será que eles conseguem? Parecem tão *jovens*.

Ela percebeu que o que disse provavelmente soou como uma indelicadeza, e a bochecha que podíamos ver ficou vermelha. Fortuna cambaleou um pouco, e Everlynne passou um braço por ela. Era óbvio que Fortuna fora gravemente ferida, e o corpo ainda estava longe de estar recuperado. O sangue que subiu para o rosto tinha trabalho mais importante em outras partes do corpo. Principalmente debaixo das ataduras, imaginei, mas, dado o robe volumoso que ela usava, era impossível dizer onde mais Fortuna podia ter sido ferida.

— Mesmo que ainda falte pelo menos um ano para que eles comecem a se barbear duas vezes por semana, os rapazes são pistoleiros, Fortie. Se eles não conseguirem dar jeito nesta cidade amaldiçoada, então ninguém conseguirá. Além disso, vai lhe fazer bem. O horror é um verme que precisa ser cuspido antes que dê cria. Agora, conte a eles.

Ela contou. Enquanto isso, outras irmãs de Serenity vieram, duas trazendo uma mesa, outras com comida e bebida para enchê-la. Alimentos melhores do que qualquer um que tivemos no Apitinho, pela aparência e pelo cheiro, porém, quando Fortuna terminou a sua breve e terrível história, eu não estava mais com fome. Nem Jamie, pela cara dele.

Era o anoitecer, duas semanas e um dia antes. Ela e outra irmã, Dolores, saíram para fechar o portão e pegar água para as tarefas noturnas. Fortuna era quem estava com o balde, e, portanto, foi a que sobreviveu. Enquanto Dolores empurrava o portão para fechá-lo, uma criatura o escancarou, derrubou a irmã e arrancou-lhe a cabeça dos ombros com as longas mandíbulas. Fortuna disse que viu o monstro muito bem, porque a Lua do Mascate estava cheia no céu. Era mais alto do que um homem, tinha escamas no lugar de pele e um rabo comprido que se arrastava pelo chão no seu rastro. Olhos amarelos com pupilas verticais escuras brilhavam na cabeça chata. A boca era uma armadilha cheia de dentes, cada um tão comprido quanto a mão de um homem. Eles pingavam com o sangue de Dolores quando o monstro deixou cair o corpo ainda convulsionando nos paralelepípedos do pátio e correu com as pernas atarracadas até o poço onde Fortuna estava.

— Eu me virei para fugir... a criatura me pegou... e eu não me lembro de mais nada.

— Eu lembro — falou Everlynne em tom grave. — Escutei os gritos e vim correndo com nossa arma. É um troço comprido com um sino na ponta do cano. Está carregada desde sabe-se lá quando, mas nenhuma de nós jamais a disparou. Até onde eu sabia, aquilo podia ter explodido nas minhas mãos. Mas eu vi a criatura atacar o rosto da pobre Fortie e outra coisa também. Quando disparei, jamais pensei no risco. Nem passou pela minha cabeça que poderia tê-la matado, a pobrezinha, junto com o monstro, caso a arma disparasse.

— Eu queria que você tivesse me matado — disse Fortuna. — Ah, queria que tivesse. — Ela se sentou em uma das cadeiras trazidas para a mesa, levou as mãos até o rosto e começou a chorar. Pelo olho que sobrou, pelo menos.

— Nunca diga isso — Everlynne acariciou o cabelo de Fortuna, no lado da cabeça não coberto pelas ataduras —, porque é blasfêmia.

— Você acertou a criatura? — perguntei.

— De raspão. A arma velha dispara chumbo, e um dos balaços, ou talvez mais de um, arrancou algumas das saliências e escamas da cabeça do monstro. Um troço preto que nem piche saiu voando. Depois nós vimos o tal piche sobre os paralelepípedos e jogamos areia em cima sem tocar, com medo de que entrasse na nossa pele e nos envenenasse. O maldito bicho largou Fortuna, e acho que quase decidiu partir para cima de mim. Então eu apontei a arma pra ele, embora ela só pudesse ser disparada uma vez, e depois precisasse ser recarregada pelo cano com chumbo e pólvora. Eu disse para a coisa vir. Disse que esperaria que estivesse bem próxima, para que o tiro fosse bem no alvo. — A madre pigarreou e cuspiu na poeira. — O monstro deve ter algum tipo de cérebro mesmo quando não é gente, porque entendeu e correu. Mas, antes que ele sumisse quando fez a curva no muro, se virou e olhou direto para mim. Como se estivesse me marcando. Bem, pode marcar. Eu não tenho mais chumbo para a arma e vou continuar sem, a não ser que passe um mercador que por acaso tenha um pouco, mas eu tenho isto aqui.

Ela ergueu a saia até o joelho, e vi uma faca de açougueiro numa bainha de couro cru amarrada na parte externa da panturrilha.

— Então, que a criatura venha atrás de Everlynne, filha de Roseanna.

— Você disse que viu mais uma coisa — lembrei.

Ela me avaliou com os olhos pretos e brilhantes, depois se virou para as mulheres.

— Clemmie, Brianna, sirvam a refeição. Fortuna, você fará a oração e não deixe de pedir perdão a Deus pela blasfêmia e de agradecer pelo fato de seu coração ainda bater.

Everlynne me pegou acima do cotovelo, me puxou pelo portão e foi comigo até o poço onde a desafortunada Fortuna tinha sido atacada. Ali estávamos apenas nós dois.

— Eu vi o pinto da coisa — contou ela em voz baixa. — Comprido e curvo como uma cimitarra, ele tremia e estava cheio do troço preto que serve como sangue... serve como sangue *naquela* forma, de qualquer maneira. O monstro queria matar Fortuna como fez com Dolores, ié, está certo, mas também queria fodê-la. Queria fodê-la enquanto ela morria.

Jamie e eu jantamos com as irmãs — Fortuna até comeu um pouco — e depois nós montamos para ir à cidade. Porém, antes de irmos embora, Everlynne ficou ao lado do cavalo e falou comigo novamente.

— Quando acabar seu serviço aqui, volte para me visitar outra vez. Tenho uma coisa para você.

— O que seria, sai?

Everlynne balançou a cabeça.

— Agora não é o momento. Mas, quando aquela coisa nojenta estiver morta, venha aqui. — Ela pegou minha mão, levou aos lábios e beijou. — Eu sei quem é você, pois sua mãe não vive em seu rosto? Venha até mim, Roland, filho de Gabrielle. Não falhe.

Então Everlynne se afastou antes que eu pudesse dizer qualquer outra coisa mais e deslizou portão adentro.

A rua principal de Debaria era larga e pavimentada, embora a pavimentação estivesse cedendo sobre a argila em vários pontos e sumiria completamente em alguns anos. Havia bastante comércio e, a julgar pelo som que vinha dos saloons, era próspero. Contudo, nós vimos apenas uns poucos cavalos e mulas amarrados aos postes; naquela parte do mundo, gado era para ser trocado e comido, não para ser montado.

Uma mulher saiu do mercado com uma cesta no braço e ficou nos encarando. Ela entrou correndo de volta, e várias pessoas saíram. Quando chegamos ao gabinete do xerife-mor — um pequeno prédio de madeira ligado à cadeia, que era muito maior e feita de pedra —, as ruas estavam cheias de espectadores em ambos os lados.

— Vocês vieram para matar o troca-pele? — perguntou a moça da cesta.

— Esses dois não parecem ter idade suficiente para matar uma garrafa de uísque — retrucou um homem diante do Cheery Fellows Saloon & Café.

Houve uma gargalhada geral e vários murmúrios de pessoas concordando com aquele gracejo.

— A cidade parece bem movimentada — comentou Jamie ao desmontar e olhar para os quarenta ou cinquenta homens e mulheres que largaram suas tarefas (e prazeres) para ficar ali nos encarando.

— Vai ser diferente depois do pôr do sol — eu disse. — É quando criaturas como esse troca-pele atacam. Ou, pelo menos, é o que Vannay diz.

Entramos no gabinete. Hugh Peavy era um homem barrigudo com longos cabelos brancos e um bigode comprido e caído. O rosto era muito enrugado e cansado. Ele viu nossos revólveres e pareceu aliviado, mas o alívio diminuiu quando notou os rostos imberbes. O xerife-mor limpou o bico da pena com que estava escrevendo, ficou de pé e esticou a mão. Nada de punho na testa como cumprimento.

Depois que apertamos as mãos e nos apresentamos, ele disse:

— Não quero fazer pouco de vocês, jovens, mas eu esperava Steven Deschain em pessoa. E quem sabe Peter McVries.

— McVries morreu há três anos — falei.

Peavy pareceu chocado.

— Tem certeza? Porque ele era rápido no gatilho. Muito rápido.

— Ele morreu de febre. — Muito provavelmente provocada por veneno, mas isto não era nada que o xerife-mor dos arredores de Debaria precisasse saber. — Quanto a Steven, ele está ocupado, e, portanto, me enviou. Sou o filho dele.

— Sim, sim, eu ouvi seu nome e um pouco a respeito de seus feitos em Mejis, pois até mesmo aqui as notícias chegam. Ali estão o telégrafo e até mesmo um trim-trim. — Ele apontou para uma engenhoca na parede. Escrito nos tijolos abaixo estava um aviso que dizia NÃO TOQUE CEM PERMIZZÃO. — Costumava chegar até Gilead, mas hoje em dia só vai até Sallywood no sul, até a área de Jefferson ao norte e até o vilarejo ao pé do morro que chamamos de Pequena Debaria. Nós temos até alguns postes de luz que ainda funcionam; não são a gás ou querosene, mas lâmpadas elétricas de verdade, viu só? O povo pensa que isto vai manter a criatura longe. — Ele suspirou. — Eu estou menos confiante. Estamos em maus lençóis, jovens. Às vezes acho que o mundo se soltou das rédeas.

— Sim — falei. — Mas o que se soltou pode ser preso novamente, xerife.

— Se você diz. — Ele pigarreou. — Agora, não encare como desrespeito, sei que você é quem diz ser, mas me prometeram um *sigul*. Se você trouxe, eu gostaria de ver porque é importante para mim.

Abri o bornal e tirei aquilo que tinha recebido: uma caixinha de madeira com a marca do meu pai — o D com o S dentro — estampado na tampa com dobradiças. Peavy pegou a caixinha com um sorriso mínimo que formou covinhas nos cantos da boca debaixo do bigode. Senti como se fosse um sorriso nostálgico e removeu anos do rosto do xerife.

— Você sabe o que tem dentro?

— Não. — Não me mandaram olhar.

Peavy abriu a caixa, olhou dentro, depois devolveu o olhar para mim e Jamie.

— Uma vez, quando eu ainda era apenas um delegado, Steven Deschain liderou uma tropa que incluía a mim, o xerife-mor da época e um destacamento de sete homens, contra a Gangue do Corvo. Alguma vez seu pai falou com você sobre os Corvos?

Fiz que não com a cabeça.

— Não eram troca-peles, mas ainda assim eram um bando de gente ruim. Eles roubavam o que havia para ser roubado, não apenas em Debaria, mas por toda a área dos ranchos lá fora. Trens, também, se achassem que valia a pena parar um. Porém o negócio principal era sequestro por resgate. Um crime covarde, sem dúvida, mas que pagava bem. Eu soube que Farson gosta de sequestros.

"Seu pai apareceu na cidade apenas um dia após eles sequestrarem a esposa de um rancheiro, Belinda Doolin. O marido chamou pelo trim-trim assim que os Corvos foram embora e ele conseguiu se desamarrar. Eles não sabiam a respeito do trim-trim, e foi aí que se deram mal. Claro que ajudou o fato de haver um pistoleiro fazendo a ronda nesta parte do mundo; naquela época, eles tinham o dom de aparecer quando e onde eram necessários."

O xerife-mor nos encarou.

— Talvez eles ainda tenham. De qualquer maneira, nós fomos ao rancho enquanto o crime ainda era recente. Havia lugares em que qualquer um de nós teria perdido o rastro, pois lá ao norte é quase tudo argila, mas os olhos do seu pai eram incríveis. Falcões não enxergam bem assim, meu caro, nem as águias.

Eu sei que meu pai tinha olhos aguçados e um dom para rastrear. Também sabia que essa história provavelmente não tinha nada a ver com nossa missão, e eu deveria ter dito para o xerife-mor focar no que importava. Mas meu pai nunca falava a respeito da juventude, e eu queria ouvir esse relato. Estava *sedento* para ouvi-lo. E a história se revelou ter um pouco mais a ver com a missão em Debaria do que pensei a princípio.

— A trilha levou na direção das minas, que o povo de Debaria chama de salinas. Naquela época, os trabalhos tinham sido abandonados; foi antes de um novo filão ser descoberto há vinte anos.

— Filão? — perguntou Jamie.

— Veio — falei. — Ele quer dizer um novo veio.

— Ié, como você diz. Mas tudo aquilo tinha sido abandonado na época, e a mina era um ótimo esconderijo para gente como aqueles Corvos selvagens. Assim que a trilha se desviou da planície, ela passou por um lugar de rochas altas antes de sair na Baixada Pura, que são as campinas ao pé do morro debaixo das salinas. A Baixada é onde um pastor de ovelhas foi morto recentemente, por alguma coisa que se parecia com um...

— Com um lobo — completei. — Estamos cientes disto. Continue.

— Bem informados vocês, hein? Bom, melhor assim. Onde eu estava mesmo? Ah, lembrei: aquelas rochas que agora são conhecidas por essas quebradas como Arroio da Emboscada. Não é um arroio, mas acho que as pessoas gostam da ideia. Foi para lá que o rastro levou, mas Deschain queria dar a volta e chegar pelo leste. Pela Baixada Pura. O xerife, que na época era Pea Anderson, não queria nada disso. Ele estava ansioso como um pássaro de olho em uma minhoca, louco para avançar. Disse que a volta levaria três dias, e até lá a mulher poderia estar morta, e os Corvos, desaparecidos. Ele disse que iria pelo caminho direto, que iria sozinho se ninguém quisesse acompanhá-lo. "Ou a não ser que você me mande fazer diferente, em nome de Gilead", disse o xerife para seu pai.

"'Jamais cogitaria isso', falou Deschain, 'porque Debaria é responsabilidade sua; eu tenho a minha própria.'

"O destacamento seguiu em frente. Eu fiquei com seu pai, rapaz. O xerife Anderson se virou para mim na sela e disse: 'Espero que estejam contratando em um dos ranchos, Hughie, porque seus dias com uma estrela no colete chegaram ao fim. Cansei de você'.

"Essas foram as últimas palavras que o xerife falou para mim. Eles partiram. Steven de Gilead ficou de cócoras e eu me acocorei ao lado dele. Depois de meia hora de silêncio, que pode ter durado mais, eu disse para ele: 'Pensei que a gente fosse dar a volta... a não ser que você tenha se cansado de mim também'.

"'Não', disse seu pai. 'Seu emprego não é da minha conta, delegado.'

"'Então, o que estamos esperando?'

"'Tiros', falou ele, e nem cinco minutos depois nós ouvimos tiroteio e gritos. Não durou muito tempo. Os Corvos tinham nos visto chegar, provavelmente bastara o brilho do sol numa biqueira de bota ou nas peças metálicas de uma sela para atrair a atenção deles, pois o Pai Corvo era um tremendo atirador, e a gangue deu meia-volta. Eles subiram nas rochas altas e mandaram chumbo em Anderson e nos homens do destacamento. Havia mais armas naquela época, e os Corvos tinham uma boa quantidade. Até mesmo uma metralhadora ou duas.

"Então nós demos a volta, certo? Levamos apenas dois dias porque Steven Deschain forçou a barra. No terceiro dia, acampamos encosta abaixo e nos levantamos antes da alvorada. Agora, se vocês não sabem, e não teriam razão para saber, as salinas são apenas cavernas lá em cima nas encostas. Famílias inteiras viviam nelas, e não apenas os mineiros. Os túneis desciam terra adentro por trás. Mas, como eu disse, naquela época todas as cavernas estavam desertas. No entanto, nós vimos fumaça sair pelo respiro no topo de uma, e aquilo era o mesmo que ter um pregoeiro em frente à tenda de um festival apontando para o espetáculo lá dentro, entende?

"'É agora', disse Steven, 'porque eles devem ter passado as últimas noites enchendo a cara, assim que tiveram certeza de que estavam seguros. Eles estão dormindo para curar a bebedeira. Você vem comigo?'

"'Ié, pistoleiro, irei', falei pra ele."

Quando Peavy disse aquilo, ele inconscientemente se aprumou. Parecia mais jovem.

— Nós avançamos de mansinho pelos últimos cinquenta ou sessenta metros, seu pai com a arma na mão para o caso de eles terem postado um vigia. Eles haviam postado, mas era apenas um rapaz, que dormia profundamente. Deschain guardou a arma no coldre, bateu nele com uma pedra e pousou o vigia no chão. Mais tarde eu vi aquele jovem em cima de um alçapão com lágrimas escorrendo dos olhos, a calça borrada e uma corda em volta do pescoço. Ele tinha apenas catorze anos e, no entanto, abusou de sai Doolin, a mulher sequestrada, sabe, que tinha idade para ser avó dele, assim como o resto da gangue abusou dela, e eu não derramei lágrimas quando a corda calou os gritos por misericórdia. O sal que você pega é o sal que você tem que pagar, como qualquer pessoa daqui da região lhe dirá.

"O pistoleiro entrou de mansinho, e eu fui logo atrás. Todos eles estavam deitados e roncavam como cachorros. Diabo, meninos, eles *eram* cachorros. Belinda Doolin estava amarrada a um poste. Ela nos viu e arregalou os olhos. Steven Deschain apontou para ela, depois para si, juntou as mãos em concha e apontou para a mulher de novo. *Você está salva*, ele quis dizer. Eu jamais esqueci a expressão de gratidão no rosto de Belinda Doolin quando ela assentiu para dizer que entendera. *Você está salva*; este é o mundo em que nós crescemos, jovens, este que quase sumiu agora.

"Então Deschain disse: 'Acorde, Allan Corvo, a não ser que queira entrar na clareira no fim do caminho com os olhos fechados. Acordem, todos'.

"Eles acordaram. Deschain nunca teve a intenção de levar o grupo inteiro com vida, o que teria sido loucura, como sei que vocês entendem, mas o pistoleiro também não atiraria neles enquanto dormiam. Eles acordaram em diferentes graus, mas não por muito tempo. Steven sacou as armas tão rápido que eu nem vi as mãos se mexerem. Um relâmpago não chega perto, meus caros. Em um momento, aqueles revólveres com os cabos enormes de sândalo estavam ao lado dele; no seguinte, o pistoleiro estava disparando, o barulho era como um trovão naquele espaço confinado. Mas aquilo não me impediu de sacar minha própria arma. Era apenas um velho trabuco que ganhei do meu avô, mas eu deitei dois com ele. Os primeiros homens que matei na vida. Matei muitos desde então, sinto dizer.

"O único que sobreviveu à primeira saraivada foi o Pai Corvo em pessoa: Allan Corvo. Ele era um velho todo encarquilhado, com um lado do rosto paralisado por um derrame ou algo do tipo, mas ainda assim era rápido como o diabo. O Pai Corvo estava de pijama, e a arma estava enfiada em uma das botas lá na ponta do colchonete. Ele pegou o revólver e se virou para nós. Steve deu um tiro nele, mas o velho desgraçado disparou uma única bala. Ela foi sem direção, mas..."

Peavy, que na época não deveria ser mais velho do que os dois jovens diante dele, abriu a caixa nas dobradiças engenhosas, refletiu um momento sobre o que viu dentro, depois ergueu o olhar para mim. Aquele sorrisinho nostálgico ainda tocava os cantos da sua boca.

— Alguma vez você viu uma cicatriz no braço do seu pai, Roland? Bem aqui? — Ele tocou no ponto logo acima da dobra do cotovelo, onde começa a manga da roupa de um homem.

O corpo do meu pai era um mapa de cicatrizes, mas era um mapa que eu conhecia bem. A cicatriz acima do cotovelo era uma covinha profunda, quase como aquelas que o bigode do xerife Peavy não chegava a ser capaz de esconder quando ele sorria.

— O último tiro do Pai Corvo acertou a parede acima do poste onde a mulher estava amarrada e ricocheteou. — Ele virou a caixa e mostrou para mim. Dentro havia uma grande bala amassada, de calibre grosso. — Eu tirei isto do braço do seu pai com a faca de esfolar e dei para ele. Steven me agradeceu e disse que um dia eu a teria de volta. E cá está ela. O ka é uma roda, sai Deschain.

— Você contou esta história alguma vez? — perguntei. — Porque eu nunca ouvi na vida.

— Que eu tirei uma bala da pele do descendente legítimo de Arthur? Eld do Eld? Não, nunca, até agora. Afinal, quem acreditaria?

— Eu acredito — assegurei — e lhe agradeço. A bala poderia tê-lo envenenado.

— Não, não — retrucou Peavy com uma risada. — Ele, não. O sangue do Eld é forte demais. E se eu tivesse morrido... ou fosse frouxo demais... ele teria feito sozinho. No fim das contas, ele me deixou levar o crédito pela Gangue do Corvo, e eu sou o xerife desde então. Mas não por muito mais tempo. Esta história do troca-pele fechou a conta para mim. Já vi sangue suficiente e não gosto de mistérios.

— Quem ficará no seu lugar? — indaguei.

Ele pareceu surpreso com a pergunta.

— Provavelmente ninguém. As minas secarão de vez em alguns anos, agora para valer, e ferrovias como aquela não durarão muito tempo. As duas coisas juntas acabarão com Debaria, que um dia foi uma bela cidadezinha na época dos seus avós. Aquele galinheiro sagrado, por onde eu tenho certeza de que você passou, talvez permaneça, porém nada mais.

Jamie pareceu preocupado.

— Mas enquanto isso?

— Que todos os rancheiros, vagabundos, cafetões e jogadores vão para o inferno por conta própria. Não são responsabilidade minha, pelo menos não por mais tempo. Mas eu não sairei até que esta questão esteja resolvida, de um jeito ou de outro.

— O troca-pele atacou uma das mulheres de Serenity — contei. — Ela ficou muito desfigurada.

— Você esteve lá, não é?

— As mulheres estão morrendo de medo. — Pensei melhor e me lembrei da faca presa a uma panturrilha tão grossa quanto o tronco de uma jovem bétula. — A não ser a prioresa, quer dizer.

Ele riu.

— Everlynne. Aquela ali cuspiria na cara do diabo. E, se ele a levasse para Nis, ela estaria colocando ordem no lugar em um mês.

— Você tem ideia de quem esse troca-pele possa ser quando está na forma humana? — perguntei. — Se souber, eu rogo que nos conte, porque, como meu pai disse ao então xerife Anderson, isto não é responsabilidade sua.

— Eu não posso dar um nome, se é o que você pede, mas talvez possa lhe oferecer alguma coisa. Venha comigo.

Ele nos levou pela porta em arco atrás da escrivaninha, até a cadeia propriamente dita, que tinha o formato de um T. Eu contei oito celas grandes pelo corredor central e uma dezena de pequenas celas no corredor transversal. Todas estavam vazias, a não ser por uma das celas menores, onde um bêbado tirava um cochilo num colchão de palha. A porta estava aberta.

— Antigamente todas estas celas estariam cheias nos fins de semana — contou Peavy. — Cheias de vaqueiros e lavradores bêbados, percebem? Agora quase todo mundo fica em casa à noite. Mesmo nos fins de semana. Boiadeiros nos seus alojamentos, lavradores nos deles. Ninguém quer cambalear bêbado para casa e esbarrar com o troca-pele.

— Os mineiros? — perguntou Jamie. — Você os prende também?

— Geralmente não, porque eles têm os próprios saloons lá em Pequena Debaria. Dois saloons. Lugares barras-pesadas. Quando as putas daqui do Cheery Fellows, Busted Luck ou Bider-Wee ficam velhas demais ou com doenças demais para atrair clientes, elas acabam em Pequena Debaria. Quando os saleiros enchem a cara de Cegueira Branca, eles não estão ligando muito sobre se a puta tem um nariz, desde que ainda tenha a chavasca.

— Que beleza — murmurou Jamie.

Peavy abriu uma das celas grandes.

— Entrem aqui, meninos. Eu não tenho papel, mas tenho um pouco de giz, e aqui está uma bela parede lisa. É reservada também, desde que o velho Sam Salgado ali não acorde. E ele raramente se levanta antes do pôr do sol.

Do bolso da calça de sarja, o xerife tirou um bom bastão de giz e desenhou na parede uma espécie de caixa comprida com um serrilhado por toda a borda superior. Parecia uma fileira de Vs de cabeça para baixo.

— Aqui está Debaria inteira — explicou Peavy. — Aqui em cima fica a ferrovia por onde vocês vieram. — Ele desenhou uma série de risquinhos, e ao fazer isso eu me lembrei do maquinista e do velho que nos serviu como mordomo.

— O Apitinho saiu dos trilhos — falei. — Você consegue reunir um grupo de homens para consertá-lo? Nós temos dinheiro para pagar pelo serviço, e eu e Jamie ficaríamos contentes em trabalhar com eles.

— Hoje não vai dar — respondeu Peavy distraído. Ele estudava o mapa. — O maquinista ainda está lá fora, não é?

— Sim. Ele e outro sujeito.

— Vou mandar Kellin e Vikka Frye numa *bucka*. Kellin é meu melhor agente, os outros dois não são grande coisa, e Vikka é o filho dele. Os Frye vão pegar os dois e trazer de volta antes que escureça. Há tempo, porque os dias são longos nesta época do ano. Por enquanto, prestem atenção, meninos. Aqui está a ferrovia e aqui está Serenity, onde a pobre garota de que vocês falaram foi atacada. Na estrada principal, percebem? — Ele desenhou uma caixinha representando Serenity e colocou um X nela. Ao norte do retiro das mulheres, na direção dos dentes no topo do mapa, o xerife colocou outro X. — Foi aqui onde Yon Curry, o pastor de ovelhas, foi morto.

À esquerda desse X, mas basicamente no mesmo nível — o que significa dizer, abaixo dos dentes —, ele colocou outro.

— A fazenda Alora. Sete mortos.

Mais ainda à esquerda e um pouco acima, ele cravou outro X.

— Aqui está a fazenda Timbersmith na Baixada Pura. Nove mortos. Foi onde encontramos a cabeça do garotinho em um poste, com rastros por toda a volta.

— De lobos? — perguntei. Ele balançou a cabeça.

— Que nada, era de algum felino grande. No começo. Antes de perdermos o rastro, ele se transformou no que pareciam ser cascos. Depois... — O xerife nos olhou com uma expressão sombria. — Pegadas. Primeiro, enormes, quase como as pegadas de um gigante, mas depois cada vez menores até o tamanho do rastro de um homem comum. De qualquer maneira, nós perdemos a trilha na argila. Talvez seu pai tivesse conseguido, sai.

Peavy continuou fazendo marcas no mapa e, quando terminou, se afastou para que pudéssemos ver melhor.

— Gente como vocês precisa ter um bom cérebro, além de mãos rápidas, foi o que sempre me disseram. Então, o que deduzem a respeito disso aí?

Jamie deu um passo à frente entre as fileiras de colchões de palha (porque essa cela devia ser feita para acolher muitos hóspedes, provavelmente detidos por embriaguez e desordem) e passou a ponta do dedo sobre os dentes no topo do mapa, deixando-os um pouco borrados.

— As salinas correm por aqui? Por toda a base do morro?

— Sim. Esses morros são chamados de Rochas Salinas.

— Onde fica Pequena Debaria?

Peavy fez outra caixa para a cidade dos saleiros. Era próxima do X que ele marcou no lugar onde a mulher e o jogador foram mortos... porque era para Pequena Debaria que os dois rumavam.

Jamie analisou mais um pouco o mapa e depois fez que sim com a cabeça.

— A meu ver, parece que o troca-pele pode ser um dos mineiros. É o que você pensa?

— Ié, um saleiro, embora alguns deles tenham sido estraçalhados também. Faz sentido, ou tanto sentido quanto é *possível,* nesta loucura. O novo filão é bem mais profundo do que os antigos, e todo mundo sabe que há demônios na terra. Talvez um dos mineiros tenha acertado um demônio, que despertou e lançou uma maldição sobre ele.

— Também há remanescentes dos Grandes Anciãos no subterrâneo — falei. — Nem todos são perigosos, mas alguns sim. Talvez uma daquelas antigas coisas… como você as chama, Jamie?

— *Artifax* — respondeu ele.

— Sim, exato. Talvez uma dessas seja responsável. Quem sabe o sujeito possa nos dizer, se o pegarmos vivo.

— Pouca chance de isso acontecer — resmungou Peavy.

Achei que havia uma boa chance. Isto se pudéssemos identificar e abordar o troca-pele durante o dia.

— Quantos saleiros existem? — perguntei.

— Não tantos quanto antigamente, porque agora é apenas um filão, percebe? Eu diria que não são mais do que… duzentos.

Captei o olhar de Jamie e vi um brilho de humor.

— Não se preocupe, Roland — disse ele. — Tenho certeza de que conseguiremos entrevistar todos até a Colheita. Se nos apressarmos.

Ele estava exagerando, mas eu achava que ainda passaríamos semanas em Debaria. Era possível que entrevistássemos o troca-pele e ainda assim não fôssemos capazes de identificá-lo, ou porque ele fosse um mentiroso magistral, ou porque não tivesse culpa a esconder; a personalidade diurna poderia realmente não saber o que a personalidade noturna fazia. Eu queria que Cuthbert estivesse ali, pois ele era capaz de enxergar coisas aparentemente não relacionadas e ver as conexões, e eu queria que Alain estivesse ali, com o poder de tocar mentes. Mas Jamie também não era de se jogar fora. Ele viu, afinal de contas, o que eu deveria ter visto por mim mesmo, o que estava bem na minha cara. Em um ponto eu concordava complemente com o xerife Hugh Peavy: eu odiava mistérios. É uma coisa que jamais mudou no meu longo tempo de vida. Não sou bom em solucioná-los; minha mente nunca funcionou assim.

Quando voltamos ao gabinete, falei:

— Tenho algumas perguntas a fazer, xerife. A primeira: você se abrirá para nós se nós nos abrirmos para você? A segunda…

— A segunda é se eu enxergo vocês pelo que são e aceito o que fazem. A terceira é se peço ajuda e socorro. O xerife Peavy responde sim, sim e sim. Agora, pelo amor dos deuses, coloquem os cérebros para trabalhar, rapazes, porque já faz duas semanas que esta coisa apareceu em Serenity, e daquela vez a criatura não fez uma refeição completa. Em breve ela sairá por aí novamente.

— O monstro só caça à noite — afirmou Jamie. — Você está certo disso?

— Sim.

— A lua tem algum efeito sobre aquilo? — perguntei. — Porque o conselheiro do meu pai, e nosso antigo professor, disse que em algumas das velhas lendas…

— Eu ouvi as lendas, sai, mas quanto a isso elas estão erradas. Pelo menos estão erradas a respeito dessa criatura em especial. Às vezes a lua está cheia quando há um ataque; era a Lua do Mascate quando ela apareceu em Serenity, toda coberta por escamas e saliências como um jacaré dos Grandes Pântanos de Sal, mas quando atacou em Timbersmith não havia lua. Eu gostaria de poder dizer diferente, mas não posso. Também gostaria de acabar com essa situação sem ter que recolher do mato as entranhas de outra pessoa ou arrancar a cabeça de outra criança de uma cerca. Vocês foram enviados aqui para ajudar, e eu torço pra cacete que consigam… embora eu tenha minhas dúvidas.

Quando perguntei a Peavy se havia algum bom hotel ou pensão em Debaria, ele riu.

— A última pensão era a da viúva Brailley. Há dois anos, um vaqueiro bêbado tentou estuprá-la no próprio banheiro externo, quando ela se sentou para fazer as necessidades. Mas a viúva sempre foi esperta. Ela tinha visto como o sujeito a olhava e entrou na casinha com uma faca debaixo do avental. Cortou a garganta do vaqueiro, foi o que ela fez. Stringy Bodean, que era o nosso juiz de paz antes de decidir tentar a sorte e criar cavalos no Crescente, levou uns cinco minutos para considerar a viúva inocente por ter agido em legítima defesa, mas ela decidiu que não queria mais nada com Debaria e voltou para Gilead, onde ainda mora, não tenho dúvida. Dois dias depois que a viúva foi embora, algum imbecil bêbado queimou completamente o lugar. O hotel ainda está de pé. É chamado de Vista Maravilhosa. A vista não é maravilhosa, jovens, e as camas são cheias de carrapatos tão grandes quanto olhos de sapo. Eu não dormiria em uma delas sem colocar a armadura completa de Arthur Eld.

Então nós acabamos passando a primeira noite em Debaria na grande cela para os presos por embriaguez e desordem, debaixo do mapa de giz de Peavy. Sam Salgado tinha sido solto, e a prisão era só nossa. Lá fora, um vento forte começou a soprar nas planícies alcalinas a oeste da cidade. O som de gemido do vento nas calhas me fez pensar novamente na história que minha mãe costumava ler para mim quando eu era apenas um garotinho — a história de Tim Coração Valente e da borrasca que ele enfrentou na Grande Floresta ao norte de Nova Canaã. Pensar no menino sozinho naquela floresta sempre gelou meu coração, da mesma maneira que a valentia de Tim sempre o aqueceu. As histórias que ouvimos na infância são as que lembramos pela vida toda.

Após uma rajada especialmente forte — o vento de Debaria era quente, não frio como a borrasca — acertar a lateral da prisão e soprar poeira alcalina pelas barras da janela, Jamie se manifestou. Era raro que fosse ele a começar uma conversa.

— Odeio esse barulho, Roland. É capaz de me manter acordado a noite inteira.

Já eu adorava; o som do vento sempre me fez pensar em tempos agradáveis e lugares distantes. Embora eu admita que dispensava a poeira.

— Como vamos encontrar essa coisa, Jamie? Espero que tenha alguma ideia, porque eu não tenho.

— Temos que falar com os mineiros. É o ponto de partida. Alguém deve ter visto um sujeito ensanguentado voltando de mansinho para onde os saleiros vivem. Voltando de mansinho nu, porque ele não poderia ter voltado usando roupas, a não ser que as retire de antemão.

Isto me deu uma pequena esperança. Porém, se o sujeito que procurávamos soubesse o que era, ele poderia tirar as roupas quando sentisse que ia se transformar, escondê-las e depois voltar para recuperá-las mais tarde. Mas se ele não soubesse...

Era apenas um fiozinho, mas às vezes — se a pessoa tomar cuidado para não rompê-lo — é possível puxar um fiozinho e desfiar uma roupa inteira.

— Boa noite, Roland.

— Boa noite, Jamie.

Fechei os olhos e pensei na minha mãe. Eu fazia muito isso naquele ano, mas para variar não foram pensamentos sobre sua aparência quando morta, mas sim sobre a sua beleza na minha tenra infância, sentada ao meu lado na cama no quarto com vitrais, lendo para mim.

— Olhe aqui, Roland — dizia ela —, cá estão os billy-malhados sentados enfileirados e fungando o ar. *Eles* sabem, não é?

— Sim — falava eu —, os malhados sabem.

— E o que eles sabem? — perguntava a mulher que eu mataria.

— Eles sabem que a borrasca está chegando — disse eu. Meus olhos ficavam pesados naquele momento, e minutos depois eu adormecia ao som da melodia da voz dela.

Como eu adormeci naquele momento, com o vento soprando forte.

Acordei com a primeira claridade fraca da manhã e um som forte: BRANG! BRANG! BRANNNG!

Jamie ainda estava deitado de barriga para cima, com as pernas abertas, roncando. Peguei um dos revólveres do coldre, fui até a porta aberta da cela e arrastei os pés na direção daquele som imperioso. Era o trim-trim de que o xerife Peavy se orgulhara tanto. Ele não estava ali para atender; tinha ido para casa dormir, e o gabinete estava vazio.

Parado ali, de peito nu, com uma arma na mão e nada além das ceroulas e do *slinkum* com que dormi — porque estava quente na cela —, peguei o cone de ouvido da parede, coloquei a ponta estreita na orelha e me aproximei do tubo falante.

— Sim? Alô?

— *Quem diabos está falando?* — berrou uma voz, tão alto que provocou uma pontada de dor no lado da minha cabeça. Havia trim-trins em Gilead, talvez uns cem ainda funcionais, mas nenhum falava com tanta clareza como esse. Afastei o cone, fiz uma careta e ainda consegui ouvir a voz que saía daquilo.

— *Alô? Alô? Deuses, amaldiçoem este troço do caralho! ALÔ?*

— Estou escutando — falei. — Abaixe a voz, pelo amor do seu pai.

— Quem está falando?

Houve apenas uma queda suficiente no volume para que eu colocasse o cone de ouvido novamente perto da orelha, mas não dentro; eu não cometeria o mesmo erro duas vezes.

— Um delegado. — Jamie DeCurry e eu estávamos longe de ser delegados, mas a simplicidade geralmente é a melhor saída. *Sempre* é a melhor saída, acredite, quando se fala com um homem em pânico em um trim-trim.

— Onde está o xerife Peavy?

— Em casa com a esposa. Ainda não são cinco da manhã, creio. Agora me diga quem você é, de onde fala e o que aconteceu.

— É Canfield do Jefferson. Eu...

— Do Jefferson *o quê*? — Ouvi passos atrás de mim e levantei um pouco o revólver ao me virar. Mas era apenas Jamie, com o cabelo em pé, despenteado pelo sono. Ele estava com a própria arma na mão e havia colocado a calça jeans, embora os pés ainda estivessem descalços.

— O rancho Jefferson, seu grande idiota! Você precisa trazer o xerife para cá, e agora mesmo. Todo mundo está morto. Jefferson, a família, o cozinheiro, todos os tocadores. Sangue para todos os lados.

— Quantas pessoas? — perguntei.

— Talvez quinze. Talvez vinte. Quem pode dizer? — Canfield do Jefferson começou a soluçar. — Estão todos em pedaços. Seja quem for que os matou, deixou os dois cães, Rosie e Mozie. Eles estavam lá. Tivemos que atirar nos cachorros. Eles estavam lambendo o sangue e comendo os cérebros.

Era uma viagem de dez rodas, em linha reta ao norte na direção das Rochas Salinas. Nós fomos com o xerife Peavy, Kellin Frye — o bom delegado — e o filho de Frye, Vikka. O maquinista, cujo nome era Travis, também veio junto, porque passara a noite na casa de Frye. Nós cavalgamos sem parar, mas ainda assim, quando chegamos à terra dos Jefferson já era plena luz do dia. Pelo menos o vento, que ainda ganhava força, estava pelas costas.

Peavy pensou que Canfield fosse um peão — o que quer dizer um caubói errante sem vínculo com nenhum rancho em especial. Alguns viravam fora da lei, mas a maioria era honesta, apenas homens que não conseguiam se estabelecer em um único lugar. Quando passamos pelo largo portão principal, com JEFFERSON escrito em cima em letras brancas de bétula, dois outros caubóis — parceiros de Canfield — estavam com ele. O trio estava reunido ao lado da cerca de bambu do curral dos cavalos, que ficava próxima ao casarão. Uns oitocentos quilômetros ao norte, no alto de um pequeno morro, ficava o alojamento. A essa distância, apenas duas coisas pareciam fora do lugar: a porta do lado sul do alojamento estava destravada e balançava para a frente e para trás ao vento alcalino, e os corpos de dois cachorros grandes estavam estirados na terra.

Nós desmontamos e o xerife Peavy apertou a mão dos homens, que pareciam muitíssimo felizes em nos ver.

— Ié, Bill Canfield, vejo você muito bem, peão.

O mais alto do trio tirou o chapéu e o segurou contra a camisa.

— Não sou mais peão. Ou talvez seja, não sei. Por um tempo aqui eu fui Canfield do Jefferson, como me apresentei para quem atendeu ao maldito falante, porque fui contratado exatamente no mês passado. O velho Jefferson em pessoa supervisionou minha marca na parede, mas agora ele está morto como todos os outros.

Ele engoliu em seco. O pomo de adão subiu e desceu. A barba rente parecia muito escura porque o rosto estava bem branco. Havia vômito seco na frente da camisa.

— A esposa e as filhas também foram para a clareira. Dá para identificá-las pelo cabelo comprido e as... as... ai, ai, Homem Jesus, ver um troço como aquele faz a pessoa desejar ter nascido cega. — Ele levou o chapéu ao rosto para escondê-lo e começou a chorar.

Um dos parceiros de Canfield falou:

— São pistoleiros estes aí, xerife? Jovens demais para estarem andando com berro, não?

— Não se preocupe com eles — desconversou Peavy. — Contem o que trouxe vocês aqui.

Canfield abaixou o chapéu. Os olhos estavam vermelhos e escorrendo com lágrimas.

— Nós três estávamos acampados na Pura. Reunimos os desgarrados e acampamos para passar a noite. Então ouvimos uma gritaria começar a leste, nos tirando de um sono profundo por estarmos cansados. Aí escutamos tiros, dois ou três tiros. Eles pararam e houve mais gritaria. E uma coisa, uma coisa *grande*, que rugiu e rosnou.

— Parecia o som de um urso — disse um dos outros.

— Não, não parecia — discordou o terceiro. — Nem um pouco.

Canfield continuou com a história:

— Eu sabia que vinha do rancho, fosse lá o que fosse. Deviam ser quatro rodas de onde nós estávamos, talvez seis, mas o som se espalha na Pura, como se sabe. Nós montamos, mas cheguei aqui à frente desses dois, porque eu era contratado e eles ainda são peões.

— Não entendi — falei.

Canfield se voltou para mim.

— Eu tinha um cavalo do rancho, não tinha? Um bom cavalo. Snip e Arn aqui só tinham mulas. Eles colocaram os animais ali, junto dos outros. — Ele apontou para o curral. Uma grande rajada de vento soprou bem naquele momento, levantando poeira, e todos os animais se afastaram a galope como uma onda.

— Eles ainda estão assustados — comentou Kellin Frye. Ao olhar para o alojamento, o maquinista, Travis, falou:

— Eles não são os únicos.

Quando Canfield, o novo tocador do rancho Jefferson — o que quer dizer que era contratado —, chegou, a gritaria cessara, assim como os urros da fera, embora ainda houvesse uma boa quantidade de rosnados acontecendo. Eram os dois cachorros lutando pelas sobras. Sendo um sujeito que sabia das coisas, Canfield evitou o alojamento — e os cães que rosnavam no interior — e foi em direção ao casarão. A porta da frente estava escancarada e havia lanternas de querosene acesas no vestíbulo e na cozinha, mas ninguém respondeu ao chamado.

Ele encontrou a dama-sai de Jefferson na cozinha, o corpo debaixo da mesa e a cabeça meio comida encostada na porta da despensa. Havia rastros que saíam pela porta entreaberta, que batia ao vento. Alguns eram humanos; outros eram rastros de um urso enorme e monstruoso. A trilha do urso estava ensanguentada.

— Eu peguei a lâmpada ao lado da pia e segui o rastro lá fora. As duas meninas estavam caídas no chão entre a casa e o celeiro. Uma chegou a umas trinta ou quarenta passadas da irmã, mas ambas estavam mortas, com as camisolas arrancadas e as costas abertas até as espinhas. — Canfield balançou a cabeça devagar, de um lado para o outro, e os olhos grandes, marejados, nunca deixaram o rosto do xerife-mor Peavy.

— Eu jamais quero ver as garras que podem fazer uma coisa daquelas. Nunca, nunca, nunca na vida. Eu vi o que elas fazem, e é o suficiente.

— O alojamento? — perguntou Peavy.

— Ié, eu fui lá depois. Você pode ver o interior por si mesmo. As mulheres também, pois ainda estão onde eu as encontrei. Snip e Arn podem...

— Eu não — disse Snip.

— Nem eu — falou Arn. — Verei todas nos meus sonhos, e isso basta.

— Não acho que precisemos de um guia — disse Peavy. — Vocês três, rapazes, fiquem aqui.

O xerife, seguido de perto pelos dois Frye e por Travis, o maquinista, foi na direção do casarão. Jamie colocou a mão no ombro de Peavy e quase falou em tom de desculpas quando o xerife-mor se virou para olhar para ele.

— Cuidado com os rastros. Eles serão bem importantes.

Peavy fez que sim com a cabeça.

— Ié. Vamos tomar muito cuidado com eles, especialmente os rastros que apontarem a direção para onde a coisa foi.

As mulheres estavam como o sai Canfield contara. Eu já tinha visto derramamento de sangue antes — ié, muito, tanto em Mejis quanto em Gilead —, mas nunca algo nesse nível, nem Jamie. Ele estava tão pálido quanto Canfield, e eu só pude torcer para que Jamie não causasse vergonha ao pai desmaiando. Eu não deveria ter me preocupado; em pouco tempo, ele estava de joelhos na cozinha e examinava vários rastros de animal, enormes e sangrentos.

— Estes rastros são realmente de urso — concluiu Jamie —, mas jamais houve um urso tão grande assim, Roland. Nem mesmo na Floresta Infinita.

— Apareceu um aqui ontem à noite, rapaz — retrucou Travis. Ele olhou o corpo da esposa do rancheiro e sentiu um arrepio, embora ela, assim como as pobres filhas, tivessem sido cobertas por lençóis trazidos do segundo andar. — Vai ser bom voltar para Gilead, onde criaturas vivem apenas nas lendas.

— O que a trilha diz, fora isso? — perguntei a Jamie. — Alguma coisa?

— Sim. A criatura foi para o alojamento primeiro, onde a maior parte... a maior parte da comida estava. A comoção teria acordado os quatro aqui na casa... havia apenas quatro, xerife?

— Ié — respondeu Peavy. — Há também dois filhos, mas presumo que tenham sido mandados por Jefferson para os leilões em Gilead. Só encontrarão sofrimento quando voltarem.

— O rancheiro abandonou as mulheres e saiu correndo para o alojamento. A arma que Canfield e os companheiros ouviram deve ter sido a dele.

— Que não lhe serviu de nada — comentou Vikka Frye. O pai bateu no seu ombro e mandou que se calasse.

— Então a coisa veio para cá — prosseguiu Jamie. — A dama-sai Jefferson e as duas meninas estavam na cozinha naquele momento, creio. E acho que a sai deve ter mandado que as filhas corressem.

— Ié — concordou Peavy. — E a dama-sai tentou impedir que a criatura fosse atrás das filhas por tempo suficiente para que escapassem. É assim que vejo. Só que não funcionou. Se elas tivessem estado na frente da casa, se tivessem visto o tamanho da criatura, a mãe saberia que não daria certo, e nós teríamos encontrado todas as três aqui fora, no chão. — Ele deu um suspiro pesaroso. — Vamos lá, rapazes, vamos ver o que nos aguarda no alojamento. Ficar adiando não vai tornar a situação mais fácil.

— Acho que vou ficar lá fora, perto do curral, com aqueles vaqueiros — disse Travis. — Já vi o suficiente.

Vikka Frye falou com agitação:

— Posso fazer o mesmo, pai?

Kellin olhou para a expressão perturbada do filho e concordou. Antes de deixar o menino ir embora, ele deu um beijo na bochecha dele.

A mais ou menos três metros da frente do alojamento, a terra nua fora revirada e se transformou em uma mistureba sangrenta de pegadas de botas e rastros de garras de animal. Ali perto, em uma moita de ervas daninhas, estava um velho trabuco de cano curto dobrado para um lado. Jamie apontou da confusão de rastros para a arma e dali na direção da porta aberta do alojamento. Depois ergueu as sobrancelhas em uma pergunta silenciosa para ver se eu havia visto o mesmo que ele. Eu vi muito bem.

— Foi aqui que a criatura, o troca-pele na forma de um urso, encontrou o rancheiro — falei. — Ele disparou alguns tiros, depois soltou a arma...

— Não — discordou Jamie. — A coisa arrancou a arma dele. É por isso que o cano está torto. Talvez Jefferson tenha se virado para correr. Talvez tenha resistido. De uma forma ou de outra, não serviu para nada. Os rastros param aqui, então a criatura deve ter pegado o rancheiro e o jogado pela porta, para dentro do alojamento. Em seguida foi para o casarão.

— Então estamos refazendo o caminho do monstro — disse Peavy.

Jamie concordou.

— Em breve, nós anteciparemos para onde ele foi.

A criatura transformou o alojamento em um abatedouro. No fim, a conta do açougueiro chegou a dezoito: os dezesseis tocadores, o cozinheiro — que morreu ao lado do fogão, com o avental rasgado e manchado de sangue cobrindo-lhe o rosto como uma mortalha — e o próprio Jefferson, que teve braços e pernas arrancados. A cabeça decepada encarava as vigas do teto com uma careta de medo que mostrava apenas os dentes de cima. O troca-pele arrancara a mandíbula inferior do rancheiro. Kellin Frye a encontrou debaixo de um beliche. Um dos homens tentara se defender com uma sela, usando como escudo, mas foi inútil; o monstro a dividiu ao meio com as garras. O pobre caubói ainda segurava o pomo em uma mão. Ele não tinha rosto; a coisa o arrancara fora do crânio e comera.

— Roland — chamou Jamie. A voz saiu com dificuldade, como se a garganta tivesse se fechado do tamanho de um canudo. — Nós precisamos encontrar essa criatura. Nós *precisamos*.

— Vamos ver o que os rastros lá fora dizem antes que sejam apagados pelo vento — respondi.

Deixamos Peavy e os demais do lado de fora do alojamento e demos a volta pelo casarão até o ponto onde estavam os corpos cobertos das duas meninas. Os rastros a partir dali começaram a perder a definição nas bordas e em volta das marcas de garras, mas seriam difíceis de deixar passar mesmo para alguém que não tenha tido a sorte de ter Cort de Gilead como professor. A coisa que deixou a trilha devia pesar mais de trezentos e cinquenta quilos.

— Olhe aqui — falou Jamie ao se ajoelhar ao lado de um rastro. — Viu como é mais fundo na ponta? O monstro estava correndo.

— E nas patas traseiras — comentei. — Como um homem.

A trilha passou pela bomba, que estava em frangalhos, como se a criatura tivesse dado um golpe de pura maldade ao passar. Os rastros nos levaram a um caminho morro acima que ia para o norte, na direção de um anexo comprido e sem pintura que devia ser um barracão ou uma ferraria. Depois disso, talvez vinte rodas mais ao norte, ficavam as terras rochosas embaixo dos morros salinos. Era possível ver os buracos que levavam às minas esgotadas; eles estavam escancarados como órbitas vazias.

— É melhor desistirmos — falei. — Nós sabemos aonde vão esses rastros: até onde os saleiros vivem.

— Ainda não — discordou Jamie. — Olhe aqui, Roland. Você jamais viu algo assim.

Os rastros começaram a mudar, as garras se transformaram nas formas curvas de cascos sem ferradura.

— A coisa perdeu a forma de urso — observei — e se transformou... no quê? Em um touro?

— Acho que sim — admitiu Jamie. — Vamos um pouco mais adiante. Eu tenho uma ideia.

Ao nos aproximarmos do anexo comprido, as pegadas de casco se tornaram rastros de patas. O touro se transformou em uma espécie de felino monstruoso. As marcas eram grandes a princípio, e depois começaram a ficar menores, como se a coisa estivesse encolhendo do tamanho de um leão para o de um puma enquanto corria. Quando as pegadas saíram do caminho e entraram na trilha que levava ao barracão, descobrimos um grande trecho amassado de grama. Os talos quebrados estavam ensanguentados.

— O monstro caiu — disse Jamie. — Acho que caiu... e se debateu. — Ele ergueu o olhar do canteiro emaranhado de ervas daninhas. — Acho que estava sentindo dor.

— Ótimo — comentei. — Agora olhe aqui. — Apontei para a trilha, que tinha pegadas de vários cavalos. E outros indícios também.

Pés descalços iam às portas do anexo, que corriam em trilhos de metal enferrujado.

Jamie se virou para mim, os olhos arregalados. Levei o dedo aos lábios e saquei um dos revólveres. Jamie fez o mesmo, e nós avançamos na direção do barracão. Gesticulei para que ele fosse pelo outro lado; Jamie fez que sim com a cabeça e partiu para a esquerda.

Eu fiquei do lado de fora das portas abertas, com a arma para cima, esperando o tempo de Jamie chegar ao outro lado do anexo. Não ouvi nada. Quando julguei que meu companheiro deveria estar posicionado, eu me abaixei, peguei uma pedra de bom tamanho com a mão livre e joguei dentro. Ela bateu e depois rolou pela madeira. Continuou sem haver mais nada para escutar. Eu avancei para dentro, abaixando o corpo, com a arma de prontidão.

O lugar parecia vazio, mas havia tantas sombras que no começo foi difícil ter certeza. Já estava quente, e ao meio-dia estaria um forno. Vi um par de baias vazias de cada lado, uma pequena forja perto de um gaveteiro cheio de ferraduras enferrujadas e pregos igualmente enferrujados, jarros com unguento e perfume, ferretes em uma bainha de latão, e uma grande pilha de arreios que precisavam ser consertados ou jogados fora. Acima de alguns bancos havia uma variedade considerável de ferramentas pendurada em pregos. A maioria era tão enferrujada quanto as ferraduras e os pregos. Havia alguns ganchos de madeira e uma bomba vertical em cima de um cocho de cimento. A água no cocho não era trocada havia algum tempo; conforme os olhos se ajustavam à escuridão, notei um pouco de palha boiando na superfície. Calculei que isto aqui era mais do que um barracão para o equipamento de montaria. Também funcionava como uma espécie de albergue para os cavalos usados para o trabalho no rancho. Provavelmente era uma veterinária improvisada também. Os cavalos entravam por uma ponta, eram tratados e saíam pela outra. Mas o lugar parecia abandonado e decadente.

O rastro da criatura que então já voltara a ser humana passou pelo corredor central para as portas de saída, também abertas, na outra ponta. Eu segui a trilha.

— Jamie? Sou eu. Não atire em mim, pelo amor de seu pai.

Eu saí. Jamie havia colocado a arma no coldre e agora apontava para uma enorme pilha de cocô de cavalo.

— O monstro sabe o que ele é, Roland.

— Você sabe disso por causa de uma pilha de estrume?

— Por acaso, sei sim.

Ele não me disse como descobrira, mas após alguns segundos eu mesmo percebi. O albergue fora abandonado, provavelmente por outro construído mais perto do casarão, mas o cocô de cavalo era recente.

— Se veio montado, ele chegou como homem.

— Sim. E foi embora como homem.

Fiquei de cócoras e refleti a respeito disso. Jamie enrolou um fumo e me deixou com meus pensamentos. Quando ergui o olhar, ele sorria um pouco.

— Você entende o que isso significa, Roland?

— Duzentos saleiros, mais ou menos. — Sempre fui lento, mas costumo chegar lá no fim das contas.

— Ié.

— *Saleiros*, veja bem, não peões ou tocadores. Mineiros, não cavaleiros, geralmente.

— Isso mesmo.

— Quantos saleiros lá nas minas você imagina que tenham cavalos? Quantos sequer sabem cavalgar?

O sorriso de Jamie aumentou.

— Acredito que deve haver uns vinte ou trinta.

— Melhor do que duzentos — falei. — De longe muito melhor. Subiremos às minas assim que...

Não cheguei a terminar o que dizia porque foi aí que os gemidos começaram. Veio do barracão que eu havia descartado como vazio. Como fiquei contente naquele momento que Cort não estivesse lá. Ele teria me dado um tapa na orelha que me arremessaria no chão. Pelo menos em seu auge, Cort teria feito isso.

Jamie e eu trocamos um olhar assustado, depois voltamos correndo para dentro. Os gemidos continuavam, mas o lugar parecia tão vazio quanto antes. Então aquela grande pilha de arreios velhos — colares quebrados, bridões, cilhas, rédeas — começou a inflar e desinflar, como se estivesse respirando. O emaranhado de couro começou a cair de ambos os lados e dele nasceu um menino. O cabelo louro-claro estava completamente espetado. Ele usava jeans e uma velha camisa aberta e desabotoada. Não parecia ferido, mas nas sombras era difícil dizer.

— O monstro foi embora? — perguntou o menino com uma voz trêmula. — Por favor, sais, digam que sim. Digam que foi embora.

— Foi sim.

Ele começou a sair da pilha, mas ficou com uma perna enrolada em uma faixa de couro e caiu para a frente. Eu peguei o menino e encontrei o par de olhos de um azul intenso completamente aterrorizado que me encarava.

Então ele desmaiou.

Eu o carreguei até o cocho. Jamie tirou a bandana, mergulhou na água e começou a limpar o rosto sujo de terra do menino. Ele devia ter onze anos; podia ser um ano ou dois mais novo. Era tão magro que não era possível saber ao certo. Após algum tempo, os olhos pestanejaram e se abriram. Ele olhou de mim para Jamie e voltou a me encarar.

— Quem é você? — perguntou. — Vocês não são do rancho.

— Nós somos amigos do rancho — falei. — Quem é você?

— Bill Streeter. Os tocadores me chamam de Bill Pequeno.

— Ié, chamam? E seu pai é o Bill Grandão?

Ele se sentou, pegou a bandana de Jamie, mergulhou no cocho e espremeu para que a água escorresse pelo peito magro.

— Não, Bill Grandão é meu avô, que foi para a clareira há dois anos. Meu pai é chamado apenas de Bill. — Falar o nome do pai fez o menino arregalar os olhos. Bill Pequeno agarrou meu braço. — Ele não está morto, está? Diga que não, sai!

Jamie e eu nos entreolhamos de novo, e isto o assustou mais do que nunca.

— Diga que não! Por favor, diga que meu papai não está morto! — Ele começou a chorar.

— Quieto, calma agora — falei. — Quem é seu pai? Um tocador?

— Não, não, ele é o cozinheiro. *Diga que ele não está morto!*

Mas o menino sabia que estava. Eu notei a verdade em seus olhos tão claramente quanto tinha visto o cozinheiro no alojamento com o avental ensanguentado sobre o rosto.

Havia um salgueiro ao lado do casarão, e foi ali que interrogamos Bill Pequeno Streeter — apenas eu, Jamie e o xerife Peavy. Nós mandamos os demais de volta, para esperar à sombra do alojamento, considerando que muita gente ao redor do menino só iria deixá-lo mais angustiado. Acabou que ele foi capaz de contar muito pouco do que precisávamos saber.

— Meu pai disse que seria uma noite quente e eu deveria ir ao pasto do outro lado do curral para dormir sob as estrelas — contou Bill Pequeno. — Ele disse que seria mais fresco e eu dormiria melhor. Mas eu sabia o motivo. Elrod estava novamente bebendo, com alguma garrafa por aí.

— Está se referindo a Elrod Nutter? — perguntou o xerife Peavy.

— Ié, sim. Ele é o capataz dos meninos.

— Eu o conheço bem — falou Peavy para nós. — Já não o prendi uma meia dúzia de vezes ou mais? Jefferson mantém Elrod no rancho porque ele é um excelente cavaleiro e laçador, mas é um escroto desgraçado quando bebe. Não é, Bill Pequeno?

Bill Pequeno concordou enfaticamente com a cabeça e afastou dos olhos o longo cabelo, que ainda estava empoeirado dos arreios onde se escondera.

— Sim, senhor, e ele tinha a mania de implicar comigo. E meu pai sabia.

— Você era aprendiz de cozinheiro? — perguntou Peavy. Eu sabia que o xerife tentava ser gentil, mas queria que prestasse atenção no que dizia e parasse de falar de um modo que dizia *antigamente, mas não é mais*.

Porém o menino não pareceu notar.

— Ajudante do alojamento. Não aprendiz de cozinheiro. — Ele se voltou para Jamie e para mim. — Eu arrumo os beliches, enrolo a corda, amarro os colchonetes, lustro as selas, fecho os portões ao fim do dia depois que os cavalos entram. Braddock Pequeno me ensinou a fazer um laço, e eu jogo direitinho. Roscoe está me ensinando a usar o arco. Freddy Dois Passos diz que vai me mostrar como marcar os animais quando chegar o outono.

— Faz bem — falei e bati com os dedos na garganta. Isto fez o menino sorrir.

— Quase todos são gente boa. — O sorriso sumiu tão rápido quanto apareceu, como uma nuvem cobrindo o sol. — Exceto Elrod. Ele é apenas rabugento quando está sóbrio, mas, quando bebe, gosta de provocar. Provocação *perversa*, se vocês entendem.

— Entendemos bem — respondi.

— Ié, e se você não ri e não age como se tudo fosse uma piada, mesmo quando ele torce sua mão ou o puxa pelo cabelo e o arrasta pelo chão do alojamento, a coisa fica ainda mais feia. Então, quando meu pai me mandou dormir do lado de fora, eu peguei o cobertor e a tolda, e saí. Não foi preciso dizer duas vezes, como meu papai fala.

— O que é uma tolda? — perguntou Jamie ao xerife.

— Um pedaço de lona — respondeu Peavy. — Não protege da chuva, mas evita que a pessoa fique molhada por causa do orvalho.

— Onde você escolheu para ficar? — indaguei ao menino.

Ele apontou para trás do curral, onde os cavalos ainda estavam nervosos por causa do vento que aumentava. Acima e ao redor, o salgueiro assobiava e dançava. Era lindo de ouvir e mais ainda de ver.

— Acho que o cobertor e a tolda ainda devem estar lá.

Olhei para o lugar indicado pelo menino, para o barracão onde o encontramos, depois para o alojamento. Os três lugares eram as pontas de um triângulo com provavelmente quatrocentos metros de cada lado, com o curral no meio.

— Como você foi parar do ponto onde dormiu até se esconder debaixo daquela pilha de arreios, Bill? — perguntou o xerife Peavy.

O menino olhou para ele por um longo tempo sem falar. Então as lágrimas começaram a cair novamente. Bill as cobriu com os dedos para que não as víssemos.

— Não lembro. Não lembro de *nada*. — O menino não chegou a abaixar as mãos; elas simplesmente caíram no colo, como se tivessem ficado pesadas demais para mantê-las erguidas. — Eu quero meu pai.

Jamie se levantou e foi embora, com as mãos enfiadas no fundo dos bolsos de trás. Tentei dizer o que precisava ser dito, mas não consegui. Devem ter em mente que, embora eu e Jamie estivéssemos armados, aqueles não eram ainda os grandes revólveres de nossos pais. Eu jamais seria novamente tão jovem quanto fora antes de ter conhecido Susan Delgado, de tê-la amado e a perdido, mas ainda era jovem demais para contar a esse menino que o pai fora despedaçado por um monstro. Então olhei para o xerife Peavy. Olhei para o adulto.

Peavy tirou o chapéu e o deixou ao lado, na grama, pegando-o em seguida e dizendo:

— Filho, tenho notícias muito duras para você. Quero que respire fundo e seja homem.

Mas Bill Pequeno tinha vivido apenas nove ou dez verões, no máximo onze, e não tinha capacidade de ser homem a respeito de nada. Ele começou a soluçar. Quando o menino chorou, eu vi o rosto pálido de minha mãe morta tão claramente quanto se ela estivesse deitada ao lado, debaixo daquele salgueiro, e não suportei. Eu me senti um covarde, mas a sensação não me impediu de levantar e me afastar.

O garoto chorou até dormir ou ficar inconsciente. Jamie o carregou para o casarão e o colocou em uma das camas do segundo andar. Ele era apenas o filho do cozinheiro do alojamento, mas não havia mais ninguém para dormir nas camas. O xerife Peavy usou o trim-trim para ligar para o gabinete onde um dos delegados duvidosos recebera a ordem de esperar pela chamada. Em pouco tempo, o coveiro de Debaria — se é que havia um — organizaria um pequeno comboio de carroças e recolheria os mortos.

O xerife Peavy entrou no modesto escritório de Jefferson e se sentou em uma cadeira com rodinhas.

— Qual é o próximo passo, meninos? Suponho que sejam os saleiros... e imagino que vocês queiram subir às minas antes que o vento vire um simum, que certamente é o que vai acontecer. — Ele suspirou. — O menino não vai ser de utilidade para vocês, isso é garantido. Seja lá o que ele viu, era maligno demais a ponto de apagar a mente dele.

Jamie começou a argumentar:

— Roland tem um jeito de...

— Não sei qual é o próximo passo — cortei. — Gostaria de discutir um pouco com meu companheiro. Podemos dar um *passear* ali pelo barracão.

— Os rastros já terão sido varridos a esta altura — comentou Peavy —, mas vão em frente e tomara que dê certo. — Ele balançou a cabeça. — Contar àquele menino foi difícil. Muito difícil.

— Você fez da maneira correta — falei.

— Acha mesmo? Ié? Bem, obrigado. Pobre garotinho. Creio que ele possa ficar comigo e a patroa por um tempo. Até sabermos o que vai acontecer depois com ele. Vocês rapazes vão em frente e confabulem, se é o que desejam. Acho que vou é ficar sentado aqui e tentar colocar a cabeça no lugar. Não há pressa agora; aquela maldita criatura comeu bem ontem à noite. Vai levar um bom tempo até que precise caçar novamente.

Jamie e eu demos duas voltas pelo barracão e o curral enquanto conversávamos, e o vento cada vez mais forte tremulava as calças e balançava o cabelo.

— Foi tudo realmente apagado na mente do menino, Roland?

— O que *você* acha?

— Não — respondeu Jamie. — Porque a primeira pergunta que ele fez foi "o monstro foi embora?".

— E o menino sabia que o pai estava morto. Mesmo quando nos perguntou, havia certeza no olhar dele.

Jamie andou sem responder por um tempo, com a cabeça baixa.

Amarramos as bandanas sobre a boca e o nariz por causa da poeira que soprava. A bandana de Jamie ainda estava molhada do cocho. Finalmente, ele falou:

— Quando comecei a contar ao xerife que você tem um jeito de descobrir coisas enterradas na mente das pessoas, você me cortou.

— Ele não precisa saber, porque nem sempre funciona.

Funcionou com Susan Delgado, em Mejis, mas parte dela estava morrendo de vontade de me dizer o que a bruxa, Rhea, tentara esconder da mente frontal de Susan, onde nossos próprios pensamentos vêm a nós com muita clareza. Ela quis me contar porque estávamos apaixonados.

— Mas você vai tentar? Vai, não é?

Não respondi até começarmos a segunda volta pelo curral. Eu ainda estava organizando as ideias. Como já disse, isto sempre foi um processo lento para mim.

— Os saleiros não vivem mais nas minas; eles têm o próprio acampamento algumas rodas a oeste de Pequena Debaria. Kellin Frye me disse na vinda para cá. Eu quero que você vá para lá com Peavy e os Frye. Canfield também, se ele quiser ir. Acho que vai querer. Os outros dois tocadores, os parceiros de Canfield, podem ficar aqui e esperar pelo coveiro.

— Você pretende levar o menino de volta para a cidade?

— Sim. Sozinho. Mas não estou dizendo que você vá até lá só para que se afaste com os outros. Se você for rápido e eles tiverem uma muda de cavalos, você ainda será capaz de notar um animal que foi usado para uma cavalgada pesada.

Sob a bandana, ele talvez tivesse sorrido.

— Duvido.

Eu também. Teria sido mais provável, não fosse pelo vento — que Peavy chamou de simum. Ele teria secado em pouco tempo o suor de um cavalo, mesmo um que tivesse cavalgado ao extremo. Jamie poderia notar um animal que estivesse mais empoeirado do que os demais, um com bardana e mato no rabo, mas se nós estivéssemos certos, e o troca-pele soubesse o que ele era, o sujeito teria dado uma escovada e esfregada vigorosas na montaria, dos cascos à crina, assim que retornou.

— Alguém deve tê-lo visto voltar a cavalo.

— Sim... a não ser que ele tenha antes ido à Pequena Debaria, tomado banho e voltado de lá para o acampamento dos saleiros. Um sujeito esperto poderia ter feito isso.

— Mesmo assim, você e o xerife devem conseguir descobrir quantos deles têm cavalos.

— E quantos sabem cavalgar, mesmo que não tenham — falou Jamie. — Ié, podemos fazer isso.

— Reúna aquele grupo, ou quantos você conseguir, e traga para a cidade. Quem reclamar, lembre que eles ajudarão a pegar o monstro que anda aterrorizando Debaria... Pequena Debaria... o Baronato inteiro. Nem é preciso dizer que qualquer um que mesmo assim se recusar será encarado com mais suspeita; até mesmo o mais burro vai entender isso.

Jamie fez que sim com a cabeça, depois agarrou a cerca quando uma rajada de vento especialmente forte nos pegou. Eu me virei para encará-lo.

— Mais uma coisa: você vai aplicar um golpe, e o filho de Kellin, Vikka, será seu cúmplice. Eles acreditarão que um garoto pode dar com a língua nos dentes, mesmo que tenha recebido ordens para ficar calado. *Especialmente* se tiver recebido ordens para isso.

Jamie esperou, mas eu tinha certeza de que ele sabia o que eu ia dizer, porque estava abalado. Era algo que Jamie nunca teria feito por conta própria, mesmo que tivesse pensado a respeito. E por esse motivo que meu pai me colocou no comando. Não porque me saí bem em Mejis — não fui bem, na verdade — e tampouco por ser filho dele. Embora, de certa forma, creio que esta era a questão. Minha mente era como a dele: fria.

— Diga aos saleiros que sabem andar a cavalo que há uma testemunha dos assassinatos do rancho. Diga que você não pode contar quem foi, naturalmente, mas que a pessoa viu o troca-pele na forma humana.

— Você não sabe se Bill Pequeno realmente chegou a ver o troca-pele, Roland. E, mesmo que tenha visto, pode não ter visto o rosto. Ele estava escondido em uma pilha de arreios, pelo amor de seu pai.

— É verdade, mas o troca-pele não saberá disso. Tudo que ele precisa saber é que *pode ser* verdade, porque o troca-pele era humano quando saiu do rancho.

Voltei a andar, e Jamie me acompanhou.

— Agora, é aqui que Vikka entra. Ele vai se separar um pouco de você e dos demais e sussurrar para alguém, de preferência outro garoto da idade dele, que o sobrevivente foi o filho do cozinheiro. Conhecido como Bill Streeter.

— O menino acabou de perder o pai e você quer usá-lo como isca.

— Pode ser que não chegue a tanto. Se a história cair nos ouvidos certos, talvez o sujeito que procuramos fuja enquanto estiverem indo para a cidade. Aí você saberá. E nada disso vai valer se estivermos errados a respeito de o troca-pele ser um saleiro. Nós podemos estar errados, você sabe.

— E se estivermos certos, e o sujeito decidir agir?

— Traga todos eles para a cadeia. Eu colocarei o menino em uma cela, uma cela trancada, e você manda os saleiros passarem em fila, um por um. Eu direi para Bill Pequeno não falar nada, de um jeito ou de outro, até os saleiros irem embora. Você está certo, ele pode não ser capaz de identificar nosso homem, mesmo que eu consiga ajudá-lo a se lembrar um pouco do que aconteceu ontem à noite. Mas o sujeito também não saberá disso.

— É arriscado — comentou Jamie. — Arriscado para o garoto.

— O risco é pequeno. Será de dia, com o troca-pele na forma humana. E Jamie... — Eu peguei em seu braço. — Eu estarei na cela também. O desgraçado terá que passar por mim se quiser pegar o garoto.

Peavy gostou mais do plano do que Jamie. Não fiquei nem um pouco surpreso. Era a cidade dele, afinal de contas. E o que era Bill Pequeno para o xerife? Apenas o filho de um cozinheiro morto. Não era importante no âmbito geral.

Assim que a pequena expedição foi para a cidade dos saleiros, eu acordei o menino e disse que iríamos para Debaria. Ele concordou sem questionar. Estava distante e atordoado. De vez em quando, Bill Pequeno esfregava os olhos. Ao sairmos do curral, ele me perguntou novamente se eu tinha certeza de que o pai estava morto. Eu disse que sim. O menino suspirou fundo, baixou a cabeça e colocou as mãos nos joelhos. Esperei um tempo, depois perguntei se queria que selasse um cavalo para ele.

— Se não for problema montar em Millie, eu mesmo posso selá-la. Sou eu que dou comida para ela, e Millie é minha amiga especial. As pessoas dizem que mulas não são inteligentes, mas Millie é.

— Vamos ver se você consegue sem levar um coice.

Acabou que Bill Pequeno foi capaz de selá-la, e muito bem. Ele montou e disse:

— Acho que estou pronto. — O menino até tentou sorrir para mim. Foi horrível de assistir. Eu me senti mal pelo plano que coloquei em prática, mas bastou pensar na carnificina que deixávamos para trás e o rosto arruinado da irmã Fortuna para me lembrar do que estava em jogo.

— Ela vai fugir com o vento? — perguntei, indicando com a cabeça a mulinha em boa forma. Montado no lombo, os pés de Bill Pequeno quase tocavam o chão. Dali a um ano, o menino seria grande demais para o animal, mas é claro que, dali a um ano, ele provavelmente estaria bem longe de Debaria, apenas mais um errante na face de um mundo que desvanecia. Millie seria uma lembrança.

— Millie, não. Ela é confiável como um dromedário.

— Ié, e o que é um dromedário?

— E eu sei lá. É só uma coisa que meu pai dizia. Uma vez eu perguntei, e ele também não sabia.

— Vamos então — falei. — Quanto mais cedo chegarmos à cidade, mais cedo sairemos desta poeira. — Mas eu tinha a intenção de fazer uma parada antes de chegarmos à cidade. Havia algo que eu queria mostrar ao menino enquanto ainda estávamos sozinhos.

Quase na metade do caminho entre o rancho e Debaria, eu tinha visto a meia-água abandonada de um pastor de ovelhas e sugeri que nos abrigássemos ali um pouco para comer. Bill Streeter concordou de boa vontade. Ele perdera o pai e todo mundo que conhecia, mas ainda era um menino em fase de crescimento e não havia comido nada desde o jantar da noite anterior.

Amarramos as montarias longe do vento e nos sentamos no chão da meia-água com as costas apoiadas na parede. Eu tinha carne-seca enrolada em folhas no alforje. A carne estava salgada, mas o odre estava cheio. O menino comeu meia dúzia de nacos de carne, deu grandes mordidas e ajudou a descer com água.

Uma lufada forte de vento sacudiu a meia-água. Millie reclamou com um relincho e voltou a ficar em silêncio.

— O vento vai virar um simum quando escurecer — afirmou Bill Pequeno. — Pode apostar.

— Eu gosto do som do vento — contei. — Ele me faz lembrar de uma história que minha mãe lia para mim quando eu era pequeno. Chamada de "O vento pela fechadura". Tu conhece?

Bill Pequeno balançou a cabeça.

— Moço, você é mesmo um pistoleiro? De verdade?

— Sou.

— Posso pegar rapidinho em uma das armas?

— Jamais, mas você pode olhar uma destas, se quiser. — Peguei uma bala do cinto e entreguei a ele.

O menino examinou com cuidado, da base de latão à ponta de chumbo.

— Deuses, é pesada! E comprida também! Aposto que, se você atira uma dessas em alguém, o cara não levanta.

— Sim. Bala é uma coisa perigosa. Mas pode ser bela também. Quer ver um truque que consigo fazer com esta?

— Claro.

Eu peguei de volta e fiz a bala dançar sobre os nós dos dedos, que subiam e desciam em ondas. Bill Pequeno assistia de olhos arregalados.

— Como tu faz isso?

— Da mesma maneira que qualquer pessoa faz qualquer coisa — respondi. — Com prática.

— Pode me mostrar o truque?

— Se você observar com atenção, pode ver por si mesmo. Aqui está... e aqui não está. — Eu empalmei a bala tão rápido que ela desapareceu, pensando em Susan Delgado enquanto fazia isso, como imaginei que sempre pensaria ao fazer este truque. — Agora está aqui de novo.

A bala dançou rápido... depois devagar... depois rápido novamente.

— Acompanhe com os olhos, Bill, e veja se consegue adivinhar como eu faço para a bala desaparecer. Não tire os olhos dela. — Abaixei a voz para um sussurro. — Observe... observe... e observe. Isto te deixa com sono?

— Um pouco — respondeu o menino. Os olhos se fecharam lentamente, depois as pálpebras se abriram outra vez. — Não dormi muito ontem à noite.

— É mesmo? Olhe a bala sumir. Observe devagar. Veja desaparecer e então... olhe a bala acelerar novamente.

De um lado para o outro foi a bala. O vento soprou, o som era tão de ninar para mim quanto minha voz era para ele.

— Durma se quiser, Bill. Ouça o vento e durma, mas escute minha voz também.

— Eu te escuto, pistoleiro. — Os olhos se fecharam novamente e dessa vez não reabriram. As mãos se entrelaçaram de leve sobre o colo. — Escuto muito bem.

— Ainda consegue ver a bala, não é? Mesmo com os olhos fechados.

— Sim... mas ela está maior agora. Reluz como ouro.

— É verdade?

— Sim...

— Vá mais fundo, Bill, mas escute minha voz.

— Eu escuto.

— Quero que volte a mente para a noite de ontem. A mente, os olhos e os ouvidos. Consegue fazer isso?

Ele franziu a testa.

— Eu não quero.

— É seguro. Tudo já aconteceu e, além disso, estou com você.

— Você está comigo. E tem armas.

— Tenho sim. Nada vai acontecer a você enquanto ouvir minha voz porque estamos juntos. Eu te manterei a salvo. Entende isso?

— Sim.

— Seu pai te mandou dormir sob as estrelas, não foi?

— Ié. Seria uma noite quente.

— Mas esta não foi a verdadeira razão, foi?

— Não. Foi por causa de Elrod. Uma vez ele girou a gata do alojamento pelo rabo, e ela nunca voltou. Às vezes ele me puxava pelo cabelo e cantava "O menino que amava Jenny". Meu pai não conseguia fazer nada, porque Elrod é maior. E também tem uma faca na bota. Ele sabia cortar com ela, mas não conseguiu cortar o monstro, não foi? — As mãos entrelaçadas se contraíram. — Elrod está morto, e fico contente. Sinto por todos os outros... e meu pai, não sei o que farei sem ele... mas fico contente por Elrod. Ele não vai mais me provocar. Não vai mais me assustar. Eu vi, ié.

Então ele *realmente* sabia mais do que o topo da mente deixava que lembrasse.

— Agora você está na grama.

— Na grama.

— Enrolado no cobertor e no toldo.

— *Tolda.*

— No cobertor e na tolda. Você está acordado, talvez olhando para as estrelas, para a Velha Estrela e a Velha Mãe...

— Não, não, dormindo — contou Bill. — Mas sou acordado pelos gritos. Os gritos do alojamento. E os sons de luta. Coisas estão sendo quebradas. E alguma coisa *ruge*.

— O que você faz, Bill?

— Eu desço. Estou com medo, mas meu pai... ele está lá. Olho pela janela dos fundos. É de papel-manteiga, mas consigo enxergar direitinho. Mais do que queria ver, porque eu vejo... vejo... moço, posso acordar?

— Ainda não. Lembre-se de que estou aqui com você.

— Você já sacou as armas, moço? — Ele tremia.

— Saquei. Para te proteger. O que você vê?

— Sangue. E uma fera.

— Consegue dizer de que tipo?

— Um urso. Um urso tão alto que a cabeça bate no teto. Ele se levanta no meio do alojamento... entre os catres, sabe, e nas patas traseiras... e pega os homens... pega os homens e os despedaça com as grandes garras compridas. — Lágrimas começaram a escapar das pálpebras fechadas e a escorrer pelas bochechas. — O último foi Elrod. Ele correu para a porta dos fundos... onde a lenha fica logo do lado de fora, entende... e quando ele notou que o urso o pegaria antes que pudesse abrir a porta e fugisse, Elrod se virou para lutar. Estava com a faca. Foi para esfaquear... — Devagar, como se debaixo da água, a mão direita do menino se ergueu do colo. Estava com o punho cerrado. Ele fez um movimento de estocada com a mão.

— O urso pegou o braço e arrancou do ombro. Elrod gritou. Fez um som como um cavalo que eu vi uma vez, depois que pisou em um buraco e quebrou a pata. A coisa... acertou Elrod no rosto com o próprio braço. Voou sangue. Os tendões bateram no ar e se enroscaram na pele como barbantes... Elrod caiu contra a porta e começou a escorrer. O urso o agarrou, levantou, mordeu o pescoço, e houve um *som*... moço, a coisa arrancou a cabeça de Elrod do pescoço. Eu quero acordar agora. *Por favor*.

— Em breve. O que você fez então?

— Eu corri. Queria ir para o casarão, mas sai Jefferson... ele... ele...

— Ele o quê?

— Ele *atirou* em mim! Não acho que foi por mal. Acho que só me viu de rabo de olho e pensou... Eu ouvi a bala passar por mim. *Zuimmm!* Passou pertinho desse jeito. Então eu corri para o curral, em vez disso. Passei entre os postes. Enquanto cruzava o curral, ouvi mais dois tiros. Aí houve mais gritaria. Eu não olhei para ver, mas sabia que era sai Jefferson que estava gritando naquele momento.

Esta parte nós sabíamos pelos rastros e resquícios: como a coisa avançou para fora do alojamento, como pegou o trabuco e dobrou o cano, como arrancou as entranhas do rancheiro e o jogou no alojamento com os tocadores. O tiro que Jefferson deu em Bill Pequeno salvou a vida do menino. Se não fosse por aquilo, ele teria corrido na direção do casarão e sido massacrado com as mulheres da família de Jefferson.

— Você entrou naquele velho albergue onde te encontramos.

— Ié, entrei. E me escondi debaixo dos arreios. Mas então eu ouvi o urso... chegando.

Ele tinha voltado ao tempo *agora* de se lembrar, e as palavras saíam mais devagar. Eram interrompidas por acessos de choro. Eu sei que fazia o menino sofrer, pois lembrar coisas terríveis era sempre dolorido, mas insisti. Eu tinha que insistir, porque o que aconteceu no albergue abandonado era a parte importante, e Bill Pequeno era o único que estivera lá. Duas vezes ele tentou voltar ao tempo *passado* de se lembrar, o *antes*. Isto era um sinal de que o menino tentava se livrar do transe, então eu o levei mais fundo. No fim, consegui tudo.

O terror que ele sentiu conforme a criatura se aproximou, resmungando e farejando. A maneira como os sons mudaram e viraram os rosnados de um felino. Segundo Bill Pequeno, assim que a fera rugiu e ele ouviu o barulho, o menino molhou as calças. Não conseguiu se segurar. Ele esperou que o felino entrasse e sabia que seria farejado onde estava — por causa da urina —, só que a fera não o localizou. Houve um silêncio... silêncio... e então mais gritaria.

— No começo é o grito do felino, e depois muda para um grito de gente. Fino no início, como se fosse uma mulher, depois começa a ficar grosso até virar masculina. A coisa grita sem parar. *Me* faz querer gritar. Eu achei...

— Acha — corrigi. — Você acha, Bill, porque está acontecendo agora. Só que estou aqui para te proteger. As armas estão sacadas.

— Eu acho que a minha cabeça vai rachar ao meio. Então a fera para... e entra.

— A criatura anda do meio para a porta dos fundos, não é?

Ele balançou a cabeça.

— Não anda. Arrasta o pé. *Cambaleia*. Como se estivesse ferido. O monstro passa direto por mim. *Homem*. Agora é um *homem*. Ele quase cai, mas agarra a porta de uma das baias e fica em pé. Depois segue adiante. Anda um pouco melhor agora.

— Mais forte?

— Ié.

— Você vê o rosto? — Tinha a suspeita de que eu já sabia qual seria a resposta.

— Não, apenas os pés, através dos arreios. A lua está no céu, e eu os vejo muito bem.

Talvez sim, mas eu achava muito improvável que fôssemos identificar o troca-pele pelos pés. Abri a boca, pronto para começar a trazê-lo de volta do transe, quando o menino falou novamente:

— Há um anel em volta de um dos tornozelos.

Eu me inclinei para a frente, como se ele pudesse me ver... e o menino, se estivesse fundo o suficiente, talvez pudesse, mesmo de olhos fechados.

— Que tipo de anel? Era de metal, como um grilhão?

— Não sei o que é isso.

— Como uma argola de bridão? Sabe, um freio?

—Não, não. Como no braço de Elrod, mas há um desenho de uma mulher pelada, que quase não está mais visível.

— Bill, você está dizendo que é uma tatuagem?

No transe, o menino sorriu.

— Ié, esta é a palavra. Mas essa tatuagem não é um desenho, é apenas um anel azul em volta do tornozelo. Um anel azul na pele.

Eu pensei: *Te pegamos. Você pode não saber ainda, sai troca-pele, mas te pegamos.*

— Moço, posso acordar agora? Eu quero acordar.

— Tem mais alguma coisa?

— A marca branca? — Parecia uma pergunta para si mesmo.

— Que marca branca?

Ele balançou a cabeça devagar, de um lado para o outro, e eu decidi deixar o assunto de lado. O menino já passara por coisas demais.

— Venha para o som da minha voz. Ao vir, deixará para trás tudo o que aconteceu na noite de hoje porque acabou. Venha, Bill. Venha agora.

— Estou vindo. — Por baixo das pálpebras fechadas, os olhos rolaram para a frente e para trás.

— Você está a salvo. Tudo que aconteceu no rancho é passado, não é?

— Sim...

— Onde nós estamos?

— Na estrada principal de Debaria. Indo à cidade. Só estive lá uma vez. Meu pai comprou doce para mim.

— Eu vou comprar também — assegurei — porque você foi bem, Bill Pequeno de Jefferson. Agora, abra os olhos.

O menino fez o que eu mandei, mas a princípio ele apenas viu através de mim. Então os olhos se concentraram, e ele deu um meio sorriso.

— Eu peguei no sono.

— Pegou. E agora devemos nos apressar para a cidade antes que o vento fique forte demais. Você consegue fazer isso, Bill?

— Ié — disse ele, ao se levantar, e acrescentou: — Eu estava sonhando com doce.

Os dois delegados duvidosos estavam no gabinete do xerife quando chegamos lá. Um deles — um sujeito gordo que usava um chapéu preto e alto com uma faixa berrante de couro de cascavel — estava bem à vontade atrás da mesa de Peavy. Ele viu as armas que eu portava e se levantou rapidamente.

— Você é o pistoleiro, não é? — indagou o delegado. — Muito prazer, muito prazer, de nós dois. Onde está o outro?

Acompanhei Bill Pequeno pela arcada para dentro da prisão, sem oferecer resposta. O garoto olhou para as celas com interesse, mas sem medo. O bêbado, Sam Salgado, tinha ido embora havia tempos, mas o aroma permanecia.

Por trás de mim, o outro delegado perguntou:

— O que você pensa que está fazendo, jovem sai?

— Meu trabalho — respondi. — Volte ao gabinete e traga o molho de chaves das celas para mim. Seja rápido, por favor.

Nenhuma das celas menores tinha colchões ou beliches, então levei Bill Pequeno para a cela de embriaguez e desordem onde Jamie e eu dormimos na noite anterior. Enquanto eu juntava dois colchões de palha para dar um pouco mais de conforto para o menino — após o que ele passou, merecia todo o conforto possível —, Bill olhou para o mapa desenhado a giz na parede.

— O que é isto, sai?

— Nada com que você precise se preocupar — respondi. — Agora, preste atenção. Eu vou te prender, mas não tenha medo porque não fez nada de errado. Isto é para a sua própria segurança. Eu tenho um compromisso e, quando terminar, voltarei para ficar com você aqui dentro.

— E aí prender nós dois — pediu o menino. — É melhor prender nós dois aqui dentro. Se o monstro voltar.

— Você se lembra agora?

— Um pouco — respondeu Bill, com o olhar voltado para o chão. — Aquilo não era um homem... depois era. Aquilo matou meu pai. — Ele colocou a base da palma das mãos nos olhos. — Pobre papai.

O delegado com o chapéu preto voltou com as chaves. O outro estava logo atrás dele. Ambos encaravam parvamente o menino como se ele fosse um bode de duas cabeças em um circo itinerante.

Peguei as chaves.

— Ótimo. Agora voltem os dois ao gabinete.

— Parece que você está sendo um pouquinho arrogante, jovem — falou Chapéu Preto, e o outro, um homem pequeno com o queixo saliente, concordou enfaticamente com a cabeça.

— Vão agora — mandei. — O menino precisa descansar.

Os dois me olharam de cima a baixo, e em seguida foram embora. O que era a atitude certa. A única, na verdade. Eu não estava de bom humor.

O menino manteve os olhos cobertos até que as botas dos delegados sumiram através da arcada, depois abaixou as mãos.

— Você vai pegá-lo, sai?

— Sim.

— E você vai matá-lo?

— Tu *quer* que eu o mate?

Bill pensou a respeito e assentiu.

— Ié. Pelo que ele fez com meu pai, com sai Jefferson e todos os demais. Até mesmo Elrod.

Fechei a porta da cela, encontrei a chave certa e girei. Pendurei o molho de chaves no pulso, porque era grande demais para o bolso, e falei:

— Eu te faço uma promessa, Bill Pequeno, e juro em nome do meu pai. Eu não o matarei, mas você estará presente quando ele for enforcado, e eu te darei com a própria mão o pão que você espalhará debaixo dos pés do cadáver.

No gabinete, os dois delegados duvidosos me olharam com cautela e antipatia. Aquilo não significava nada para mim. Pendurei o molho de chaves no prego ao lado do trim-trim e falei:

— Volto em uma hora, talvez um pouco menos. Enquanto isso, ninguém entra na prisão. E isto inclui vocês dois.

— Arrogante para um fedelho — comentou o queixudo.

— Não me desapontem — falei. — Não seria prudente. Entenderam?

Chapéu Preto fez que sim com a cabeça.

— Mas o xerife vai saber como você tratou a gente.

— Então você vai precisar de uma boca que ainda consiga falar quando ele voltar — ameacei e saí.

O vento continuou a ganhar força e soprou nuvens de poeira grossa e com gosto de sal entre os prédios de fachada falsa. Eu me encontrava sozinho na rua principal de Debaria, exceto por alguns cavalos amarrados que estavam com os traseiros voltados para o vento e as cabeças tristemente baixas. Eu não queria deixar meu próprio cavalo desse jeito — nem Millie, a mula montada pelo menino — e levei os dois para o estábulo no fim da rua. Lá o cavalariço ficou feliz em abrigá-los, especialmente quando dei meia moeda de ouro daquelas que levava no colete.

Não, respondeu o homem à primeira pergunta, não havia joalheiro em Debaria, nem nunca houve enquanto vivia ali. Mas a resposta à segunda pergunta foi positiva, e ele apontou para a oficina do ferreiro, do outro lado da rua. O próprio ferreiro estava na porta, com a borda do avental de couro cheio de ferramentas tremulando ao vento. Atravessei a rua, e ele levou o punho à testa.

— *Hail*.

Eu devolvi o *hail* e disse o que queria: o que Vannay falou que eu talvez precisasse. O homem ouviu com atenção, depois pegou a bala que passei para ele. Era a mesma que usei para hipnotizar Bill Pequeno. O ferreiro ergueu a bala para a luz.

— Quantos grãos de pólvora ela dispara, sabe dizer?

Claro que eu sabia.

— Cinquenta e sete.

— Tantas assim? Deuses! É de espantar que o tambor do revólver não exploda quando você aperta o gatilho!

As balas das armas de meu pai — aquelas que, um dia, eu talvez portasse — disparavam setenta e seis, mas eu não lhe contei. Ele provavelmente não teria acreditado.

— Pode fazer o que pedi, sai?

— Acho que sim. — O ferreiro pensou a respeito, depois concordou com a cabeça. — Ié, mas não hoje. Não gosto de acender a forja no vento. Uma brasa solta e a cidade inteira pode pegar fogo. Não temos bombeiros desde que meu pai era criança.

Peguei a bolsa de moedas de ouro e deixei cair duas na palma da sua mão. Pensei um pouco e acrescentei uma terceira. O ferreiro olhou fixamente para elas, maravilhado. Ele olhava para dois anos de rendimentos.

— Tem que ser para hoje — falei.

Ele sorriu e mostrou dentes de uma brancura fantástica dentro da floresta da barba ruiva.

— Diabo da tentação, não entre! Pelo que você está me mostrando, eu arriscaria queimar a própria Gilead inteira. Você terá a sua encomenda ao pôr do sol.

— Quero para as três da tarde.

— Ié, três é o que quis dizer. E nem um minuto a mais.

— Ótimo. Agora, me diga, que restaurante oferece a melhor refeição da cidade?

— Só temos dois, e nenhum deles te faz lembrar da comidinha da mamãe, mas também não te envenenam. Racey's Café provavelmente é o melhor.

Por mim, isso bastava; imaginei que um menino em fase de crescimento como Bill Streeter preferisse sempre quantidade a qualidade. Fui para o café, agora já precisando avançar contra o vento. *O vento vai virar um simum quando escurecer*, dissera o menino, e achei que ele estava certo. Bill Pequeno passou por muita coisa e precisava de tempo para descansar. Agora que eu sabia da tatuagem no tornozelo, talvez realmente não precisasse dele... mas o troca-pele não sabia disso. E na cadeia, Bill Pequeno estava seguro. Pelo menos era o que eu esperava.

Era um guisado, e eu poderia jurar que havia sido temperado com álcali em vez de sal, mas o moleque acabou com a porção dele e terminou a minha também, quando deixei de lado. Um dos delegados duvidosos fizera café, e nós bebemos em xícaras de lata. Comemos ali mesmo na cela, sentados com as pernas cruzadas no chão. Eu fiquei atento ao trim-trim, mas ele permaneceu quieto. Não fiquei surpreso. Mesmo que Jamie e o xerife-mor tivessem chegado perto de um aparelho onde os dois estavam, o vento provavelmente tinha arrancado os fios.

— Imagino que você saiba tudo sobre essas tempestades que chama de simuns — comentei com o Bill Pequeno.

— Ah, sim. Estamos na temporada delas. Os tocadores odeiam, e os peões odeiam mais ainda, porque, quando estão no pasto, têm que dormir ao relento. E não podem acender uma fogueira à noite, é claro, por causa das...

— Por causa das brasas — completei ao me lembrar do ferreiro.

— Isso mesmo. O guisado acabou?

— Acabou, mas tem mais uma coisa.

Passei um saquinho para ele, que olhou o interior e ficou radiante.

— Doce! Bolinhas e tranças! — O menino ofereceu o pacote. — Aqui, pode pegar o primeiro.

Eu peguei uma das pequenas tranças de chocolate, depois empurrei o saquinho para Bill Pequeno.

— Fique com o resto. Se não te deixar enjoado, quer dizer.

— Não vai! — E ele atacou o pacote. Após a terceira bolinha entrar na boca, o menino mastigou e ficou parecido com um esquilo com uma noz. — O que vai acontecer comigo, sai, agora que meu pai morreu?

— Não sei, mas haverá água, se Deus quiser. — Eu já tinha uma ideia de onde viria aquela água. Se nós conseguíssemos dar cabo do troca-pele, certa mulher grande chamada Everlynne ficaria em dívida conosco, e duvido que Bill Streeter fosse o primeiro desgarrado que teria sido abrigado por ela.

Voltei ao assunto do simum.

— Quão forte o vento ficará?

— Vai virar um vendaval hoje à noite. Provavelmente depois da meia-noite. E terá ido embora ao meio-dia de amanhã.

— Tu sabe onde vivem os saleiros?

— Ié, já até estive lá. Uma vez com meu pai, para ver as corridas que às vezes acontecem lá em cima, e uma vez com os tocadores à procura de desgarrados. Os saleiros recolhem os animais, e nós pagamos uma grana alta por aqueles com a marca do rancho Jefferson.

— Meu companheiro foi lá com o xerife Peavy e mais alguns homens. Acha que eles têm alguma chance de estarem de volta antes do anoitecer?

Eu tinha certeza de que ele diria não, mas o menino me surpreendeu.

— Como é só descida a partir do Vilarejo do Sal, que fica do lado de cá de Pequena Debaria, acho que eles conseguem sim, se cavalgarem sem parar.

Isto me deixou contente por ter dito ao ferreiro que se apressasse, embora eu soubesse que não deveria confiar na estimativa de um mero garoto.

— Preste atenção, Bill Pequeno. Quando eles voltarem, eu estou contando que vão trazer alguns saleiros. Talvez dez, quem sabe até mesmo uns vinte. Jamie e eu talvez tenhamos que pedir que façam uma fila pela cadeia para que você dê uma olhada neles, mas não precisa ter medo, porque a porta desta cela estará trancada. E você não precisa dizer nada, apenas olhar.

— Se você pensa que eu posso dizer quem matou meu pai, não é possível. Nem lembro se o vi.

— Você provavelmente nem precisará vê-los — expliquei. Eu realmente acreditava nisso. Mandaríamos os saleiros entrarem no gabinete do xerife de três em três para que levantassem as calças. Quando descobríssemos aquele com o anel azul tatuado em volta do tornozelo, teríamos achado nosso homem. Não que ele fosse um homem. Não mais. Não mesmo.

— Você quer outra trança, sai? Sobraram três, e não consigo mais comer.

— Guarde para mais tarde — falei e me levantei.

O menino ficou apreensivo.

— Você vai voltar? Eu não quero ficar aqui sozinho.

— Ié, eu volto sim. — Saí, tranquei a cela e depois joguei a chave para ele pelas barras. — Abra para mim quando eu chegar.

O delegado gordo com o chapéu preto se chamava Strother. Aquele com o queixo saliente era Pickens. Os dois me olharam com cautela e desconfiança, uma boa combinação a meu ver, vinda de gente como eles. Eu sabia lidar com cautela e desconfiança.

— Se eu lhes perguntasse sobre um sujeito com um anel azul tatuado no tornozelo, isto lhes diria alguma coisa?

Eles trocaram um olhar e então Chapéu Preto, digo, Strother, falou:

— O cárcere.

— Que cárcere seria esse? — Isto já não me soou bem.

— O cárcere de Beelie — explicou Pickens, que me olhou como se eu fosse o mais completo dos completos idiotas. — Tu não conhece? E é um pistoleiro?

— A cidade de Beelie fica a oeste daqui, não fica? — indaguei.

— Ficava — corrigiu Strother. — Agora é a cidade fantasma de Beelie. Os Salteadores passaram por lá tem cinco anos. Alguns dizem que eram homens de John Farson, mas eu não acredito nisso. Não mesmo. Eram velhos e bons fora da lei comuns. Antigamente havia um posto avançado da milícia, na época em que *havia* uma milícia, e o cárcere de Beelie era o quartel-general deles. Era para lá que o juiz andarilho mandava os ladrões, assassinos e jogadores trapaceiros.

— Bruxas e feiticeiros também — acrescentou Pickens. Ele estava com cara de quem se lembrava dos bons tempos, quando os trens chegavam na hora, e o trim-trim tocava com mais frequência, com vozes de mais lugares. — Praticantes de magia sombria.

— Uma vez eles prenderam um canibal — contou Strother. — Ele comeu a esposa. — Com isso o delegado soltou uma risadinha estúpida, mas se achou graça no canibalismo ou no relacionamento, eu não saberia dizer.

— Aquele sujeito foi enforcado — continuou Pickens, enquanto arrancava um naco de tabaco e o mascava com a mandíbula esquisita. Ainda se parecia com um homem recordando um passado melhor e mais agradável. — Naquela época, houve muitos enforcamentos no cárcere de Beelie. Eu fui ver vários com meus pais. A mamãe sempre levava um lanchinho. — Ele acrescentou devagar e pensativo: — Ié, muitos e muitos. Ia gente à beça. Tinha barraquinhas e pessoas talentosas fazendo coisas talentosas como malabarismo. Às vezes tinha rinha de cães numa arena, mas claro que os enforcamentos eram o espetáculo pra valer. — O delegado riu. — Eu me lembro de um sujeito que dançou a *commala* quando a queda não quebrou o...

— O que isso tem a ver com tatuagens azuis nos tornozelos?

— Ah! — exclamou Strother ao se lembrar do assunto inicial. — Quem cumpria pena no Beelie recebia uma dessas, entende. Embora eu não lembre se era castigo, ou só uma marca para o caso de fugirem de uma equipe de trabalhos forçados. Tudo isso acabou há dez anos, quando o cárcere fechou. Foi esse o motivo de os Salteadores conseguirem fazer a festa na cidade, sabe, porque a milícia foi embora e o cárcere fechou. Agora temos que cuidar sozinhos de todos os maus elementos e da gentalha. — Ele me olhou de cima a baixo da maneira mais insolente. — Não recebemos muita ajuda de Gilead hoje em dia. Neca. É mais fácil receber auxílio de John Farson, e teve gente que mandou um destacamento de negociação a oeste para pedir ajuda a ele. — Talvez Strother tenha visto algo nos meus olhos porque se endireitou um pouco mais na cadeira e falou: — Eu não, é claro. Jamais. Eu acredito na lei e na Linhagem de Eld.

— Assim como todos nós — acrescentou Pickens enquanto concordava enfaticamente com a cabeça.

— Vocês têm ideia se alguns dos mineiros cumpriu pena no cárcere de Beelie?

Strother pareceu pensar a respeito, depois falou:

— Ah, provavelmente alguns. Não mais do que quatro em cada dez, eu diria.

Anos depois, eu aprendi a controlar o que transparecia no meu rosto, mas ali eu era novato, e o delegado deve ter visto meu desalento. Minha expressão o fez sorrir. Duvido que Pickens soubesse o quanto ele chegou perto de sofrer por causa daquele sorriso. Eu tivera dois dias difíceis e estava muito preocupado com o menino.

— Quem você acha que aceitaria o trabalho de escavar blocos de sal dentro de um buraco desgraçado no chão, em troca de alguns centavos? — perguntou Strother. — Cidadãos-modelo?

Então entendi que Bill Pequeno teria que olhar alguns dos saleiros, afinal de contas. Só restava torcer para que o nosso sujeito não soubesse que a tatuagem era a única coisa que o moleque tinha visto.

Quando voltei à cela, Bill Pequeno estava deitado nos colchões de palha, e pensei que tivesse pegado no sono, mas o menino se sentou ao ouvir o som das botas. Os olhos estavam vermelhos; as bochechas, molhadas. Não era sono então, mas estivera chorando em luto. Eu entrei, me sentei ao lado de Bill Pequeno e passei um braço sobre seus ombros. Isto não foi fácil para mim; eu sei o que apoio e a solidariedade são, mas nunca fui muito bom em oferecê-los. Porém sabia como era perder um dos pais. Aqueles dois meninos, Bill Pequeno e Roland, tinham isso em comum.

— Você acabou com os doces? — perguntei.

— Não quero mais.

Lá fora, o vento rugiu forte o suficiente para fazer o prédio tremer, depois diminuiu.

— Eu odeio esse barulho — resmungou o menino; exatamente o que Jamie DeCurry dissera. — E odeio estar aqui. É como se *eu* tivesse feito algo de errado.

— Você não fez.

— Talvez não, mas já sinto como se estivesse aqui desde sempre. Engaiolado. E se eles não retornarem antes do anoitecer, terei que ficar mais tempo, não é?

— Eu te farei companhia — garanti. — Se aqueles delegados tiverem um baralho, podemos jogar quadra de valetes.

— Coisa de criança — acusou o menino, desanimado.

— Então bisca ou pôquer. Sabe jogar?

Ele balançou a cabeça, depois esfregou as bochechas. As lágrimas fluíam novamente.

— Eu te ensino. Vamos apostar palitos de fósforo.

— Eu prefiro ouvir a história que você comentou quando paramos na meia-água do pastor. Não me lembro do nome.

— "O vento pela fechadura" — falei. — Mas é longa, Bill.

— Temos tempo, não temos?

Isso era indiscutível.

— Há trechos assustadores também. Isso não era um problema para um menino como eu era, sentado na cama com a mãe ao lado, mas depois do que você passou...

— Não me importo — interrompeu Bill Pequeno. — Histórias fazem a pessoa viajar. Se forem boas, quer dizer. Essa é boa?

— Sim. Quer dizer, eu sempre achei.

— Então conte. — Ele sorriu um pouco. — Eu até deixo você ficar com duas das últimas três tranças.

— Elas são suas, mas talvez eu enrole um fumo. — Pensei em como iniciar. — Você conhece histórias que começam assim: "Era uma vez, antes de o avô do seu avô nascer"?

— Todas começam assim. Pelo menos as que meu pai me contava, antes de me falar que eu estava velho demais para ouvir histórias.

— Uma pessoa nunca fica velha demais para ouvir histórias, Bill. Homem e menino, menina e mulher, nunca velhos demais. Nós vivemos para elas.

— Acha isso?

— Acho.

Peguei o tabaco e a seda. Enrolei devagar, porque naquela época ainda era uma habilidade nova para mim. Quando fiz um cigarro do jeito que eu gostava, com uma ponta bem afunilada, acendi um fósforo na parede. Bill estava sentado com as pernas cruzadas sobre os colchões de palha. Ele pegou uma das tranças, enrolou entre os dedos como enrolei o cigarro, e depois enfiou na bochecha.

Comecei devagar e sem jeito, porque contar histórias era outra coisa difícil para mim naquela época... embora seja algo que aprendi a fazer bem com o tempo. Precisei aprender. Todos os pistoleiros precisam. E, conforme fui contando, comecei a falar mais naturalmente, com mais facilidade. Porque comecei a ouvir a voz da minha mãe. Ela passou a falar pela minha boca: cada subida, cada descida, cada pausa.

Acompanhei o menino se envolvendo na história, e aquilo me deixou contente — era como hipnotizá-lo novamente, mas de uma maneira melhor. Mais honesta. A melhor parte, porém, foi ouvir a voz da minha mãe. Foi como tê-la de volta, vindo de longe, de dentro de mim. Aquilo doía, obviamente, mas em geral as melhores coisas doem, como aprendi. Não algo que se imaginaria que fosse assim, mas — como os velhos costumavam dizer — o mundo é inclinado e tem um fim.

— Era uma vez, antes de o avô do seu avô nascer, um menino chamado Tim que morava com a mãe, Nell, e o pai, Grande Ross, no limiar de um ermo inexplorado chamado de Floresta Infinita. Por um tempo, os três viveram felizes, embora possuíssem muito pouco...

O VENTO PELA FECHADURA

Era uma vez, antes de o avô do seu avô nascer, um menino chamado Tim que morava com a mãe, Nell, e o pai, Grande Ross, no limiar de um ermo inexplorado chamado de Floresta Infinita. Por um tempo, os três viviam felizes, embora possuíssem muito pouco.

— Só lhe deixarei quatro coisas — disse Grande Ross ao filho —, mas quatro já são suficientes. Pode dizê-las a mim, menino?

Tim já tinha dito muitas e muitas vezes, mas nunca se cansava.

— Teu machado, tua moeda da sorte, teu terreno e teu lugar, que é tão bom quanto o lugar de qualquer rei ou pistoleiro no Mundo Médio. — Ele então pausava e acrescentava: — A mamãe também. Com ela são cinco.

Grande Ross ria e beijava a testa do menino deitado na cama, pois estas palavras em geral eram dadas no fim do dia. Atrás deles, na porta, Nell esperava para dar um beijo em Tim após o marido sair.

— Ié — concordava Grande Ross —, nunca se esqueça da mamãe, porque sem ela tudo é em vão.

Então Tim ia dormir sabendo que era amado e que tinha um lugar no mundo, e ouvia o vento soprar seu estranho hálito sobre a cabana: doce com o cheiro de pau-de-broto no limite da Floresta Infinita, e levemente amargo — porém ainda agradável — com o perfume dos paus-ferros no interior, onde só os bravos ousavam entrar. Aquela foi uma época boa, mas sabemos — pelas histórias e pela vida — que as épocas boas nunca duram muito.

Um dia, quando Tim estava com onze anos, Grande Ross e seu parceiro, Grande Kells, conduziram as carroças pela Estrada Principal até onde a Trilha do Pau-ferro entrava na floresta, como faziam todas as manhãs a não ser na sétima, que a Vila da Árvore tirava para descansar. Naquele dia, porém, apenas Grande Kells voltou. A pele estava suja de fuligem; o colete, chamuscado. Havia um buraco na perna esquerda da calça artesanal. Uma pele vermelha e empolada aparecia no buraco. Ele estava caído no banco da carroça, como se estivesse cansado demais para se sentar direito.

Nell Ross veio à porta de casa e gritou:

— Onde está Grande Ross? Onde está meu marido?

Grande Kells balançou a cabeça devagar, de um lado para o outro. Caíram cinzas do cabelo sobre os ombros. Ele falou apenas uma palavra, mas foi suficiente para amolecer os joelhos de Tim. A mãe começou a gritar.

A palavra foi *dragão*.

Ninguém vivo nos dias de hoje jamais viu algo como a Floresta Infinita, porque o mundo seguiu em frente. Ela era sombria e cheia de perigos. Os lenhadores da Vila da Árvore a conheciam melhor do que qualquer pessoa no Mundo Médio, e mesmo eles não sabiam nada sobre o que poderia viver ou crescer dez rodas além do limiar entre o fim dos bosques de pau-de-broto e o começo das matas de paus-ferros — aquelas sentinelas altas e sinistras. As grandes profundezas eram um mistério repleto de plantas estranhas, animais mais estranhos ainda, pântanos fedorentos e — diziam — resquícios do Velho Povo, que muitas vezes provavam ser letais.

O povo de Árvore temia a Floresta Infinita, e com razão; Grande Ross não foi o primeiro lenhador que seguiu pela Trilha do Pau-ferro e não voltou. No entanto, eles também a amavam, porque eram as árvores que alimentavam e vestiam as famílias. Eles compreendiam (embora ninguém dissesse em voz alta) que a floresta estava viva. E, como todos os seres vivos, precisava comer.

Imagine que você era um pássaro que voava acima da grande extensão da floresta. Dali de cima, ela pareceria um vestido gigantesco de um verde tão escuro que era quase preto. A barra do vestido era de um tom mais claro de verde. Eram os bosques de pau-de-broto. Logo abaixo das balsas, no limite extremo do Baronato do Norte, ficava a Vila da Árvore. Era a última cidade do que na época era uma terra civilizada. Uma vez Tim perguntou ao pai o que significava *civilizada*.

— Impostos — explicou Grande Ross e riu, mas não de um jeito engraçado.

A maioria dos lenhadores não ia além dos bosques de pau-de-broto. Mesmo lá, podiam surgir perigos vindos do nada. Cobras eram o pior, mas havia roedores venenosos chamados gardunhões que eram do tamanho de cães. Muitos homens foram perdidos nas pau-de-broto no decorrer dos anos, mas, no geral, elas valiam o risco. Era uma madeira de granulação fina, de cor dourada e quase leve o suficiente para flutuar. Fazia belas embarcações de lago e rio, mas não servia para viagem marítima; até mesmo um vendaval moderado destroçaria um barco feito de pau-de-broto.

O pau-ferro era valioso para as viagens marítimas, e era adquirido a um alto preço por Hodiak, o comprador do baronato que visitava a serraria da Vila da Árvore duas vezes ao ano. Era o pau-ferro que dava à Floresta Infinita o tom verde-escuro, e apenas os mais valentes lenhadores se arriscavam a sair em busca da madeira, por conta dos perigos pela Trilha do Pau-ferro — que mal chegava a adentrar a Floresta Infinita, lembrem-se — que faziam as cobras, gardunhões e abelhas mutantes dos bosques de pau-de-broto parecerem brincadeira de criança em comparação.

Dragões, por exemplo.

Eis que, em seu décimo primeiro ano de vida, Tim Ross perdeu o pai. Agora não havia machado nem moeda de sorte pendurada no pescoço robusto de Grande Ross por uma bela corrente de prata. Em breve talvez não houvesse mais o terreno na vila nem tampouco um lugar no mundo. Porque naquele tempo, quando chegava a época da Terra Ampla, o cobrador do baronato chegava junto. Ele trazia um rolo de pergaminho, onde estava escrito o nome de cada família na Vila da Árvore, acompanhado por um número. Aquele número era o valor dos impostos. Se a pessoa pudesse pagá-los — eram quatro ou seis ou oito moedas de prata, chegando até mesmo em uma moeda de ouro para as fazendas mais extensas —, sem problemas. Se não pudesse, o baronato tomava o terreno e a pessoa era expulsa da terra. Não havia recurso.

Tim passava metade do dia na cabana da viúva Smack, que tinha uma escola e era paga em comida — geralmente verduras, às vezes com um pouco de carne. Havia muito tempo, antes que as chagas de sangue lhe devorassem metade do rosto (diziam as crianças, embora nenhuma tivesse visto realmente), ela fora uma grande dama dos baronatos distantes (diziam os pais das crianças, embora nenhum deles soubesse realmente). Agora a viúva usava um véu e ensinava meninos promissores, e até mesmo algumas meninas, a ler e a praticar uma arte ligeiramente questionável conhecida como *mathematicae*.

Era uma mulher de inteligência assustadora, que não aceitava insolência, e na maioria dos dias era incansável. Com o passar do tempo os pupilos chegavam a amar a viúva, apesar do véu e dos horrores que imaginavam atrás dele. Mas, às vezes, ela começava a tremer toda e a reclamar que a pobre cabeça estava explodindo, e dizia que precisava se deitar. Naqueles dias, a viúva mandava as crianças para casa, às vezes com ordens de informar aos pais que ela não se arrependia de nada, muito menos do lindo príncipe.

Sai Smack teve um acesso um mês depois que o dragão transformou Grande Ross em cinzas, e quando Tim voltou à cabana, que era chamada de Bela Vista, ele olhou pela janela da cozinha e viu a mãe chorando com a cabeça sobre a mesa.

Ele largou a lousa com os problemas de *mathematicae* (divisão, algo que antes assustava o menino, mas que se revelou ser apenas como multiplicação ao contrário) e correu para o lado da mãe. Nell ergueu os olhos para o filho e tentou sorrir. O contraste entre os lábios curvos para cima e os olhos que escorriam fez Tim sentir vontade de chorar também. Era o olhar de uma mulher no limite.

— O que foi, mamãe? O que aconteceu?

— Estava apenas pensando no seu pai. Às vezes sinto tanta saudade dele. Por que chegou cedo em casa?

Tim começou a contar, mas parou quando viu a bolsa de couro com fecho de cadarço. Nell tinha colocado um braço por cima, em uma tentativa de escondê-la do filho e, quando viu que o menino olhava, ela a empurrou da mesa para o colo.

Bem, Tim estava longe de ser um menino burro, então ele fez chá antes de dizer qualquer coisa. Após a mãe beber um pouco — com açúcar, como o filho insistiu que ela tomasse, embora houvesse pouco no pote, e se acalmar, Tim perguntou o que mais havia acontecido.

— Não sei o que você quer dizer.

— Por que está contando dinheiro?

— O pouco dinheiro que há para contar — respondeu Nell. — O cobrador virá aqui assim que a Festa da Colheita acabar, ié, enquanto as brasas da fogueira ainda estiverem quentes, como ele costuma fazer. E aí o que acontece então? Ele vai querer seis moedas de prata este ano, talvez até oito, porque os impostos subiram, é o que dizem, provavelmente outra guerra estúpida longe daqui, soldados com estandartes tremulando, ié, tudo muito belo.

— Quanto nós temos?

— Quatro e uma fração. Não temos animais para vender, nem uma única tora de pau-ferro desde que seu pai morreu. O que vamos fazer? — Nell recomeçou a chorar. — O que *vamos fazer*?

Tim estava tão assustado quanto ela, mas, já que não havia homem algum para consolá-la, ele conteve as próprias lágrimas, abraçou a mãe e a acalmou da melhor forma possível.

— Se tivéssemos o machado e a moeda de seu pai, eu os venderia a Destry — falou ela finalmente.

Tim ficou horrorizado, ainda que o machado e a moeda da sorte tivessem sido queimados na mesma rajada flamejante que levou seu dono alegre e de bom coração.

— Não pode!

— Ié. Para manter o terreno e o lugar de seu pai, eu venderia sim. Estas eram as coisas que realmente importavam para ele, para você e para mim. Se seu pai pudesse falar, ele diria: "Venda, Nell, faz bem, porque Destry tem dinheiro". — Ela suspirou. — Mas, de qualquer forma, o cobrador do baronato voltaria no ano seguinte... e no outro... — Nell levou as mãos ao rosto. — Ó Tim, vamos ser expulsos da terra, e não consigo pensar em nada que possa mudar esta situação. Você consegue?

Tim teria dado tudo que possuía (que era muito pouco) para ser capaz de dar uma resposta, mas não tinha como. Só conseguiu perguntar quanto tempo levaria para o cobrador aparecer na Vila da Árvore no cavalo alto e preto, sentado em uma sela que valia mais do que Grande Ross ganhou nos vinte e cinco anos em que arriscou a vida no caminho estreito conhecido como Trilha do Pau-ferro.

Nell ergueu quatro dedos.

— Temos este número de semanas se o tempo ficar bom. — Ela levantou mais quatro. — E mais isto tudo se piorar e o cobrador ficar preso nas vilas das lavouras dos Meios. Oito semanas é o máximo que podemos esperar ter, creio eu. E aí...

— Alguma coisa vai acontecer antes que ele chegue — afirmou Tim. — O papai sempre disse que a floresta presenteia aqueles que a amam.

— Eu só vi a floresta tomar — discordou Nell, cobrindo o rosto novamente. Quando Tim tentou abraçá-la, ela balançou a cabeça.

Tim saiu arrastando os pés e foi pegar a lousa. Jamais havia se sentido tão triste e assustado. *Alguma coisa vai acontecer para mudar a situação*, pensou ele. *Por favor, que alguma coisa aconteça para mudá-la.*

A pior coisa a respeito de desejos é que às vezes eles se realizam.

Foi uma Terra Plena abundante na Vila da Árvore; até mesmo Nell notou, embora lhe deixasse amargurada ver a terra tão rica. No ano seguinte, talvez ela e Tim seguissem as colheitas, com mochilas de aniagem nas costas, se afastando mais e mais da Floresta Infinita, e aquilo tornou difícil encarar a beleza do verão. A floresta era um local terrível e levara embora o seu homem, mas era o único lugar que Nell conhecia. À noite, quando o vento soprava do norte, ele se enfiava de mansinho na cama pela janela aberta como um amante que trazia o próprio cheiro especial, ao mesmo tempo amargo e doce, como sangue e morangos. Às vezes, quando dormia, ela sonhava com os grandes declives e corredores secretos da floresta, e com uma luz do sol tão difusa que brilhava como latão velho e esverdeado.

O cheiro da floresta traz visões quando bate o vento do norte, diziam os antigos. Nell não sabia se era verdade ou papo de pé de lareira, mas sabia que o aroma da Floresta Infinita era tanto de vida quanto de morte. E sabia que Tim amava a floresta tanto quanto o pai amara. Como ela mesma amara (embora muitas vezes a contragosto).

Nell temera em segredo pelo dia em que o menino ficaria alto e forte o suficiente para percorrer a perigosa trilha com o pai, mas agora percebeu estar triste porque aquele dia jamais chegaria. Sai Smack e a *mathematicae* eram ótimas, mas Nell sabia o que o filho realmente queria, e ela odiava o dragão que roubara isso do menino. Provavelmente tinha sido uma dragonesa, apenas protegendo o ovo, mas Nell a odiava da mesma forma. Torcia para que a vadia de olhos amarelos engolisse o próprio fogo, como as histórias antigas diziam que às vezes os dragões faziam, e explodisse.

Um dia, não muito depois de Tim voltar cedo para casa e encontrá-la chorando, Grande Kells foi visitar Nell. Tim havia conseguido duas semanas de trabalho ajudando o fazendeiro Destry a cortar palha, portanto ela estava sozinha no jardim, de joelhos enquanto arrancava as ervas daninhas. Quando Nell viu o amigo e parceiro do falecido marido, ela se levantou e limpou as mãos sujas no avental de aniagem que chamava de vestido de noiva.

Bastou um olhar para as mãos limpas e a barba cuidadosamente aparada do visitante para que Nell soubesse o motivo da visita. Era uma vez Nell Robertson, Jack Ross e Bern Kells, que cresceram juntos como crianças e grandes amigos. *Irmãos de ninhada, mas de ninhadas diferentes*, às vezes o povo da vila dizia quando via os três juntos; naquela época, eram inseparáveis.

Quando cresceram, ambos os garotos se interessaram pela amiga. E, embora Nell amasse os dois, era Grande Ross que ela desejava, com quem se casaria e quem a levaria para cama (embora se essa foi mesmo a ordem dos eventos, ninguém sabia nem se importava realmente). Grande Kells encarou a situação da melhor maneira possível. Ficou ao lado de Ross no casamento, amarrou os dois com seda para descerem do altar no momento em que o pastor terminou. Quando Kells desatou a seda do casal à porta (embora ela nunca saísse *realmente*, segundo dizem), ele beijou os dois e desejou uma vida inteira de longos dias e belas noites.

Embora aquela tarde estivesse quente, Kells vestia um paletó de lã. Do bolso, Kells tirou um pedaço de corda de seda com nó solto, como Nell sabia que ele faria. Uma mulher sabe. Mesmo que estivesse casada por muito tempo, uma mulher sabe, e o sentimento no coração de Kells nunca desapareceu.

— Casa comigo? — perguntou ele. — Se casar, vendo a casa pro velho Destry e fico com esta aqui. Ele quer a minha, porque fica ao lado do campo a leste. O cobrador está vindo, Nellie, com a mão estendida. Sem um homem, como você vai satisfazê-lo?

— Não posso, como tu sabe.

— Então, diga... vamos atar a corda?

Nell limpou as mãos no avental de noiva com nervosismo, embora já estivessem tão limpas quanto possível sem água do córrego.

— Eu... eu preciso pensar a respeito.

— O que há para pensar? — Ele tirou a bandana, que estava elegantemente dobrada no bolso em vez de amarrada frouxa no pescoço ao estilo lenhador, e limpou a testa. — Ou a gente se casa e continua morando na Árvore como sempre moramos, e posso encontrar serviço para o menino que trará um dinheirinho, embora seja pequeno demais para o mato. É isso ou você e ele serão despejados. Eu posso dividir, mas não posso dar, por mais que quisesse. Só tenho um lugar para vender, sabe.

Nell pensou: *Ele está tentando me comprar para encher o lado vazio da cama que Millicent deixou para trás*. Mas isto pareceu um pensamento indigno para um homem que ela conhecia muito antes de ele *ser* um homem, e um sujeito que trabalhou por anos ao lado do seu amado marido nas árvores escuras e perigosas perto do fim da Trilha do Pau-ferro. *Um para vigiar e outro para trabalhar*, os veteranos diziam. *Juntos e jamais separados*. Agora que Jack Ross tinha partido, Bern Kells pedia que Nell se juntasse a ele. Era natural.

E, no entanto, ela hesitou.

— Volte amanhã no mesmo horário, se ainda quiser — decidiu Nell. — Eu te darei uma resposta então.

Grande Kells não gostou; Nell notou que ele não gostara, viu alguma coisa no olhar dele que tinha percebido ocasionalmente na época em que era uma menina imatura desejada por dois belos rapazes e invejada por todas as amigas. Aquele olhar foi que levou Nell a hesitar, embora Grande Kells tivesse aparecido como um anjo e oferecido a ela — e a Tim, é claro — uma saída para o terrível dilema que surgira com a morte de Grande Ross.

Talvez Kells tenha sentido que Nell notou o seu olhar porque ele abaixou os olhos. O homem observou os pés por um tempo, e, quando ergueu os olhos novamente, estava sorrindo. Isto quase o deixou tão bonito quanto fora na juventude... mas nem de perto tão bonito quanto fora Jack Ross.

— Amanhã, então. Mas não mais do que isso. Existe um ditado aqui no Oeste, minha querida: "Não olhe por muito tempo para o que é oferecido, porque cada coisa preciosa tem asas e pode ir embora voando".

Nell se lavou à beira do córrego e ficou sentindo o aroma doce e amargo da floresta por um tempo, depois entrou e se deitou na cama. Era incomum para Nell Ross ficar na horizontal enquanto o sol ainda estava no céu, mas ela tinha muito no que pensar e o que lembrar daqueles dias quando dois jovens lenhadores disputavam seus beijos.

Mesmo que seu desejo tivesse se voltado para Bern Kells (não ainda Grande Kells na época, embora o pai estivesse morto, assassinado na floresta por um *vurt* ou algo igualmente terrível) em vez de Jack Ross, ela não tinha certeza se teria atado a corda com ele. Kells era bem-humorado e risonho quando estava sóbrio, e confiável como a passagem das estações, mas podia ficar irritado e brigão quando bebia. E andava bêbado frequentemente naqueles dias. As bebedeiras eram mais constantes e duravam mais depois que Ross e Nell se casaram, e em muitas ocasiões ele acordou na prisão.

Jack tinha aturado essa situação por um tempo, mas, após uma bebedeira em que Kells destruiu a maior parte da mobília do saloon antes de desmaiar, Nell disse ao marido que algo precisava ser feito. Grande Ross concordou com relutância. Ele tirou o parceiro e velho amigo da prisão, como tinha feito várias vezes antes, mas dessa vez falou sem rodeios, em vez de apenas mandar Kells pular no córrego e ficar lá até que a cabeça estivesse no lugar.

— Preste atenção, Bern, e com os dois ouvidos. Você é meu amigo desde os meus primeiros passos e meu parceiro desde que tínhamos idade suficiente para passar do pau-de-broto e entrar sozinhos nos paus-ferros. Você me protegeu, e eu te protegi. Não há homem em que eu confie mais quando você está sóbrio. Mas, quando começa a entornar birita, você se torna tão confiável quanto areia movediça. Eu não posso entrar na floresta sozinho, e tudo o que tenho, tudo o que *ambos* temos, poderá se perder se eu não puder confiar em você. Eu odiaria procurar outro parceiro, mas fica o aviso: tenho uma esposa e um filhinho vindo aí, e farei o que for preciso.

Kells continuou a beber, brigar e sair com prostitutas por alguns meses, como se quisesse provocar o velho amigo (e a nova esposa do velho amigo). Grande Ross esteve prestes a romper a parceria quando o milagre aconteceu. Foi um pequeno milagre, pouco maior do que um metro e meio dos pés à cabeça, e seu nome era Millicent Redhouse. O que Bern Kells não conseguiu fazer por Grande Ross, ele fez por Milly. Quando ela morreu em trabalho de parto seis temporadas mais tarde (e o bebê logo depois, antes mesmo de o rubor do esforço sumir da bochecha da pobre mulher morta, como a parteira contou para Nell), Ross ficou deprimido.

— Ele voltará a beber agora, e sabe-se lá o que acontecerá com ele.

Mas Grande Kells permaneceu sóbrio, e quando os compromissos por acaso o levavam às redondezas do Gitty's Saloon, ele atravessava para o outro lado da rua. Disse que fora o último pedido de Milly, e que agir de outra forma seria um insulto à memória da esposa.

— Eu morro antes de tomar outra dose — falou.

Ele manteve a promessa... mas Nell às vezes sentia em si o olhar de Kells. Na verdade, muitas vezes. Ele jamais a tocou de uma forma que poderia ser chamada de íntima ou mesmo abusada, jamais roubou sequer um beijo, mas ela sentia o olhar. Não como um homem olha uma amiga, ou a esposa de um amigo, mas como um homem olha uma mulher.

Tim chegou em casa uma hora antes do pôr do sol, coberto de palha em todos os centímetros visíveis da pele suada, mas feliz. O fazendeiro Destry pagou o menino com um vale para a mercearia da cidade, uma bela quantia, e a sua gentil esposa adicionou um saco de pimentas e tomates. Nell pegou o vale e o saco, agradeceu ao filho, deu-lhe um beijo e um popquim bem recheado, e mandou que o menino fosse tomar banho na nascente.

O menino ficou de pé na água fria, contemplando os campos brumosos e sonhadores na direção dos Interiores e de Gilead. À esquerda se avolumava a floresta, que começava a menos de uma roda de distância. Lá dentro era crepúsculo mesmo ao meio-dia, dissera o pai. Ao pensar em Ross, a felicidade de ter recebido um honorário de homem (ou quase) por um dia de trabalho lhe escorreu como grãos em um saco furado. Essa tristeza vinha com frequência, mas sempre o pegava de surpresa. Tim ficou sentado por um tempo em uma grande pedra com os joelhos recolhidos ao peito e a cabeça aninhada nos braços. Ser atacado por um dragão tão perto do limite da floresta era improvável e terrivelmente injusto, mas já acontecera antes. O pai não fora o primeiro e não seria o último.

A voz da mãe veio flutuando até ele pelos campos, chamando para que entrasse e comesse um jantar de verdade. Tim respondeu alegremente, depois se ajoelhou na pedra para jogar água fria nos olhos, que pareciam inchados, embora ele não tivesse chorado. O menino se vestiu rapidamente e subiu a ladeira. Nell havia acendido as lamparinas porque o crepúsculo tinha chegado, e elas jogavam retângulos compridos de luz no jardinzinho bem cuidado. Cansado, mas feliz novamente — porque meninos são assim —, Tim correu para o brilho hospitaleiro de casa.

Quando a refeição terminou e os pratos foram retirados, Nell disse:

— Eu gostaria de falar com você de mãe para filho, Tim… e um pouco mais. Você já tem idade suficiente para trabalhar um pouco, e não vai demorar a deixar a infância para trás, mais cedo do que eu gostaria. Por isso, você merece dar uma opinião sobre as coisas.

— É sobre o cobrador, mamãe?

— De certa forma, mas… acho que é mais. — Ela quase acrescentou *infelizmente*, mas por que faria isso? Havia uma decisão difícil a ser tomada, uma decisão importante, mas o que havia a lamentar?

Ela foi à sala de estar — tão aconchegante que Grande Ross quase era capaz de tocar as paredes opostas quando abria os braços — e lá, enquanto se sentavam diante da lareira apagada (pois era uma noite quente de Terra Cheia), Nell contou tudo que se passara entre ela e Grande Kells. Tim ouviu surpreso e com um nervosismo crescente.

— Então, o que é que tu acha? — perguntou Nell ao terminar. Porém, antes que Tim pudesse responder, e talvez porque ela viu no rosto do filho a mesma preocupação que sentia no próprio coração, Nell continuou: — Ele é um bom homem e foi mais um irmão do que parceiro para o seu pai. Acredito que ele goste de mim e goste de você.

Não, pensou Tim, *eu sou apenas aquilo que vem no mesmo alforje. Ele nunca sequer olha para mim. A não ser que por acaso eu estivesse com o papai, quer dizer. Ou com você.*

— Mamãe, não sei. — A ideia de Grande Kells pela casa, deitado ao lado da mãe no lugar do pai, causou uma sensação estranha no seu estômago, como se o jantar não tivesse caído bem. Na verdade, ele *não* caíra bem.

— Ele parou de beber — disse Nell. Agora ela parecia falar consigo mesma em vez de com o filho. — Já tem anos. Teve uma vida desregrada quando jovem, mas seu pai o amansou. E Millicent, é claro.

— Pode ser, mas nenhum dos dois está mais aqui — observou Tim. — E, mãe, ele ainda não encontrou outro parceiro para ir à floresta de paus-ferros. Grande Kells corta árvores sozinho, e isso é um risco mortal.

— Ainda é cedo. Ele vai encontrar algum parceiro, porque é forte e sabe onde estão as árvores boas. Seu pai mostrou para Kells como encontrá-las quando os dois eram novatos, e eles contam com bons pontos de vigia perto do lugar onde a trilha acaba.

Tim sabia que isto era verdade, mas não tinha tanta confiança assim de que Kells encontraria um parceiro. Ele achava que os outros lenhadores o evitavam. Pareciam fazer isso sem saber, da mesma maneira que um lenhador experiente contornaria um arbusto venenoso, mesmo que só tivesse visto com o rabo do olho.

Posso estar apenas inventando isso, pensou ele.

— Não sei — repetiu Tim. — Uma corda atada na igreja não pode ser desamarrada.

Nell deu uma risada nervosa.

— Pela Terra Plena, onde foi que tu ouviu isso?

— De você — respondeu Tim.

— Ela sorriu.

— Sim, talvez tenha sido de mim, porque eu tenho uma língua maior do que a boca. Vamos dormir para refletir mais e resolver de manhã.

Mas nenhum dos dois dormiu muito. Tim ficou imaginando como seria ter Grande Kells como padrasto. Será que ele seria um bom homem para eles? Será que levaria Tim à floresta para começar a aprender o ofício de lenhador? Isto seria ótimo, considerou ele, mas será que a mãe iria querer que ele seguisse a carreira que matou o marido? Ou iria querer que ficasse ao sul da Floresta Infinita e se tornasse um fazendeiro?

Eu gosto bastante do Destry, pensou Tim, *mas jamais gostaria de ser um fazendeiro. Não com a Floresta Infinita tão próxima e com tanto do mundo para conhecer.*

Nell estava deitada do outro lado da parede, com os próprios pensamentos agitados. Na maior parte do tempo, ela se perguntava como seria a vida se recusasse a oferta de Kells e eles fossem expulsos da terra, longe do único lugar que conheciam. Como seria a vida se o cobrador chegasse no cavalo alto e preto e eles não tivessem nada para dar ao homem.

O dia seguinte foi ainda mais quente, mas Grande Kells apareceu com o mesmo paletó de lã. O rosto estava vermelho e reluzente. Nell se convenceu de que não sentira cheiro de *graf* no hálito dele, mas se sentisse, e daí? Era apenas sidra forte, e qualquer homem tomaria uma dose ou duas antes de ir ouvir a decisão de uma mulher. Além disso, ela já tinha se decidido. Ou quase.

Antes que ele pudesse perguntar, Nell falou com coragem. Ou com tanta coragem quanto foi capaz, de qualquer forma.

— Meu filho me lembrou que uma corda atada na igreja não pode ser desatada.

Grande Kells franziu a testa, embora ela não soubesse dizer se foi pela menção ao menino ou à corda matrimonial.

— Ié, e o que isto tem a ver?

— Você será bom para mim e Tim?

— Ié, tão bom quanto for possível. — Ele fechou mais a expressão. Nell não sabia dizer se a causa era raiva ou perplexidade. Torcia para que fosse perplexidade. Homens que derrubam árvores e enfrentam feras nas profundezas da floresta geralmente ficavam perdidos em situações como esta, Nell sabia, e, ao pensar que Grande Kells estava perdido, ela abriu o coração para ele.

— Você dá sua palavra? — perguntou Nell.

Grande Kells abrandou a expressão fechada. Dentes brancos reluziram na barba negra meticulosamente aparada quando ele sorriu.

— Ié, juro de pés juntos.

— Então eu aceito.

E assim eles se casaram. É aqui que muitas histórias terminam; é aqui que esta — fico triste em dizê-lo — realmente começa.

Houve *graf* na festa de casamento, e para um homem que tinha parado de beber, Grande Kells entornou várias goela abaixo. Tim notou, incomodado, mas a mãe aparentou não perceber. Outra coisa que incomodou Tim foi o pequeno número de lenhadores presentes, embora fosse fim de semana. Se fosse uma garota, teria notado outra coisa. Várias das mulheres que Nell considerava amigas olhavam para ela com uma expressão de compaixão velada.

Naquela noite, muito depois da meia-noite, Tim foi acordado com um baque e um grito que poderiam ter feito parte de um sonho, mas pareceram vir da parede do quarto que a mãe agora dividia (verdade, mas ainda impossível de acreditar) com Grande Kells. Tim ficou escutando e quase voltou a dormir quando ouviu um choro silencioso. Isto foi acompanhado pela voz do novo padrasto, baixa e irritada.

— Para com isso. Você nem se machucou, não sangrou, e eu tenho que acordar cedo.

O som de choro parou. Tim prestou atenção, mas não houve mais conversa. Pouco depois do começo dos roncos de Grande Kells, ele adormeceu. Na manhã seguinte, quando ela fritava ovos no fogão, Tim viu um roxo no braço da mãe acima da dobra do cotovelo.

— Não é nada — assegurou Nell quando viu que o filho olhava. — Tive que acordar à noite para fazer necessidades e esbarrei na coluna da cama. Tenho que me acostumar a andar no escuro novamente, agora que não estou sozinha.

Sim, é disso que tenho medo, pensou Tim.

* * *

Quando veio o segundo fim de semana da vida de casado, Grande Kells levou Tim à casa que agora pertencia a Anderson Careca, o outro grande fazendeiro da Vila da Árvore. Eles foram na carroça de carregar madeira de Kells. Sem toras de pau-ferro para transportar, as mulas trotavam rápido; hoje havia apenas pequenas pilhas de serragem no fundo da carroça. E, claro, aquele cheiro agridoce persistente, o cheiro das profundezas da floresta. A velha casa de Kells parecia triste e abandonada com as persianas fechadas e a grama alta, sem ser capinada, que crescia até as tábuas da varanda.

— Assim que eu pegar a *gunna*, o Careca pode ficar com tudo para usar como lenha, se quiser — resmungou Kells. — Por mim, que seja.

Na verdade, houve apenas duas coisas que ele queria da casa: um pufe velho e sujo e um grande baú de couro com correias e tranca de latão. O baú estava no quarto, e Kells acariciou o objeto como se fosse um animal de estimação.

— Não posso abandonar isso — disse ele. — Jamais. Foi do meu pai.

Tim ajudou Grande Kells a levar o baú para fora, mas o homem teve que fazer a maior parte do trabalho, pois era muito pesado. Quando o baú ficou sobre a carroça, Grande Kells se debruçou com as mãos nos joelhos das calças com seus remendos recentes (e caprichados). Por fim, quando as bochechas começaram a perder o tom roxo, ele novamente acariciou o baú, e com uma delicadeza que Tim ainda não tinha visto ser dirigida à mãe.

— Tudo que tenho guardado em um único baú. Quanto à casa, será que o Careca pagou o preço que valia? — Ele lançou um olhar de desafio para Tim, como se esperasse uma discussão sobre o assunto.

— Eu não sei — falou Tim com cuidado. — As pessoas dizem que Anderson é mão-fechada.

Kells deu uma risada cruel.

— Fechada? *Fechada?* É mais apertada que boceta de virgem, isso sim. Não, não, eu levei migalhas em vez de uma fatia, porque ele sabia que eu não podia me dar ao luxo de esperar. Me ajude a amarrar a tampa, menino, e não seja preguiçoso.

Tim não era preguiçoso. Ele já tinha amarrado o lado da tampa com força antes que Kells terminasse de amarrar o dele em um nó desleixado que teria feito seu pai rir. Quando finalmente terminou, Grande Kells fez outro carinho afetuoso e esquisito no baú.

— Tudo aqui, tudo que tenho. Careca sabia que eu precisava de prata antes de Terra Ampla, não é? O velho Você Sabe Quem está vindo com a mão estendida. — Ele cuspiu entre as velhas botas gastas. — Isto é tudo culpa da sua mãe.

— Culpa da *mamãe*? Por quê? Você não quis se casar com ela?

— Olha como fala, menino. — Kells abaixou o olhar, pareceu surpreso ao ver um punho cerrado onde a mão esteve, e abriu os dedos. — Você é jovem demais para entender. Quando ficar mais velho, vai descobrir como uma mulher se aproveita de um homem. Vamos voltar.

A meio caminho do assento do condutor, ele parou e olhou por cima do baú para o garoto.

— Eu amo sua mãe, e isto basta para você.

E quando as mulas trotaram pela rua principal do vilarejo, Grande Kells suspirou e acrescentou:

— Eu amava seu pai também, e como sinto falta dele. Não é a mesma coisa na floresta sem ele ao lado, ou quando vejo Misty e Bitsy adiante de mim na trilha.

Ao ouvir isso, Tim se apiedou um pouco do grandalhão de ombros caídos com as rédeas na mão — a contragosto, a bem da verdade —, mas, antes que o sentimento tivesse chance de crescer, Grande Kells falou de novo.

— Você já teve o bastante de livros, de números e daquela mulher esquisita, Smack. Ela com seus véus e aquela tremedeira. Nem sei como ela consegue se limpar depois de cagar.

Tim sentiu um aperto no peito. Ele adorava aprender coisas e adorava a viúva Smack, mesmo com os véus, a tremedeira e tudo o mais. Ficou abismado ao ouvir alguém falar dela com tanta crueldade e grosseria.

— O que eu farei então? Vou entrar na floresta com você? — Ele se viu na carroça do pai, atrás de Misty e Bitsy. Isto não seria tão ruim. Não, não seria nada ruim.

Kells soltou uma gargalhada.

— *Você?* Na floresta? E sem nem ter feito doze anos?

— Eu faço doze anos no próximo m...

— Nem com o dobro dessa idade você terá tamanho suficiente para cortar árvores na Trilha do Pau-ferro. Você puxou a sua mãe e será Pequeno Ross a vida inteira. — A gargalhada novamente. Tim sentiu o rosto ficar quente ao escutá-la. — Não, rapaz. Eu consegui uma vaga para você na serraria. Você não é pequeno demais para empilhar tábuas. Vai começar quando a colheita terminar e antes da primeira neve.

— O que a mamãe acha disso? — Tim tentou conter o desânimo no tom de voz, mas não conseguiu.

— Sua mãe não tem que dizer sim, não, nem talvez. Eu sou o marido dela, e por isso a decisão é minha. — Ele estalou as rédeas no lombo das mulas. — *Upa!*

Tim foi à Serraria da Árvore três dias depois com um dos filhos do fazendeiro Destry — Willem Palha, chamado assim pelo cabelo quase descolorido. Ambos foram contratados para empilhar, mas só começariam algum tempo depois, e apenas por meio período de início. Tim trouxera as mulas do pai, que precisavam do exercício, e os garotos voltaram lado a lado.

— Achei que você tinha falado que seu novo padrasto não bebia — disse Willem quando eles passaram pelo Gitty's, que ao meio-dia estava fechado, com o piano de saloon em silêncio.

— Ele não bebe — respondeu Tim, mas aí se lembrou da festa de casamento.

— É mesmo? Eu acho que o sujeito que meu irmão mais velho viu saindo daquela birosca ontem à noite deve ter sido o padrasto de outro órfão, porque Randy disse que ele estava tão bêbado quanto um gambá e vomitando por cima do amarradouro. — Ao dizer isto, Willem estalou os suspensórios, como sempre fazia quando achava que tinha dito algo espirituoso.

Eu devia ter te deixado voltar a pé para a cidade, seu idiota insuportável, pensou Tim.

Naquela noite, ele foi acordado pela mãe novamente. Tim se sentou de supetão na cama e jogou os pés para o chão, depois travou. A voz de Kells era baixa, mas a parede entre os dois quartos era fina.

— Cale a boca, mulher. Se você acordar o garoto e ele vier aqui, eu te dou em dobro.

O choro cessou.

— Foi uma recaída, só isso; um erro. Eu fui com Melon apenas para tomar uma cerveja de gengibre e ouvir sobre o novo lote de pau-ferro, e alguém colocou um copo de *jackaroe* na minha frente. Ele desceu goela abaixo antes que eu percebesse que estava bebendo, e aí fui embora. Não vai acontecer de novo. Você tem a minha palavra.

Tim se deitou novamente e torceu para que aquilo fosse verdade. Ele ergueu os olhos para um telhado que não conseguia enxergar, ouviu uma coruja e esperou pelo sono ou pela primeira luz do dia. Tim teve a impressão de que, se o homem errado entrasse na corda matrimonial com uma mulher, a corda virava uma forca em vez de um laço. Ele rezou para que este não fosse o caso. Tim já sabia que não seria capaz de gostar do novo marido da mãe, menos ainda amá-lo, mas talvez a mãe pudesse. Mulheres eram diferentes. Elas tinham corações grandes.

Tim ainda pensava a respeito disso quando a aurora coloriu o céu e ele finalmente adormeceu. Naquele dia, havia roxos nos dois braços da mãe. A coluna da cama do quarto que ela agora dividia com Grande Kells tinha se tornado muito agitada, ao que parecia.

Terra Plena deu lugar a Terra Ampla, como sempre acontecia. Tim e Willem Palha trabalhavam no empilhamento na serraria, mas apenas três dias na semana. O capataz, um sai decente chamado Rupert Venn, disse que eles poderiam trabalhar por mais tempo se caísse pouca neve naquela temporada e a extração de inverno fosse boa — ou seja, as toras de pau-ferro que lenhadores como Kells trouxessem da floresta.

Os hematomas de Nell sumiram e o sorriso voltou. Tim achou que era um sorriso mais cauteloso do que o de antes, mas era melhor do que nenhum sorriso. Kells pegou as mulas e seguiu pela Trilha do Pau-ferro, e embora os lotes de floresta que ele e Grande Ross tinham reservado fossem bons, Kells ainda não tinha um parceiro. Consequentemente, ele extraía menos madeira, mas pau-ferro era pau-ferro, e pau-ferro sempre era vendido por um bom preço, que era pago em prata em vez de vales.

Às vezes, Tim se perguntava — em geral quando levava tábuas no carrinho de mão para o interior de um dos longos barracões cobertos da serraria — se a vida seria melhor se o novo padrasto fosse atacado por uma cobra ou um gardunhão. Talvez até mesmo um *vurt*, aqueles terríveis bichos voadores que de vez em quando eram chamados de pássaros-bala. Um desses matara o pai de Bern Kells ao abrir um buraco nele com o bico duro.

Horrorizado, Tim afastou esses pensamentos e ficou surpreso ao descobrir que uma sala qualquer no seu coração — uma sala *sombria* qualquer — podia abrigar tais coisas. Ele teve certeza de que o pai teria se envergonhado. Talvez *estivesse* envergonhado, pois alguns diziam que aqueles na clareira no fim do caminho sabiam todos os segredos que os vivos escondiam uns dos outros.

Pelo menos ele não sentia mais cheiro de *graf* no hálito do padrasto, e não houve mais relatos — da parte de Willem Palha ou de qualquer outra pessoa — de Grande Kells saindo do bar quando o Velho Gitty encerrava o expediente.

Ele prometeu e manteve a promessa, pensou Tim. *E a coluna da cama parou de andar pelo quarto da mamãe, porque os roxos cessaram. A vida está entrando nos eixos. Isto é o que devemos ter em mente.*

Quando Tim voltava da serraria nos dias em que trabalhava, a mãe deixava o jantar no fogão. Grande Kells chegava depois, parava primeiro para lavar a serragem das mãos, dos braços e do pescoço na nascente entre a casa e o celeiro, depois devorava o próprio jantar. Ele comia em quantidades prodigiosas e pedia mais um ou dois pratos que Nell trazia prontamente. Ela não falava ao fazer isso; se falasse, o novo marido apenas grunhia em resposta. Depois, Grande Kells ia para a sala dos fundos, se sentava no baú e fumava.

Às vezes, Tim erguia o olhar da lousa, onde trabalhava nos problemas de *mathematicae* que a viúva Smack ainda passava, e via Kells olhando para ele através da fumaça do cachimbo. Havia algo de perturbador naquele olhar, e Tim passou a levar a lousa para fora, embora estivesse ficando frio na Vila da Árvore e escurecesse mais cedo a cada dia.

Certo dia a mãe saiu, se sentou ao lado do filho no degrau da varanda e passou o braço pelos ombros dele.

— Você voltará à escola com sai Smack no ano que vem, Tim. É uma promessa. Vou convencê-lo.

Tim sorriu e agradeceu, mas sabia que não seria assim. No ano seguinte, ele ainda estaria na serraria, só que então seria grande o suficiente para carregar as tábuas, além de empilhá-las, e haveria menos tempo para resolver problemas, porque trabalharia cinco dias por semana em vez de três. Talvez até seis. No ano depois desse, Tim plainaria além de carregar as tábuas, depois usaria a serra como um homem. Em alguns anos, ele *seria* um homem e voltaria para casa cansado demais para pensar em ler os livros da viúva Smack mesmo que ainda quisesse pegá-los emprestado, e os métodos da *mathematicae* sumiriam da sua mente. Aquele Tim Ross crescido talvez não quisesse nada além de cair na cama após comer carne e pão. Ele passaria a fumar cachimbo e talvez adquirisse gosto por *graf* ou cerveja. Veria o sorriso da mãe empalidecer; veria os olhos dela perderem o brilho.

E por tudo isso ele teria Bern Kells a agradecer.

A Colheita passou; a Lua Caçadora ficou pálida e cheia e puxou o arco; os primeiros vendavais de Terra Ampla vieram rugindo do oeste. E exatamente quando parecia que ele não viria afinal de contas, o cobrador do baronato surgiu na Vila da Árvore trazido por um daqueles ventos frios, montado no cavalo alto e preto, tão magro quanto a Morte. A capa preta e pesada tremulava como a asa de um morcego. Debaixo do chapelão (tão preto quanto a capa), o rosto pálido virava de um lado para o outro sem parar, marcava uma nova cerca aqui, uma vaca ou três adicionadas a um rebanho acolá. Os habitantes do vilarejo resmungavam, mas pagavam, e, se não pagassem, a terra seria tomada em nome de Gilead. Talvez até mesmo naqueles velhos tempos já houvesse quem sussurrasse que não era justo, que eram impostos demais, que Arthur Eld morrera havia muito tempo (se é que existiu algum dia), e que o cobrador já fora pago várias vezes, tanto em sangue quanto em prata. Talvez alguns deles já esperassem que o Bom Homem aparecesse e os tornasse fortes o suficiente para dizer: *Acabou, já chega, o mundo seguiu em frente.*

Talvez, mas não naquele ano, e não por muitos e muitos que viriam.

Mais à tarde, enquanto as densas nuvens rolavam pelo céu e as espigas amarelas de milho batiam no jardim de Nell como dentes em uma mandíbula solta, sai Cobrador passou com o cavalo alto e preto entre as colunas do portão que o próprio Grande Ross instalou (enquanto Tim observava e ajudava quando era solicitado). O cavalo andou devagar e solenemente até os degraus da entrada. Ali parou, bufou e balançou a cabeça. Grande Kells estava na varanda e mesmo assim teve que erguer os olhos para enxergar o rosto pálido do visitante. Kells segurava contra o peito o chapéu amassado. O cabelo preto ralo (que agora mostrava as primeiras mechas grisalhas, pois ele se aproximava dos quarenta anos e em breve seria velho) voou em volta da cabeça. Atrás dele, na porta, estavam Nell e Tim. Ela passou o braço pelos ombros do menino e o apertou com força, como se temesse (talvez por intuição materna) que o Cobrador pudesse levá-lo embora.

Por um instante houve silêncio, a não ser pelo tremular da capa do visitante indesejado e pelo vento, que cantava uma melodia sombria por sob as calhas. Então o cobrador do baronato se inclinou para a frente e observou Kells com olhos grandes e pretos que pareciam não piscar. Tim viu que os lábios eram vermelhos como os de uma mulher quando pintava a boca com garança fresca. De algum lugar do interior da capa ele tirou não um caderno de notas, mas sim um rolo de pergaminho de verdade, e o desenrolou, pois era longo. O Cobrador examinou o pergaminho, enrolou novamente, depois recolocou em fosse lá que bolso interno de onde tinha saído. A seguir, ele voltou a olhar para Grande Kells, que se retraiu e olhou para os pés.

— Kells, não é? — O Cobrador tinha uma voz ríspida e rouca que deixou Tim com a pele arrepiada. Ele já tinha visto o visitante antes, mas apenas de longe; o pai fazia questão de manter o filho longe de casa quando o cobrador de impostos do baronato fazia as visitas anuais. Agora Tim entendia o motivo. Ele achou que teria pesadelos naquela noite.

— Kells, ié. — A voz do padrasto estava alegre de um modo hesitante. Ele conseguiu erguer o olhar novamente. — Bem-vindo, sai. Longos dias e belas...

— Sim, isso aí, isso aí — o Cobrador o interrompeu com um gesto de desprezo. Os olhos pretos agora passaram por cima do ombro de Kells.

— E... Ross, não é? Agora são dois em vez de três, me disseram, porque aconteceu uma desgraça com Grande Ross. — A voz estava baixa, era pouco mais do que um tom monótono. *Como ouvir um surdo tentando cantar uma canção de ninar*, pensou Tim.

— Isso mesmo — confirmou Grande Kells. Ele engoliu em seco tão alto que Tim ouviu, depois começou a balbuciar. — Ele e eu estávamos na floresta, acredite, em um dos nossos pequenos lotes, perto da Trilha do Pau-ferro. Temos quatro ou cinco, todos marcados certinho com nossos nomes, assim mesmo, e eu não mudei nada lá, porque na minha cabeça Grande Ross ainda é meu parceiro e sempre será. Nós nos separamos um pouco, então eu ouvi um sibilo. Dá pra reconhecer o som na hora, porque não há barulho na terra igual ao sibilo de uma dragonesa tomando fôlego antes de...

— Silêncio — cortou-lhe o Cobrador. — Quando quero ouvir uma fábula, gosto que ela comece com "era uma vez".

Kells começou a dizer outra coisa, talvez para rogar o perdão, e pensou duas vezes. O Cobrador apoiou o braço no pomo da sela e o encarou.

— Soube que você vendeu a casa para Rupert Anderson, sai Kells.

— Sim, e ele me passou para trás, mas eu...

O visitante o interrompeu.

— O imposto são nove moedas de prata ou uma de rodita, que eu sei que vocês não têm nessas quebradas, mas sou obrigado a lhe informar, conforme o contrato original de cobrança. Uma moeda pela transação, e oito pela casa onde você agora senta a bunda ao pôr do sol e com certeza esconde o pinto depois que a lua nasce.

— Nove? — arfou Grande Kells. — *Nove?* Isso é...

— Isso é o quê? — perguntou o Cobrador com a voz ríspida e sussurrante. — Cuidado com o que vai responder, Bern Kells, filho de Mathias, neto de Peter Manco. Muito cuidado porque, embora seu pescoço seja grosso, creio que poderia se esticar e ficar fino. Ié, creio mesmo.

Grande Kells empalideceu... embora não tão pálido quanto o cobrador do baronato.

— É bem justo. Era tudo que eu queria dizer. Vou pegar o dinheiro.

Ele entrou na casa e voltou com uma bolsa de pele de cervo. Era a bolsa de dinheiro de Grande Ross, aquela sobre a qual a mãe de Tim chorou na véspera de Terra Plena. Um dia em que a vida parecia mais justa, embora Grande Ross estivesse morto. Kells entregou a bolsa para Nell e deixou que ela contasse as preciosas moedas de prata do marido nas mãos em concha.

Durante tudo isso, o visitante permaneceu sentado em silêncio no cavalo preto e alto, mas, quando Grande Kells fez menção de descer os degraus e entregar o imposto — praticamente tudo o que eles tinham, mesmo com os míseros ganhos de Tim adicionados ao pote —, o Cobrador fez que não com a cabeça.

— Fique aí. Quero que o menino traga para mim, porque ele é bonito, e eu vejo o rosto do pai no semblante. Ié, vejo muito bem.

Tim pegou o punhado de moedas (tão pesado!) de Grande Kells e mal ouviu o sussurro no ouvido.

— Tome cuidado e não deixe cair, seu menino estúpido.

Tim desceu os degraus da varanda como se estivesse no meio de um sonho. Ele ergueu as mãos em concha, e antes de perceber o que estava acontecendo, o Cobrador o agarrou pelos pulsos e puxou para cima do cavalo. Tim viu que o arco e o pomo da sela eram decorados com uma cascata de runas de prata: luas, estrelas, cometas e taças que vertiam fogo frio. Ao mesmo tempo, ele se deu conta de que o punhado de moedas havia sumido. O Cobrador pegara o dinheiro, embora Tim não se lembrasse exatamente de quando aquilo acontecera.

Nell gritou e correu à frente.

— Contenha sua esposa! — trovejou o Cobrador, tão perto do ouvido de Tim que ele quase ficou surdo daquele lado.

Kells pegou a esposa pelos ombros e a empurrou bruscamente para trás. Ela tropeçou e caiu nas tábuas da varanda, a saia comprida voando em volta dos tornozelos.

— *Mamãe!* — berrou Tim. Ele tentou pular da sela, mas o Cobrador dominou o menino com facilidade. O visitante cheirava a carne de fogueira e suor frio e velho.

— Fique quieto, jovem Tim Ross, ela não se machucou nadica. Veja como se levantou toda lépida e fagueira. — Então, o Cobrador se dirigiu a Nell, que realmente tinha se levantado. — Não se preocupe, sai, apenas quero conversar com ele. Por acaso eu faria mal a um futuro contribuinte do reino?

— Se fizer mal a ele, eu te mato, seu demônio — falou Nell.

Kells ergueu o punho para ela.

— Cale essa boca imbecil, mulher!

Nell não recuou diante do punho. Ela só tinha olhos para Tim, sentado no cavalo alto e preto em frente ao Cobrador, cujos braços estavam cruzados sobre o peito do filho.

O Cobrador sorriu para os dois na varanda, o homem com o punho ainda erguido para bater, a mulher com lágrimas que escorriam pelas bochechas.

— Nells e Kells! — declarou ele. — O casal feliz!

O Cobrador controlou a montaria com os joelhos, deu meia-volta e foi devagar até o portão, com os braços firmes em volta do peito de Tim. O hálito podre bafejava na bochecha do menino. No portão, fez pressão com os joelhos novamente e o cavalo parou. No ouvido de Tim, que zunia, o homem sussurrou:

— Tu gosta do novo padrasto, jovem Tim? Fale a verdade, mas fale baixo. Esta é a nossa confabulação, e eles não participam.

Tim não quis se virar, não quis que o rosto pálido do Cobrador ficasse mais perto do que já estava, mas o menino tinha um segredo que o corroía. Então se virou e sussurrou no ouvido do Cobrador:

— Quando bebe, ele bate na minha mãe.

— É mesmo? Ah, bem, será que isto me surpreende? Afinal, o pai dele por acaso não batia na própria mãe? E o que aprendemos como criança vira um hábito, é verdade.

Uma mão enluvada jogou uma ponta da capa preta e pesada sobre os dois como um cobertor, e Tim sentiu a outra mão enluvada enfiar algo pequeno e duro no bolso das suas calças.

— Um presente para você, jovem Tim. É uma chave. Sabe por que ela é especial?

Tim fez que não com a cabeça.

— É uma chave mágica. Ela abre qualquer coisa, mas somente uma única vez. Depois disso, é tão inútil quanto lixo, então tenha cuidado ao usá-la! — O Cobrador riu como se fosse a piada mais engraçada que ouvira na vida. O hálito revirou o estômago de Tim.

— Eu... — Ele engoliu em seco. — Não tenho nada para abrir. Não há trancas na Árvore, a não ser no bar e na cadeia.

— Ah, acho que tu conhece uma outra, não é?

Tim encarou os olhos pretos do Cobrador, que parecia estar se divertindo, e não respondeu. O homem assentiu, porém, como se o menino tivesse falado.

— *O que você está dizendo para o meu filho?* — berrou Nell da varanda. — *Não envenene os ouvidos dele, demônio!*

— Não preste atenção a ela, jovem Tim, pois sua mãe saberá em breve. Ela saberá muito, mas enxergará pouco. — Ele deu um risinho de deboche. Os dentes eram muito grandes e muito brancos. — Uma charada para você! Pode resolvê-la? Não? Não se importe, a resposta virá com o tempo.

— Às vezes ele abre aquilo — disse Tim em uma voz morosa, de quem fala durante o sono. — Ele retira a barra de amolar, para a lâmina do machado. Mas aí tranca de volta. À noite, ele se senta em cima para fumar, como se fosse uma cadeira.

O Cobrador não perguntou o que era *aquilo*.

— E ele toca sempre que passa, jovem Tim? Como um homem tocaria no velho cachorro favorito?

Grande Kells fazia isso, é claro, mas Tim não disse. Não precisava dizer. O menino teve a impressão de que não havia um segredo que ele conseguiria esconder da mente que tiquetaqueava atrás do rosto pálido e comprido. Nenhum segredo.

Ele está brincando comigo, pensou Tim. *Sou apenas um entretenimento em um dia tedioso em uma cidade tediosa que o Cobrador em breve deixará para trás. Mas ele quebra os brinquedos. Basta observar o sorriso para saber.*

— Eu acamparei a uma roda ou duas ao longo da Trilha do Pau-ferro amanhã, por uma ou duas noites — falou o Cobrador na voz rouca e monótona. — Foi uma longa viagem, e estou cansado da quantidade de papagaiada que tenho que escutar. Há *vurts*, gardunhões e cobras na floresta, mas não há *papagaios*.

Você nunca está cansado, pensou Tim. *Não você.*

— Venha me ver se quiser. — Sem risinho dessa vez; dessa vez, ele conteve o riso como uma menina sapeca. — E se *tiver coragem* também, é claro. Mas venha à noite, porque este filho da terra gosta de dormir durante o dia quando tem chance. Ou fique aqui, se for tímido. Não faz diferença para mim. *Upa!*

Isto ele falou para o cavalo, que voltou devagar para os degraus da varanda, onde Nell estava torcendo as mãos, com Grande Kells ao lado, irritado. Os dedos magros e fortes do Cobrador se fecharam nos pulsos de Tim outra vez, como algemas, e o levantaram. Um momento depois, o menino estava no chão, com o olhar erguido para o rosto pálido e o sorriso nos lábios vermelhos. A chave ardia nas profundezas do bolso. De cima da casa veio um estrondo de trovão e começou a chover.

— O baronato lhes agradece — despediu-se o Cobrador ao tocar um dedo enluvado na lateral do chapéu de aba larga. Depois ele deu meia-volta com o cavalo preto e foi para a chuva. A última coisa que Tim viu de relance foi esquisita: quando a pesada capa preta tremulou, ele espiou um grande objeto de metal amarrado ao topo da *gunna* do Cobrador. Parecia uma bacia de lavar as mãos.

Grande Kells desceu correndo os degraus, pegou Tim pelos ombros e começou a sacudi-lo. A chuva emplastrou o cabelo ralo de Kells nas laterais do rosto e escorreu pela barba. Preta quando ele se enlaçou na corda de seda com Nell, a barba agora era muito grisalha.

— O que ele te disse? Foi a meu respeito? Que mentiras ele contou? *Diga!*

Tim não conseguia falar nada. A cabeça ia para a frente e para trás com força suficiente para que os dentes batessem.

Nell desceu correndo os degraus.

— Pare! Deixe-o em paz! Você prometeu que nunca...

— Não se meta no que não te interessa, mulher — disse Grande Kells, que bateu nela com a lateral do punho. A mãe de Tim caiu na lama, onde a chuva abundante enchia os rastros deixados pelo cavalo do Cobrador.

— *Seu desgraçado!* — berrou Tim. — Você não pode bater na mamãe, não pode *nunca*!

Ele não sentiu nenhuma dor na hora em que Kells aplicou um golpe similar, mas uma luz branca entrou rasgando no seu campo de visão. Quando passou, Tim se viu deitado na lama ao lado da mãe. Estava atordoado, os ouvidos zuniam, e a chave ainda ardia como carvão em brasa no bolso.

— Que Nis os carregue — bradou Kells e a seguir saiu a passos largos, chuva afora. Depois do portão ele virou à direita, na direção do pequeno trecho da rua principal da Vila da Árvore. A caminho do Gitty's, Tim não tinha dúvida. Grande Kells se manteve afastado da bebida durante toda Terra Ampla, pelo menos até onde Tim sabia, mas esta noite ele não ficaria longe. Tim viu a expressão triste no rosto molhado de chuva da mãe, com o cabelo escorrido sobre a bochecha que já começava a se avermelhar, suja de lama, e notou que ela também sabia.

Tim passou o braço pela cintura da mãe, e Nell apoiou o dela nos ombros do filho. Eles subiram devagar os degraus e entraram na casa.

Nell praticamente desmoronou na cadeira da mesa na cozinha. Tim serviu água da jarra na bacia, molhou um pano e colocou com delicadeza no lado do rosto da mãe, que começava a inchar. Ela segurou por um tempo, depois ofereceu ao filho, em silêncio. Para agradá-la, ele pegou e colocou no próprio rosto. A sensação era boa e fria contra o calor pulsante.

— Que belo retrato de família, não acha? — perguntou ela, com uma tentativa de humor. — A mulher foi espancada, o menino apanhou, e o novo marido foi encher a cara.

Tim não sabia o que dizer diante disso, então não falou nada.

Nell abaixou a cabeça sobre a base da mão e olhou fixamente a mesa.

— Eu fiz uma tremenda confusão. Estava assustada e não sabia o que fazer, mas isto não é desculpa. Acho que seria melhor se tivéssemos sido expulsos da terra.

Expulsos do lugar? Longe do terreno? Já não bastava que o machado do pai e a moeda da sorte estivessem perdidos? Ela tinha razão quanto a uma coisa, porém; era uma confusão.

Mas eu tenho uma chave, pensou Tim, e os dedos desceram até o bolso da calça para sentir o formato dela.

— Aonde ele foi? — perguntou Nell, e Tim sabia que ela não falava de Bern Kells.

A uma roda ou duas pela Trilha do Pau-ferro. Onde esperará por mim.

— Eu não sei, mamãe. — Até onde se lembrava, era a primeira vez na vida que Tim mentia para ela.

— Mas sabemos aonde Bern foi, não sabemos? — Ela riu, depois fez uma careta porque o rosto doeu. — Ele prometeu a Milly Redhouse que iria parar de beber e prometeu para mim também, mas ele é fraco. Ou... a culpa é minha? Você acha que eu o levei de volta para a bebida?

— Não, mamãe. — Mas Tim ficou pensando se não poderia ser verdade. Não da maneira que ela quis dizer, porque ela estava irritando-o ou deixando a casa suja, ou negando ao marido o que homens e mulheres faziam na cama depois que escurecia, mas de outra forma qualquer. Havia um mistério ali, e ele se perguntou se a chave no bolso seria capaz de resolvê-lo. Para controlar o impulso de tocá-la novamente, Tim se levantou e foi à despensa. — Quer algo para comer? Ovos? Eu faço ovos mexidos, se quiser.

Nell deu um sorriso fraco.

— Obrigada, filho, mas não estou com fome. Acho que vou me deitar. — Ela se levantou um pouco trêmula.

Tim a ajudou a entrar no quarto. Lá ele fingiu olhar coisas interessantes fora da janela enquanto a mãe tirava o vestido sujo de lama e vestia a camisola. Quando o filho se virou novamente, ela estava debaixo das cobertas. Nell bateu no lugar ao lado dela, como fazia às vezes quando Tim era pequeno. Naqueles tempos, o pai às vezes estava na cama com ela, com as ceroulas compridas de lenhador e fumando um dos cigarros de palha.

— Não posso expulsá-lo — explicou Nell. — Eu expulsaria se pudesse, mas agora que a corda foi atada, o lugar é mais dele do que meu. A lei pode ser cruel para uma mulher. Nunca tive motivo para pensar a respeito disso antes, mas agora... agora... — Os olhos ficaram vidrados e distantes. Ela dormiria em breve, o que provavelmente era o melhor.

Tim beijou a bochecha que não estava machucada e fez menção de se levantar, mas Nell o conteve.

— O que o Cobrador falou para você?

— Ele me perguntou se eu gostava do meu novo padrasto. Não lembro o que respondi. Eu estava assustado.

— Quando ele te cobriu com a capa, eu fiquei assustada também. Pensei que ele queria te levar embora, como o Rei Rubro na velha história. — Nell fechou os olhos, depois abriu de novo, bem devagar. Havia algo neles que poderia ter sido horror. — Eu me lembro dele visitando meu pai quando eu era apenas uma menininha que mal tinha largado as fraldas. O cavalo preto, as luvas e capa pretas, a sela com os *siguls* de prata. O rosto pálido me provocou pesadelos; é tão *comprido*. E sabe do que mais, Tim?

O menino balançou a cabeça lentamente, de um lado para o outro.

— Ele até mesmo carrega a mesma bacia de prata nas costas, porque eu vi também. Isto foi há vinte anos; é, vinte anos e mais um par, mas ele está igualzinho. *Não envelheceu um dia sequer.*

Nell fechou os olhos novamente. Dessa vez, eles não se abriram de novo, e Tim saiu de fininho do quarto.

Quando teve certeza de que a mãe estava dormindo, Tim foi até a pequena sala dos fundos onde ficava o baú de Grande Kells, uma silhueta quadrada debaixo do que sobrou de um velho cobertor, ao lado da entrada de serviço. Quando ele disse para o Cobrador que só conhecia duas trancas na Vila da Árvore, o homem respondeu: *Ah, eu acho que tu conhece uma outra, é?*

Tim tirou o cobertor e olhou o baú do padrasto. Aquele que Grande Kells às vezes acariciava como um animal de estimação muito amado e onde geralmente se sentava à noite, para fumar cachimbo com a porta dos fundos aberta a fim de deixar a fumaça sair.

Tim correu de volta para a entrada da casa — de meias, para não arriscar acordar a mãe — e espiou pelas janelas. O pátio estava vazio, e não havia sinal do padrasto na estrada chuvosa. O menino não esperava nada diferente. Kells estaria no Gitty's, gastando o que sobrou de dinheiro antes de cair inconsciente.

Espero que alguém dê uma surra nele para Kells sentir um gosto do próprio veneno. Eu mesmo faria, se fosse grande o bastante.

Ele voltou para o baú com passos silenciosos de meias, se ajoelhou diante do objeto e tirou a chave do bolso. Era uma coisinha minúscula de prata do tamanho de metade de uma moeda, e estranhamente quente nos dedos, como se estivesse viva. O buraco da fechadura na tranca de latão era bem maior. *A chave que ele me deu nunca vai servir nisto*, pensou Tim. Então ele se lembrou do Cobrador, que disse: *É uma chave mágica. Ela abre qualquer coisa, mas somente uma única vez.*

Tim colocou a chave na fechadura, onde se encaixou perfeitamente, como se tivesse sido feita o tempo todo para aquele lugar exato. Quando o menino aplicou pressão, a chave girou suavemente, mas o calor foi embora no momento em que o objeto fez isso. Agora não havia nada entre os dedos a não ser metal frio e sem vida.

— Depois disso, é tão inútil quanto lixo — sussurrou Tim, que em seguida olhou em volta, quase convencido de que veria Grande Kells parado ali com a cara fechada e os punhos cerrados. Não havia ninguém, então ele soltou as correias e levantou a tampa. Tim estremeceu com o guincho das dobradiças e olhou para trás novamente. O coração batia acelerado, e, embora a noite chuvosa estivesse fria, ele sentiu uma camada de suor na testa.

Havia camisas e calças em cima, enfiadas de qualquer maneira, a maioria rasgadas. Tim pensou (com um rancor amargo que era complemente novo para ele): *É mamãe que vai lavá-las, remendá-las e dobrá-las com capricho quando Grande Kells mandar. E será que ele vai agradecer com um tapa no braço ou um soco no pescoço ou no rosto?*

Ele retirou as roupas e descobriu, embaixo delas, o que tornava o baú pesado. O pai de Kells fora carpinteiro, e ali estavam as suas ferramentas. Tim não precisava de um adulto para dizer o seu valor, pois eram feitas de metal. *Grande Kells podia ter vendido as ferramentas para pagar o imposto, ele nunca usa e nem sequer sabe usar, eu garanto. Podia ter vendido para alguém que usasse, como Haggerty, o Prego, por exemplo, e podia ter pagado o imposto e ainda ficado com uma boa quantia de sobra.*

Havia uma palavra para aquele tipo de comportamento, e, graças aos ensinamentos da viúva Smack, Tim sabia qual era. A palavra era *avarento.*

Ele tentou tirar a caixa de ferramentas, e a princípio não conseguiu. Era muito pesada para o menino. Tim pousou os martelos, as chaves de fenda e a barra de amolar ao lado das roupas. Aí conseguiu. Embaixo havia cinco cabeças de machado que teriam feito Grande Ross bater na testa com espanto e indignação. O aço precioso estava salpicado por ferrugem, e Tim não precisou testar com o polegar para ver que as lâminas estavam cegas. O novo marido de Nell ocasionalmente afiava o machado atual, mas não se dava ao trabalho de fazer isso com essas cabeças sobressalentes havia muito tempo. Quando precisasse delas, provavelmente estariam inúteis.

Enfiados em um canto do baú estavam uma bolsinha de pele de cervo e um objeto envolto em camurça de qualidade. Tim pegou este último, desembrulhou e viu a imagem de uma mulher com um rosto sorridente e amável. Seus cabelos pretos caíam sobre os ombros. Tim não se lembrava de Millicent Kells — ele não devia ter mais do que três ou quatro anos quando ela entrou na clareira onde todos se reúnem no fim das contas —, mas sabia que era ela.

O menino embrulhou de novo, recolocou no lugar e pegou a bolsinha. Pelo tato, havia apenas um único objeto no interior, pequeno, porém bem pesado. Tim puxou o barbante com os dedos e virou a bolsa. Mais trovões retumbaram, o menino estremeceu de surpresa, e o objeto que esteve escondido bem no fundo do baú de Kells caiu da mão de Tim.

Era a moeda da sorte do pai.

Tim recolocou tudo no baú, exceto o que pertencia ao pai, guardou a caixa de ferramentas, repôs as ferramentas que tirou para torná-la mais leve, e depois empilhou as roupas. Prendeu as correias novamente. Tudo no lugar certo, mas, quando tentou usar a chave de prata, ela girou sem engatar no tambor.

Inútil como lixo.

Tim desistiu e cobriu o baú com o velho pedaço de cobertor novamente, ajeitando até ficar mais ou menos parecido com o jeito como estava. Talvez funcionasse. Era comum ver o novo padrasto dar uns tapinhas no baú e se sentar sobre ele, mas apenas raramente Grande Kells *abria* o baú de fato, e ainda assim só para pegar a barra de amolar. Talvez o furto de Tim permanecesse em segredo por um tempo, mas ele sabia que não podia contar que não seria descoberto. Chegaria o dia — talvez não até o mês que vem, porém mais provavelmente na próxima semana (ou até mesmo amanhã!) — em que Grande Kells decidiria pegar a barra ou se lembraria de que tinha mais roupas do que aquelas que carregara na trouxa. Ele perceberia que o baú estava destrancado, procuraria apressado pela bolsinha de pele de cervo e descobriria que a moeda no interior havia sumido. E aí? Então a nova esposa e o novo enteado levariam uma surra. Provavelmente uma surra terrível.

Tim temia isso, mas, ao olhar fixamente para a familiar moeda avermelhada de ouro na corrente de prata, ele também sentiu raiva genuína pela primeira vez na vida. Não era fúria impotente de um menino, mas a raiva de um homem.

Ele perguntara ao Velho Destry sobre dragões e o que poderiam fazer com um sujeito. Será que doía? Será que sobrariam… bem… *pedaços*? O fazendeiro viu o nervosismo de Tim e colocou um braço gentil sobre os ombros do menino.

— A resposta é não para as duas perguntas. Fogo de dragão é o fogo mais quente que existe, tão quente quanto a rocha líquida que às vezes escorre das rachaduras na terra bem ao sul daqui. Pelo menos é o que dizem as histórias. Um homem que leva uma rajada de dragão é queimado até virar o pó mais fino que existe em menos de um segundo, roupas, botas, cinto e tudo o mais. Portanto, se está querendo saber se seu pai sofreu, fique tranquilo. O fim chegou num instante.

Roupas, botas, cinto e tudo o mais. Mas a moeda da sorte do pai não estava sequer chamuscada, e cada elo da corrente de prata estava intacto. No entanto, ele não tirava a moeda nem para dormir. Então o que havia acontecido com o Grande Jack Ross? E por que a moeda estava no baú de Kells? Tim teve uma ideia terrível e achou que conhecia uma pessoa que poderia dizer se essa ideia terrível estava certa. Se Tim fosse corajoso o suficiente, quer dizer.

Venha à noite, porque este filho da terra gosta de dormir durante o dia quando tem chance.

Era noite agora, ou quase.

A mãe ainda estaria dormindo. Ao lado da mão dela, Tim deixou a sua lousa. Ali ele escreveu: EU VOLTO. NÃO SE PREOCUPE COMIGO.

Claro, nenhum menino no mundo consegue compreender como um pedido desses é inútil para qualquer mãe.

Tim não queria nem chegar perto das duas mulas de Kells, porque elas eram temperamentais. As duas mulas que o pai criou desde filhotes eram exatamente o oposto. Misty e Bitsy eram *mollies*, fêmeas que não tinham sido castradas e eram teoricamente capazes de procriar, mas Ross manteve as duas férteis pela doçura do temperamento, e não para dar crias.

— Nem pensar — dissera Grande Ross para Tim quando o filho tinha idade suficiente para perguntar essas coisas. — Animais como Misty e Bitsy não foram feitos para procriar e quase nunca dão à luz uma prole de linhagem pura quando procriam.

Tim escolheu Bitsy, que sempre foi sua favorita, puxou pelo bridão para conduzir a mula pelo caminho e depois montou sem sela. Os pés, que chegavam à metade das laterais da mula quando o pai o colocou pela primeira vez no lombo do animal, agora quase encostavam o chão.

A princípio, Bitsy andou penosamente com as orelhas caídas, sem vontade, mas, quando parou de trovejar e a chuva deu lugar a uma garoa fina, a mula se animou. Ela não estava acostumada a sair à noite, mas Bitsy e Misty ficaram confinadas por tempo demais desde que Grande Ross morrera, e ela parecia ansiosa para...

Talvez ele não esteja morto.

O pensamento irrompeu na mente de Tim como um fogo de artifício e por um momento deixou o menino atordoado com a esperança. Talvez Grande Ross ainda estivesse vivo e perdido em algum lugar da Floresta Infinita...

Sim, e talvez a lua fosse feita de queijo verde, como a mamãe costumava dizer para mim quando eu era pequeno.

Morto. O coração sabia, assim como Tim estava certo de que o coração teria sabido se Grande Ross ainda estivesse vivo. *O coração da mamãe teria sabido também. Ela teria sabido e jamais teria se casado com aquele... aquele...*

— Aquele maldito.

Bitsy empinou as orelhas. Eles passaram pela casa da viúva Smack naquele momento, que ficava no fim da rua principal, e os cheiros da floresta eram mais fortes: o leve aroma picante de pau-de-broto e, sobreposto a ele, o cheiro intenso de pau-ferro. Um garoto subir a trilha sozinho, sem um único machado para se defender, era loucura. Tim sabia e prosseguiu mesmo assim.

— Aquele maldito *covarde*.

Dessa vez ele falou em uma voz tão baixa que beirou um rosnado.

Bitsy conhecia o caminho e não hesitou quando a Estrada da Árvore se estreitou ao chegar aos paus-de-broto. Nem hesitou quando a estrada se estreitou novamente ao alcançar os paus-ferros. Mas quando Tim se deu conta de que realmente estava na Floresta Infinita, ele deteve a mula por tempo suficiente para vasculhar a mochila e tirar uma lamparina a gás que surrupiara do celeiro. O pequeno reservatório de lata na base estava cheio de combustível, e Tim calculou que daria para pelo menos uma hora de luz. Duas, se ele usasse com parcimônia.

Acendeu um palito de enxofre com a unha (um truque ensinado pelo pai), virou o botão onde o reservatório encontrava o pescoço longo e estreito da lamparina e enfiou o palito pela pequena fenda conhecida como griseta. A lamparina ganhou vida com um brilho branco-azulado. Tim a ergueu e arfou.

Ele já tinha vindo tão longe assim na Trilha do Pau-ferro várias vezes com o pai, mas nunca à noite, e o que Tim viu foi assombroso o suficiente para fazê-lo pensar em dar meia-volta. Perto assim da civilização, os melhores paus-ferros tinham sido cortados até virarem tocos, mas aqueles que permaneceram se agigantavam sobre o menino na mulinha. Altos, eretos e solenes como anciãos *manni* em um funeral (Tim vira uma imagem dessas em um dos livros da viúva), eles se erguiam para além da luz emanada pela insignificante lamparina. As árvores eram completamente lisas pelos primeiros doze metros. Acima disso, os galhos se erguiam para o céu como braços levantados e emaranhavam a trilha estreita com uma teia de sombras. Como os paus-ferros eram pouco mais do que postes escuros e grossos ao nível do solo, seria possível andar entre eles. Claro que também seria possível cortar a própria garganta com uma pedra afiada. Qualquer um que fosse tolo o bastante para sair da Trilha do Pau-ferro — ou ir além dela — logo se perderia em um labirinto, onde provavelmente morreria de fome. Isso se não virasse comida primeiro, quer dizer. Como se para reforçar esta ideia, em algum lugar na escuridão uma criatura que tinha toda a cara de ser grande fez um som como se fosse uma risada rouca.

Tim se perguntou o que ele estava fazendo ali quando tinha uma cama quente com lençóis limpos na cabana em que crescera. Então tocou a moeda da sorte do pai (agora pendurada no próprio pescoço), e a determinação aumentou. Bitsy olhou em volta como se perguntasse: *Bem, para que lado? Para a frente ou para trás? Você manda, sabe?*

Tim não tinha certeza se possuía a coragem para diminuir a luz da lamparina até que ela se apagasse e ele estivesse na escuridão novamente. Embora não pudesse mais ver os paus-ferros, o menino se sentiu imprensado pelas árvores.

Ainda assim: para a frente.

Ele apertou os flancos de Bitsy com os joelhos, estalando a língua, e Bitsy voltou a andar. O trote sem solavancos indicou que a mula seguia pelo sulco de rodas de carroça à direita. A tranquilidade indicava que ela não detectava perigo. Pelo menos não ainda, e, honestamente, o que uma mula entendia de perigo? *Tim* deveria proteger *Bitsy*. Ele era, afinal de contas, quem mandava.

Ah, Bitsy, pensou ele. *Se você ao menos soubesse.*

Quanto já tinha andado? Quanto ainda teria que andar? Quando *andaria* antes de desistir dessa loucura? Ele era a única coisa no mundo que sobrara para a mãe amar e de quem ela dependia, então quanto mais?

O menino tinha a sensação de ter andado dez rodas ou mais, desde que o aroma cheiroso dos paus-de-broto ficara para trás, mas ele sabia que não era verdade. Assim como sabia que o farfalhar que ouvia era o vento de Terra Ampla nos galhos altos, e não uma fera qualquer que se esgueirava por trás, abrindo e fechando as mandíbulas na expectativa de um lanchinho noturno. Tim sabia muito bem disso, então por que o vento lhe soava tanto como uma respiração?

Contarei até cem e aí darei meia-volta com Bitsy, prometeu o menino a si mesmo, mas, quando chegou aos cem e ainda não havia nada no breu a não ser ele e a corajosa mula *mollie* (*e, claro, a fera qualquer que seguia os dois, cada vez mais próxima*, como a mente traidora insistiu em acrescentar), Tim decidiu que iria até duzentos. Quando chegou a cento e oitenta e sete, ele ouviu o estalo de um galho. Tim acendeu e ergueu a lamparina, dando meia-volta. As sombras terríveis pareceram se empinar, e depois saltaram adiante para agarrá-lo. E será que alguma coisa fugiu da luz? Será que ele viu o brilho de um olho vermelho?

Certamente não, mas...

Tim silvou, girou o botão para apagar a lamparina e estalou a língua. Teve que estalar duas vezes. Bitsy, até então calma, agora parecia nervosa com a ideia de ir adiante. Porém, animal bom e obediente que era, a mula cedeu à ordem e começou a andar de novo. Tim retomou a contagem e não levou muito tempo para chegar a duzentos.

Vou contar para trás até zero, e, se não vir sinal dele, então eu realmente volto.

O menino chegou a dezenove na contagem reversa quando viu um lampejo laranja-avermelhado à frente, para a direita. Era uma fogueira, e Tim não tinha dúvidas de quem a acendera.

A fera que me perseguia jamais esteve atrás, pensou ele. *Está à frente. O brilho pode ser uma fogueira, mas também é o olho que vejo. O olho vermelho. Eu deveria voltar enquanto é tempo.*

Então Tim tocou a moeda da sorte pendurada contra o peito e avançou.

Ele acendeu e levantou a lamparina novamente. Havia muitas trilhas laterais, chamadas de sendas, que partiam de ambos os lados do caminho principal. Logo à frente, presa a uma pequena bétula, havia uma placa de madeira que marcava uma dessas sendas. Estava rabiscada em tinta preta: COSINGTON-MARCHLY. Tim conhecia esses homens. Peter Cosington (que também teve a própria má sorte naquele ano) e Ernest Marchly eram lenhadores que foram jantar na cabana de Ross em várias ocasiões, e muitas vezes a família Ross comera na casa de um dos dois.

— Eles são boa gente, mas não entram nas profundezas — contou Grande Ross ao filho depois de um desses jantares. — Há muito pau-ferro bom perto dos paus-de-broto, mas o verdadeiro tesouro, a madeira mais densa e pura, está nas profundezas, perto de onde a trilha acaba no limite do Fagonard.

Então talvez eu realmente *só tenha andado uma roda ou duas, mas a escuridão altera tudo.*

Ele virou Bitsy para a senda Cosington-Marchly e, menos de um minuto depois, entrou na clareira onde o Cobrador estava sentado diante de uma crepitante fogueira.

— Ora, cá está o jovem Tim — comentou o homem. — Você tem colhões, mesmo que ainda vá demorar uns três anos para que tenham cabelos neles. Venha, sente-se, coma um pouco de guisado.

Tim não sabia muito bem se queria compartilhar do que esse estranho sujeito chamava de jantar, mas o menino não havia comido nada, e o aroma saindo da panela pendurada sobre o fogo era apetitoso.

Ao ler os pensamentos do jovem visitante com uma precisão perturbadora, o Cobrador falou.

— Eu não vou te envenenar, jovem Tim.

— Eu sei que não — disse Tim... mas agora que veneno fora mencionado, ele não tinha mais tanta certeza. Mesmo assim, o menino deixou que o Cobrador servisse uma boa concha em um prato de lata e aceitou a colher de lata que foi oferecida, que estava amassada porém limpa.

Não havia nada de mágico a respeito da refeição; o guisado era de carne, batata, cenoura e cebolas que nadavam em um molho saboroso. Enquanto comia agachado, Tim observou Bitsy se aproximar com cautela do cavalo preto de seu anfitrião. O garanhão tocou brevemente o focinho da humilde mula, depois virou a cara (de uma maneira um tanto ou quanto desdenhosa, achou Tim) para a aveia que o Cobrador tinha espalhado no chão, que tinha sido cuidadosamente limpo de lascas de madeira — os resquícios de sais Cosington e Marchly.

O Cobrador não puxou conversa enquanto Tim comia, apenas chutou o chão regularmente com o salto da bota e abriu um pequeno buraco. Ao lado estava a bacia que fora amarrada ao topo da *gunna* do estranho. Era difícil para Tim acreditar que a mãe estava certa a respeito daquilo — uma bacia feita de prata valeria uma fortuna —, mas o objeto certamente *parecia* ser de prata. Quantas moedas teriam que ser derretidas e fundidas para fazer uma coisa dessas?

O salto da bota do Cobrador encontrou uma raiz. Debaixo da capa, ele tirou uma faca que era quase tão comprida quanto o antebraço de Tim e cortou a raiz com um golpe. Então continuou a usar o salto da bota: *tuc* e *tuc* e *tuc*.

— Por que você está cavando? — perguntou Tim.

O Cobrador ergueu os olhos por tempo suficiente para dar um sorrisinho ao menino.

— Talvez você descubra. Talvez não. Acho que descobrirá. Já terminou a refeição?

— Sim, e agradeço. — Tim bateu na garganta três vezes. — Estava ótima.

— Que bom. Beijos não duram; o que faz na cozinha, sim. Assim diziam os *manni*. Vejo que admira minha bacia. É linda, não é? É uma relíquia da Garlan que já se foi. Em Garlan existiram dragões de verdade, e há fogaréis deles ainda nas profundezas da Floresta Infinita, tenho certeza. Um monte de lobos é uma alcateia; um monte de corvos é um bando; um monte de dragões é um fogaréu.

— Um fogaréu de dragões — falou Tim saboreando as palavras. Então percebeu o que o Cobrador tinha falado. — Se os dragões da Floresta Infinita estão nas profundezas...

Mas o Cobrador o interrompeu antes que Tim concluísse o pensamento.

— Tá-tá, xá-xá, ná-ná. Poupe tuas imaginações. Por enquanto, leve a bacia e pegue água para mim. Tem água no limite da clareira. É melhor levar sua pequena lamparina, pois o brilho da fogueira não chega tão longe, e há um *pooky* em uma das árvores. Ele está bem inchado, o que significa que comeu há pouco tempo, mas eu ainda assim não pegaria água embaixo dele. — O Cobrador deu outro sorriso. Para Tim foi um sorriso cruel, mas isto não era surpresa. — Por outro lado, um menino corajoso o suficiente para entrar na Floresta Infinita com apenas uma das mulas do pai como companhia pode fazer o que bem entender.

A bacia *era* de prata; era pesada demais para ser de qualquer outro material. Tim a levou debaixo do braço, de maneira desajeitada. Na mão livre estava a lamparina. Ao se aproximar do fim da clareira, o menino começou a sentir o cheiro de algo repulsivo e desagradável e ouviu um som baixo de estalos, como se fossem muitas boquinhas. Ele parou.

— Você não vai querer esta água, sai, está podre.

— Não me diga o que eu vou ou não querer, jovem Tim, apenas encha a bacia. E fique de olho no *pooky*, eu lhe rogo.

O menino se ajoelhou, pousou a bacia diante de si e olhou para o pequeno córrego moroso. A água estava repleta de bichos brancos e gordos. As cabeças exageradas eram pretas, os olhos estavam em hastes. Eles pareciam larvas aquáticas e davam a impressão de estar em guerra. Após um instante de observação, Tim percebeu que os bichos estavam devorando uns aos outros. O guisado se revirou no seu estômago.

Acima do menino veio o som como o de uma mão escorregando por um longo pedaço de lixa. Ele ergueu a lamparina. No galho mais baixo de um pau-ferro à esquerda, uma enorme cobra avermelhada estava pendurada e enrolada. A cabeça em forma de pá, maior do que a panela de cozinha da mãe de Tim, apontava para ele. Olhos da cor de âmbar com pupilas verticais pretas o encaravam languidamente. Uma língua fina e forqueada apareceu, dançou e voltou para dentro com um som líquido de *sluuuurp*.

Tim encheu a bacia com água fedida o mais rápido possível, porém, como a maior parte da sua atenção estava concentrada na criatura que o observava de cima, vários bichos foram parar nas mãos dele, onde imediatamente começaram a morder. O menino os afastou com um grito baixo de dor e nojo, depois carregou a bacia de volta para a fogueira. Ele se deslocou devagar e com cuidado, determinado a não derramar uma gota em si mesmo, porque a água podre se agitava com seres vivos.

— Se isto é para beber ou lavar…

O Cobrador olhou para Tim com a cabeça inclinada para o lado, à espera de que ele terminasse, mas o menino não conseguiu. Ele apenas pousou a bacia ao lado do homem, que parecia ter parado de cavar o buraco inútil.

— Não é para beber, nem para lavar, embora nós pudéssemos fazer ambas as coisas, se quiséssemos.

— Não pode estar falando sério, sai! É uma água *podre*!

— É um *mundo* podre, jovem Tim, mas nós desenvolvemos resistência, não é? Respiramos o ar, comemos a comida, fazemos o que o mundo nos pede. Sim. Sim, fazemos. Deixe pra lá. Abaixe-se.

O Cobrador apontou para um ponto, depois ficou remexendo na *gunna*. Tim observou os bichos se devorarem, enojado, porém fascinado. Será que continuariam até que apenas um — o mais forte — sobrasse?

— Ah, cá está! — O anfitrião de Tim retirou um bastão de aço com uma ponta branca que parecia de marfim e se agachou, de forma que os dois se encarassem sobre o conteúdo agitado da bacia.

Tim olhou fixamente para o bastão de aço na mão enluvada.

— Isto é uma varinha de condão?

O Cobrador pareceu refletir.

— Creio que sim. Embora ela tenha começado a vida como a alavanca de câmbio de um Dodge Dart, o carro popular mais famoso dos Estados Unidos, jovem Tim.

— O que são os Estados Unidos?

— Um reino repleto de idiotas que adoram brinquedos. Isso não tem importância para a nossa confabulação. Mas saiba, e conte para seus filhos, caso um dia tenha a infelicidade de ter algum, que, nas mãos certas, qualquer objeto pode ser mágico. Agora, observe!

O Cobrador jogou a capa para trás, a fim de liberar o braço por completo, e passou a varinha sobre a bacia de água turva e infestada. Diante dos olhos arregalados de Tim, os bichos ficaram parados… flutuaram na superfície… e desapareceram. O Cobrador passou a varinha pela segunda vez e a sujeira também sumiu. A água realmente parecia potável agora. Nela, Tim se viu encarando o próprio rosto surpreso.

— Deuses! Como você…

— Silêncio, menino estúpido! Se perturbares a água sequer um pouquinho, não verás nada!

O Cobrador passou a varinha improvisada sobre a bacia pela terceira vez, e o reflexo de Tim desapareceu da mesma forma que os vermes e a sujeira. O que substituiu foi uma trêmula visão da própria cabana do menino. Ele viu a mãe, ele viu Bern Kells. Kells entrou cambaleando na cozinha pela sala dos fundos onde guardava o baú. Nell se encontrava entre o fogão e a mesa, vestida com a camisola que usava quando Tim a vira pela última vez. Os olhos de Kells estavam vermelhos e injetados. O cabelo estava emplastrado contra a testa. Tim sabia que, se estivesse na cozinha em vez de apenas observando, teria sentido o cheiro de *jackaroe* do bar envolvendo o homem como se fosse bruma. A boca de Kells se mexeu, e Tim foi capaz de ler as palavras como se tivessem saído dos lábios: *Como você abriu meu baú?*

Não! Tim quis gritar. *Não foi ela, fui eu!* Mas sua garganta estava travada.

— Gostou? — sussurrou o Cobrador. — Está aproveitando o espetáculo?

Nell primeiro se encolheu contra a porta da despensa, depois se virou para correr. Kells agarrou a esposa antes que ela pudesse fugir, com uma mão no ombro e outra no cabelo. Ele a sacudiu para a frente e para trás como uma boneca de pano, depois a jogou contra a parede. Kells cambaleou diante dela, como se fosse desmoronar. Mas ele não caiu, e, quando Nell tentou correr novamente, o marido pegou a pesada jarra de cerâmica que ficava em cima da pia — a mesma jarra de água que Tim usou para aliviar a dor da mãe — e bateu no meio da testa dela. A jarra se despedaçou, restando apenas a alça. Kells deixou a jarra cair, pegou a nova esposa e começou a espancá-la.

— *NÃO!* — gritou Tim.

A respiração do menino agitou a água e a visão desapareceu.

Tim ficou de pé em um pulo e disparou na direção de Bitsy, que o olhava com surpresa. Na cabeça do menino, o filho de Jack Ross já voltava pela Trilha do Pau-ferro e cutucava Bitsy com os calcanhares até que ela corresse sem parar. Na realidade, o Cobrador agarrou Tim antes que ele conseguisse dar três passos e o puxou de volta para a lareira.

— Tá-tá, ná-ná, jovem Tim, não se apresse tanto! Nossa confabulação já começou, mas está longe de terminar.

— Me solta! Ela está morrendo, se é que ele já não a matou! A não ser... Era um truque? Uma piada? — Se fosse verdade, era a piada mais cruel feita na vida contra um menino que amava a mãe. No entanto, ele torcia para que fosse isso. Torcia para que o Cobrador risse e dissesse: *Eu realmente te peguei desta vez, não foi, jovem Tim?*

O Cobrador balançava a cabeça.

— Não é piada, nem truque, pois a bacia nunca mente. Essa cena já aconteceu, eu lamento. É terrível o que um homem que bebe faz com uma mulher, não é? No entanto, olhe de novo. Desta vez tu pode encontrar algo que te acalme.

Tim caiu de joelhos diante da bacia. O Cobrador moveu o bastão de aço sobre a água. Uma leve bruma pareceu encobrir a vista... ou talvez fosse apenas uma peça pregada pelos olhos do menino, cheios de lágrimas. Fosse o que fosse, a obscuridade sumiu. Agora, na água rasa, Tim viu a varanda da cabana, e uma mulher que parecia não ter um rosto e que estava debruçada sobre Nell.

Lentamente, com a ajuda da recém-chegada, Nell conseguiu ficar de pé. A mulher sem rosto virou a mãe de Tim para a porta da frente, e Nell começou a dar passos arrastados e dolorosos naquela direção.

— Ela está viva! — berrou o menino. — Mamãe está viva!

— Está mesmo, jovem Tim. Machucada, mas não abatida. Bem... um *pouco* abatida, talvez. — Ele riu.

Dessa vez, Tim gritou por sobre a bacia em vez de dentro dela, e a visão continuou. Ele percebeu que a mulher que ajudava a mãe parecia não ter rosto porque usava um véu, e que o burrico que ele via no limite da imagem trêmula era Girassol. O menino tinha alimentado, dado água e levado Girassol para passear muitas vezes. Como também haviam feito os outros pupilos na pequena escola da Vila da Árvore; aquilo fazia parte do que a diretora chamava de "mensalidade", mas Tim jamais vira a viúva realmente andar de burrico. Se perguntassem, o menino diria que provavelmente ela não era capaz, por causa das tremedeiras.

— Aquela é a viúva Smack! O que *ela* está fazendo na nossa casa?

— Talvez seja melhor você perguntar a ela, jovem Tim.

— Foi você que a enviou, de algum jeito?

O Cobrador sorriu e balançou a cabeça.

— Eu tenho muitos passatempos, mas resgatar donzelas em perigo não é um deles. — O homem se debruçou sobre a bacia, a borda do chapéu obscurecendo o seu rosto. — Oh, nossa! Creio que sua mãe *ainda* está em perigo. O que não é surpresa; ela tomou uma surra terrível. Dizem que a verdade pode ser lida nos olhos de uma pessoa, mas preste atenção nas mãos, eu digo sempre. Olhe as mãos da sua mãe, jovem Tim!

Tim se aproximou da água. Apoiada pela viúva, Nell atravessou a varanda com as mãos espalmadas e os braços esticados diante do corpo, e andou na direção da parede em vez da porta, embora a varanda não fosse larga e a porta estivesse bem em frente. A viúva corrigiu o rumo com delicadeza, e as duas mulheres entraram juntas.

O Cobrador estalou a língua no céu da boca em reprovação.

— A coisa não parece nada boa, jovem Tim. Golpes na cabeça podem ser bem desagradáveis. Mesmo quando não matam, podem causar danos terríveis. Danos *permanentes*. — As palavras eram sérias, mas os olhos brilhavam com uma terrível alegria.

Tim mal notou.

— Eu tenho que ir. Minha mãe precisa de mim.

Mais uma vez Tim foi na direção de Bitsy. Dessa vez, o menino deu quase meia dúzia de passos antes que o Cobrador o pegasse. Os dedos pareciam de aço.

— Antes de ir, Tim, e com minha permissão, é claro, você tem mais uma coisa a fazer.

Tim achou que estivesse perdendo o juízo. *Talvez*, pensou ele, *eu esteja na cama com febre do carrapato, e isso tudo não passe de um sonho.*

— Leve a bacia de volta ao córrego e jogue a água fora. Mas não onde você pegou, porque o *pooky* parece estar interessado demais no que acontece ao redor.

O Cobrador pegou a lamparina de Tim, girou o botão ao máximo e a ergueu. A cobra estava agora quase completamente espichada para baixo. O último metro, porém — a parte que terminava com a cabeça em forma de pá do *pooky* —, estava erguido e ia de um lado para o outro. Olhos da cor de âmbar encaravam fixamente os azuis de Tim. A língua disparou — *slapt* — e, por um momento, Tim viu duas presas curvas. Elas reluziram sob a claridade da lamparina.

— Vá à esquerda dele — aconselhou o Cobrador. — Irei acompanhar você e ficarei de olho.

— Não pode você mesmo ir e apenas jogar a água fora? Eu quero ir até minha mãe. Eu *preciso* ir...

— Não foi por causa de sua mãe que eu trouxe você até aqui, jovem Tim. — O Cobrador pareceu ficar mais alto. — *Agora faça o que eu mandei.*

Tim pegou a bacia e cruzou a clareira para a esquerda. O Cobrador, que ainda segurava a lamparina, ficou entre o menino e a cobra. O *pooky* girou o corpo para acompanhar o movimento dos dois, mas não fez menção de segui-los, embora os paus-ferros estivessem tão próximos e os galhos mais baixos, tão entrelaçados, que a cobra teria conseguido com facilidade.

— Este trecho faz parte do lote Cosington-Marchly — falou o Cobrador para puxar conversa. — Talvez tu tenha lido a placa.

— Ié.

— Um menino que sabe ler é um tesouro para o baronato. — Agora o Cobrador estava tão perto de Tim que o menino sentiu um arrepio na pele. — Um dia você pagará grandes impostos, desde que não morra na Floresta

Infinita na noite de hoje… ou na de amanhã… ou na seguinte. Mas para que procurar por tempestades que ainda estão além do horizonte, né?

"Você sabe de quem é este lote, mas eu sei um pouco mais. Fiquei ciente disso quando fazia as visitas, e também da notícia da perna quebrada de Frankie Simons, do refluxo do bebê dos Wyland, das vacas mortas dos Riverly (e quanto a isso eles estão mentindo na cara dura, se é que entendo do riscado, e por acaso eu entendo sim), e todo tipo de outros fuxicos interessantes. Como as pessoas falam! Mas eis aqui a questão, jovem Tim. Eu descobri que, no início de Terra Plena, Peter Cosington ficou preso debaixo de uma árvore que caiu para o lado errado. As árvores fazem isso de tempos em tempos, especialmente paus-ferros. Eu acredito que na verdade os paus-ferros *pensam*, que é de onde vem a tradição de rogar o perdão às árvores antes de começar o corte do dia.

— Eu sei sobre o acidente de sai Cosington — falou Tim. Apesar da ansiedade, a mudança de assunto atiçara a sua curiosidade. — Minha mãe mandou uma sopa para ele, embora ainda estivesse de luto pelo meu pai naquela época. A árvore caiu atravessada nas costas dele, mas não *diretamente* atravessada. Aquilo teria matado sai Cosington. E daí? Ele já melhorou.

Eles estavam próximos da água agora, mas ali o cheiro era menos intenso e Tim não ouviu nenhum dos vermes com as bocas que estalavam. Isso foi bom, mas o *pooky* ainda observava os dois com um interesse guloso. Ruim.

— Sim, Cosie Certinho voltou a trabalhar, e todos agradecemos a isso. Mas enquanto ele estava de cama, duas semanas antes de seu pai encontrar o dragão e seis semanas depois, esse trecho e todos os demais no lote de Cosington-Marchly ficaram vazios, porque Ernie Marchly não é como o seu padrasto. O que quer dizer que ele não vem derrubar na Floresta Infinita sem um parceiro. Mas é claro que, *também* diferente de seu padrasto, Ernie Lerdo de fato *tem* um parceiro.

Tim se lembrou da moeda repousando em sua pele e por que tinha vindo nessa missão insana em primeiro lugar.

— Não teve dragão *nenhum*! Se tivesse, ele teria queimado a moeda da sorte do meu pai com o resto dele! E por que a moeda estava no baú de Kells?

— Jogue fora a água da bacia, jovem Tim. Creio que descobrirá que não há vermes na água para te incomodar. Não, não aqui.

— Mas eu quero saber…

— Fecha a matraca e esvazia a bacia, pois você não sairá desta clareira enquanto ela estiver cheia.

Tim se ajoelhou como o Cobrador mandou e esperou apenas completar a tarefa para ir embora. Não se importava com Peter "Certinho" Cosington e também não acreditava no homem da capa preta. *Ele está me provocando ou me torturando. Talvez nem sequer saiba a diferença. Mas, assim que esta maldita bacia estiver vazia, eu monto em Bitsy e volto correndo o mais rápido possível. Só quero ver ele tentar me impedir. Só quero ver…*

Os pensamentos de Tim se quebraram tão completamente quanto um graveto seco sob uma bota. Ele perdeu o controle da bacia, que caiu de ponta-cabeça no matagal emaranhado. Aqui não havia vermes na água, quanto a isso o Cobrador estava certo; o córrego era tão límpido quanto a água que fluía da nascente perto da cabana. Uns quinze ou vinte centímetros abaixo da superfície da água, havia um corpo humano. As roupas eram apenas farrapos que flutuavam na corrente. As pálpebras tinham desaparecido, bem como a maior parte do cabelo. O rosto e os braços, antigamente muito bronzeados, agora estavam tão pálidos quanto alabastro. Mas, tirando isso, o corpo de Grande Jack Ross estava perfeitamente preservado. Se não fosse pelo vazio daqueles olhos sem cílios e sobrancelhas, Tim teria acreditado que o pai poderia se levantar, pingando, e envolvê-lo em um abraço.

O *pooky* fez um *slaaaaapt* guloso.

Alguma coisa se rompeu dentro de Tim ao ouvir aquele som, e ele começou a gritar.

O Cobrador estava forçando algo para dentro da boca de Tim. O menino tentou rechaçá-lo, mas não conseguiu. O Cobrador simplesmente agarrou os cabelos da nuca do menino, e, quando Tim gritou, o gargalo de um cantil foi enfiado entre os dentes. Um líquido quente lhe desceu pela garganta. Não era álcool, pois, em vez de deixá-lo bêbado, a bebida o acalmou. Fez mais que acalmá-lo — fez com que se sentisse como um visitante insensível na própria mente.

— Isso vai passar em dez minutos, e depois vou deixá-lo seguir seu caminho — explicou o Cobrador. O deboche tinha sumido. Ele não chamava mais o menino de jovem Tim; não o chamava mais de nada. — Agora aprume suas orelhas e preste atenção. Eu comecei a ouvir histórias em Tavares, quarenta rodas a leste daqui, sobre um lenhador cozinhado por um dragão. Estava na boca do povo. Uma dragonesa grande como uma casa, diziam. Mas eu sabia que era balela. Acredito que talvez ainda tenha um tigre em algum lugar na floresta…

Ao dizer isso, os lábios do Cobrador se contorceram em um sorriso, que surgiu e sumiu quase depressa demais para ser visto.

— … mas um dragão? Jamais. Não houve dragão tão perto assim da civilização por dez vezes dez anos, e nunca tão grande quanto uma casa. Isto despertou minha curiosidade. Não porque Grande Ross é um contribuinte, quer dizer *era*, mas isto seria o que eu teria dito à massa desdentada se algum deles fosse esperto e corajoso o suficiente para perguntar. Não, foi curiosidade por curiosidade, pois querer saber segredos sempre foi o vício que me aflige. Algum dia eu morro disso, não tenho dúvida.

"Eu estava acampado na Trilha do Pau-ferro ontem também, antes de começar as visitas. Só que na noite de ontem eu fui até o fim da trilha. As placas nas últimas sendas antes do pântano Fagonard dizem Ross e Kells. Lá eu enchi a bacia no último córrego limpo antes do brejo, e o que encontrei na água? Ora, uma placa que dizia Cosington-Marchly. Empacotei a *gunna*, montei no Pretinho e voltei com ele aqui, apenas para ver o que eu conseguiria descobrir. Não havia necessidade de consultar a bacia novamente; eu vi onde o *pooky* não se aventurava e onde os vermes não poluíram o córrego. Eles são vorazes devoradores de carne, mas, segundo dizem as lendas, os vermes não comem a carne de um homem virtuoso. As lendas muitas vezes estão erradas, mas não a respeito disso, ao que parece. O frio da água o preservou, e ele aparenta não ter marcas, porque o homem que o assassinou golpeou pelas costas. Notei o crânio rachado quando virei o corpo e o recoloquei como você vê agora para te poupar da imagem."

O Cobrador fez uma pausa, depois acrescentou:

— E para que ele também te visse, creio eu, se a essência permanecer perto do cadáver. Quanto a isto, as lendas divergem. Você ainda está bem ou quer outra pequena dose de *nen*?

— Estou bem. — Jamais Tim proferira tamanha mentira.

— Eu tive bastante certeza de quem era o culpado, assim como você, imagino, mas qualquer dúvida que restasse se desfez no Gitty's Saloon, minha primeira parada na Vila da Árvore. O bar das redondezas sempre deve uma boa dúzia de moedas na hora do imposto, se não mais. Lá eu descobri que Bern Kells havia atado a corda com a viúva do parceiro morto.

— Por *sua* causa — acusou Tim em uma voz monótona que não pareceu em nada com a dele. — Por causa de seus malditos *impostos*.

O Cobrador colocou a mão no peito e retrucou em tom ofendido:

— Mas que injustiça! Não foram os *impostos* que fizeram Grande Kells arder na cama por todos esses anos, ié, mesmo quando ele ainda tinha uma mulher ao lado para apagar o fogo.

O Cobrador continuou, mas estava passando o efeito daquilo que ele chamou de *nen*, e Tim perdeu o sentido das palavras. De repente, o menino não sentiu mais frio, e sim um calor que ardia, e o estômago estava revirado. Ele cambaleou até o que restou da fogueira, caiu de joelhos e vomitou o jantar no buraco que o Cobrador cavara com a sola da bota.

— Pronto! — exclamou o homem da capa preta em um tom de intenso orgulho próprio. — *Achei* que isto viria a calhar.

— É melhor você ir ao encontro da sua mãe agora — afirmou o Cobrador quando Tim terminou de vomitar e se sentou ao lado da fogueira que se apagava, com a cabeça baixa e o cabelo caindo sobre os olhos. — Como o bom filho que é. Mas tenho uma coisa que talvez queira. Espere só um minuto. Não fará diferença para Nell Kells; ela continuará como está.

— Não a chame assim! — disparou Tim.

— Como não? Ela não está casada? Case com pressa, se arrependa com calma, dizem os antigos. — O Cobrador novamente se agachou em frente à pilha da *gunna*, e a capa tremulou em volta como as asas de um pássaro terrível. — Eles também dizem que o que foi atado não pode ser desatado, e é verdade. Um conceito interessante chamado *divórcio* existe em alguns níveis da Torre, mas não em nosso charmoso cantinho do Mundo Médio. Agora, deixe-me ver... está aqui em algum lugar...

— Eu não entendo como Peter Certinho e Ernie Lerdo não o encontraram — falou Tim, sem emoção. Ele se sentiu murcho, vazio. Algum sentimento ainda pulsava fundo no coração, mas o menino não sabia o que era. — Este é o terreno dos dois... o lote... e eles voltaram a derrubar árvores desde que Cosington ficou bom o bastante para voltar ao trabalho.

— Sim, eles derrubam os paus-ferros, mas não aqui. Os dois têm muitas outras sendas. Eles deixaram esta aqui se reflorestar um pouco. Tu não sabe o motivo?

Tim imaginou que sabia. Peter Certinho e Ernie Lerdo eram bons e gentis, mas não eram os lenhadores de pau-ferro mais corajosos, e por isso não se aventuravam tanto assim nas profundezas da floresta.

— Imagino que estivessem esperando o *pooky* ir embora.

— É uma criança esperta — aprovou o Cobrador. — Ele está certo. E como tu acha que teu padrasto se sente ao saber que a cobra pode ir embora a qualquer momento, e que aqueles dois podem então retornar aqui? Voltar e encontrar o crime, a não ser que ele arrume coragem suficiente para vir para cá e carregar o corpo para as profundezas da floresta?

A nova emoção no coração de Tim pulsou mais forte agora. Ele estava contente. Qualquer coisa era melhor do que o terror impotente que sentia pela mãe.

— Espero que ele se sinta mal. Espero que não consiga dormir. — E então falou com um princípio de compreensão: — É por isso que ele voltou a beber.

— Uma criança esperta de fato, esperta para a idade... Ah! Cá está!

O Cobrador se voltou para Tim, que agora desamarrava Bitsy e se preparava para montar. Ele se aproximou do menino com algo na mão, debaixo da capa.

— Bern Kells agiu por impulso, certamente, e depois deve ter entrado em pânico. Por que outro motivo ele inventaria uma história tão ridícula? Os outros lenhadores duvidam, disso você pode ter certeza. Ele armou uma fogueira e se debruçou sobre ela até onde teve coragem e por quanto tempo aguentou, para queimar as roupas e deixar a pele marcada de bolhas. Sei disso porque eu armei meu fogo nos restos da fogueira dele. Mas primeiro Bern Kells jogou a *gunna* do parceiro morto além do córrego, tão longe na floresta quanto a força permitiu. Fez isso com as mãos ainda molhadas do sangue do seu pai, garanto. Eu cruzei o córrego e encontrei a *gunna*. Quase tudo que ela guardava era inútil, porém eu separei uma coisa para ti. Estava enferrujada, mas a pedra-pome e a barra de amolar a limparam bem.

De debaixo da capa, o Cobrador retirou a machadinha de Grande Ross. O gume recém-amolado reluziu. Tim, agora em cima de Bitsy, pegou a machadinha, levou aos lábios e beijou o aço frio. Depois enfiou o cabo no cinto, com a lâmina voltada para longe do corpo, exatamente como, era uma vez, Grande Ross ensinara.

— Vejo que tu traz um dobrão de rodita no pescoço. Era do seu pai?

Montado, Tim agora quase estava na mesma altura para encarar os olhos do Cobrador.

— Estava no baú daquele assassino desgraçado.

— Você tem a moeda; agora tem o machado também. Onde irá colocá-lo, eu me pergunto, se o ka te oferecer a chance?

— Na cabeça dele. — A emoção de pura raiva se libertou do coração como um pássaro com as asas em chamas. — Na frente ou atrás, tanto faz.

— Admirável! Eu gosto de um menino que planeja! Vá com todos os deuses que você conheça e o Homem Jesus para garantir. — Depois, após ter dado plena corda no menino, ele se virou para alimentar a fogueira. — Eu talvez fique na Trilha do Pau-ferro por mais uma noite ou duas. Acho que a Árvore está estranhamente interessante neste Terra Ampla. Fique de olho na *sighe* verde, meu garoto! Ela brilha, brilha sim!

Tim não respondeu, mas o Cobrador tinha certeza de que ele escutara. Assim que estavam com a corda toda, eles sempre escutavam.

* * *

A viúva Smack devia estar observando da janela, pois Tim acabara de deixar a pobre Bisty com patas doídas na varanda (apesar da crescente ansiedade, ele deixou a mula andar pelos oitocentos metros finais para poupá-la), quando a viúva veio correndo.

— Graças aos deuses, graças aos deuses. Sua mãe estava prestes a acreditar que você tinha morrido. Entre, depressa. Deixe que ela o escute e toque em você.

Tim não percebeu completamente a importância dessas palavras até mais tarde. Ele amarrou Bitsy ao lado de Girassol e subiu correndo os degraus.

— Como você soube que devia vir até ela, sai?

A viúva virou o rosto (que, dado o véu, não era bem um rosto) para o menino.

— Tu ficou ruim da cabeça, Timothy? Você passou pela minha casa levando aquela mula ao limite. Como não sabia por que você estava fora de casa tão tarde e a caminho da floresta, eu vim aqui para perguntar para a sua mãe. Mas entre, entre. E mantenha um tom animado, se você a ama.

A viúva conduziu o menino pela sala de estar, onde dois incensadores ardiam em fogo baixo. No quarto da mãe havia outro incensador na mesa de cabeceira, e sob a luz Tim viu Nell deitada na cama com a maior parte do rosto enfaixada, além de outra bandagem — esta bastante ensanguentada — em volta do pescoço como uma gargantilha.

Ao som dos passos, Nell se sentou na cama com uma expressão selvagem no rosto.

— Se for o Kells, não se aproxime! Você já fez o bastante!

— É Tim, mamãe.

Ela se virou na direção do filho e esticou os braços.

— Tim! Vem cá, vem cá!

O menino se ajoelhou ao lado da cama e cobriu de beijos a parte do rosto da mãe descoberta pelas ataduras, chorando enquanto fazia isso. Nells ainda usava a camisola, mas agora o tecido do pescoço e do colo estava duro com sangue seco. Tim tinha visto o padrasto dar uma pancada terrível com a jarra de cerâmica e depois começar a usar os punhos para bater. Quantos socos o menino vira? Ele não sabia. E quantos acertaram a pobre mãe após a visão na bacia de prata desaparecer? O suficiente para Tim saber que ela tinha muita sorte de estar viva, mas um desses golpes — provavelmente com a jarra de cerâmica — deixara a mãe cega.

* * *

— Foi uma concussão — explicou a viúva Smack. Ela estava na cadeira de balanço do quarto de Nell; Tim se sentou na cama, segurando a mão esquerda da mãe. Dois dedos da direita estavam quebrados. A viúva, que deve ter precisado fazer muita coisa desde a sua chegada fortuita, fez uma tala para os dedos com pedaços de graveto da lareira e tiras de flanela arrancadas de outra camisola de Nell. — Eu já vi antes. Há um inchaço no cérebro. Quando ele baixar, a visão talvez retorne.

— Talvez — repetiu Tim tristemente.

— Haverá água, se Deus quiser, Timothy.

Nossa água agora está envenenada, pensou Tim, *e isto não teve nada a ver com a ação de deus algum.* Ele abriu a boca para dizer exatamente isto, mas a viúva fez que não com a cabeça.

— Ela está dormindo. Eu dei uma bebida à base de ervas, não muito forte, porque não arriscaria dar algo forte depois de ela ter apanhado tanto na cabeça, mas fez efeito. Eu não tinha certeza de que faria.

Tim olhou para o rosto terrivelmente pálido da mãe, com pintinhas de sangue que ainda secavam no pouco de pele exposta em meio às ataduras da viúva, e depois ergueu o olhar de volta para a professora.

— Ela vai acordar novamente, não vai?

— Haverá água, se Deus quiser — repetiu a viúva. Depois, a boca fantasma embaixo do véu se ergueu no que poderia ter sido um sorriso.

— Neste caso, acho que haverá. Sua mãe é forte.

— Posso falar com você, sai? Pois, se eu não falar com alguém, vou explodir.

— É claro. Vamos até a varanda. Eu ficarei aqui hoje à noite, com sua licença. Posso ficar? E você colocaria Girassol no estábulo, caso eu fique?

— Ié — concordou Tim. Para seu alívio, ele até conseguiu sorrir. — E te agradeço.

O ar estava mais quente ainda. Sentada na cadeira de balanço que tinha sido o poleiro preferido de Grande Ross nas noites de verão, a viúva falou:

— Parece tempo de borrasca. Pode me chamar de louca, você não seria a primeira pessoa, mas parece mesmo.

— O que é isto, sai?

— Não se preocupe, provavelmente não é nada… a não ser que você veja o sir Throcken dançando à luz das estrelas ou olhando para o norte com o focinho erguido, quer dizer. Não há borrasca por estas quebradas desde que eu era um fiapo de ser, e isto foi há muitos anos. Temos outras coisas sobre o que falar. Foi apenas o que aquele animal fez com tua mãe que te perturba tanto ou tem mais alguma coisa?

Tim suspirou, sem saber por onde começar.

— Eu vejo uma moeda no seu pescoço que acredito ter visto no pescoço de seu pai. Talvez você comece por aí. Mas precisamos falar de outra coisa primeiro, como proteger sua mãe. Eu te mandaria para o delegado Howard, mesmo que fosse tarde, mas a casa dele está às escuras e fechada. Eu mesma reparei ao vir para cá. O que também não é surpresa. Todo mundo sabe que, quando o Cobrador vem à Vila da Árvore, Howard Tasley arruma algum motivo para sumir. Eu sou uma velha, e você é apenas uma criança. O que faremos se Bern Kells voltar para terminar o que começou?

Tim, que não se sentia mais uma criança, levou a mão ao cinto.

— A moeda do meu pai não foi tudo o que encontrei hoje à noite. — Ele puxou a machadinha de Grande Ross e mostrou para ela. — Isto também foi do meu pai, e se Kells ousar voltar, vou cravá-la na cabeça dele, que é onde a machadinha pertence.

A viúva Smack começou a protestar, mas a expressão no olhar dele a fez mudar de ideia.

— Conte-me sua história. Não omita uma palavra.

Tim cumpriu a ordem da viúva de não omitir nada e fez questão de contar o que a mãe dissera a respeito do estranho caráter imutável do homem com a bacia de prata. Quando ele terminou, a velha professora ficou quieta por um momento… embora a brisa noturna fizesse o véu tremular fantasmagórico de modo que ela parecia estar assentindo.

— Ela está certa, você sabe — falou a viúva por fim. — O Cobrador não envelheceu um dia. E cobrar impostos não é o trabalho dele. Acho que é o passatempo. Ele é um homem com *passatempos*, ié. Ele tem as *distrações* dele. — Ela ergueu os dedos diante do véu, aparentou observá-los, depois baixou-os novamente para o colo.

— Você não está tremendo — comentou Tim.

— Não, hoje não, e isto é uma coisa boa se eu for ficar de vigília ao lado da cama de sua mãe. Que é o que pretendo fazer. Você, Tim, dormirá em um colchão de palha atrás da porta. Será desconfortável, mas, caso seu padrasto volte e você queira ter uma chance contra ele, precisará atacá-lo por trás. Um pouco diferente do Bravo Bill das histórias, não é?

Tim cerrou as mãos, as unhas cravaram nas palmas.

— Foi como o desgraçado fez com meu pai, e é tudo que ele merece.

A viúva Smack pegou uma das mãos do menino e fez carinho para abri-la.

— Ele provavelmente não voltará, de qualquer forma. Certamente não voltará se pensar que a matou, o que pode ser possível. Havia muito sangue.

— *Maldito!* — praguejou Tim em uma voz baixa e embargada.

— Ele provavelmente está caído em algum lugar, bêbado. Amanhã você deve procurar Peter Certinho Cosington e Ernie Lerdo Marchly, pois é no trecho deles que seu pai agora se encontra. Mostre a moeda que está no seu pescoço e diga como a encontrou no baú de Kells. Eles podem reunir um destacamento e procurar por Kells até ele ser encontrado e trancafiado na cadeia. Não vai demorar muito para que o encontrem, eu garanto, e quando Kells ficar sóbrio, vai alegar que não tem ideia do que fez. Pode até ser que esteja dizendo a verdade, porque, quando a bebida bate forte em alguns homens, ela desce como uma cortina.

— Eu irei com eles.

— Não, isto não é serviço para um menino. Já é ruim que você tenha que esperá-lo hoje à noite com a machadinha do seu pai. Hoje você precisa ser um homem. Amanhã você pode voltar a ser um menino, e o lugar de um menino com uma mãe que foi gravemente ferida é ao lado dela.

— O Cobrador disse que talvez esperasse na Trilha do Pau-ferro por mais uma noite ou duas. Talvez eu devesse...

A mão que fez carinho havia instantes agora agarrou o pulso de Tim onde a pele era fina, com força suficiente para machucar.

— Jamais pense nisso! Ele já não fez mal o suficiente?

— O que você está dizendo? Que o Cobrador fez tudo isso acontecer? Foi Kells que matou meu pai e foi Kells que bateu na mamãe!

— Mas foi o Cobrador que lhe deu a chave, e não há como dizer o que mais ele possa ter feito. Ou *fará*, se tiver a chance, porque ele deixa um rastro de ruína e lamentações há tempos imemoriais. Você acha que as pessoas o temem apenas porque o Cobrador tem o poder de expulsá-las das terras se não puderem pagar os impostos do baronato? Não, Tim, não.

— Você sabe o nome dele?

— Não, nem preciso, porque sei o que ele *é*: a pestilência, com um coração que bate. Era uma vez, depois que o Cobrador concluiu um serviço torpe aqui, que não são para os ouvidos de um menino, eu decidi descobrir o que fosse possível. Escrevi uma carta a uma grande dama que conheci há muito tempo em Gilead, uma mulher tão discreta quanto bela, o que é uma rara combinação, e paguei uma boa quantia em prata para um mensageiro levar a carta e voltar com a resposta... que minha correspondente na cidade grande me implorou que queimasse. Ela disse que quando o Cobrador de Gilead não está cuidando do seu *passatempo* de cobrar impostos, um trabalho que se resume a lamber as lágrimas dos rostos da pobre massa trabalhadora, ele é um consultor dos lordes palacianos que se autodenominam Conselho do Eld. Embora eles sejam os únicos que acreditam que exista essa tal ligação de sangue com o Eld. Dizem que o Cobrador é um grande mago, e talvez haja pelo menos um pouco de verdade aí, porque você viu a magia dele em ação.

— Vi mesmo — concordou Tim, enquanto pensava na bacia. E na maneira como o sai Cobrador pareceu ficar mais alto ao se irritar.

— Minha correspondente disse que há até aqueles que alegam que ele seria Maerlyn, que era o mago da corte do próprio Arthur Eld, pois dizem que Maerlyn é eterno, uma criatura que vive de trás para a frente no tempo. — Debaixo do véu veio uma fungada. — Só de pensar nisto a cabeça dói, porque uma ideia dessas não faz sentido na natureza.

— Mas Maerlyn era um mago benigno, ou pelo menos é o que dizem as histórias.

— Aqueles que alegam que o Cobrador é Maerlyn disfarçado dizem que ele se tornou mau pela magia do Arco-Íris do Mago, que ele foi encarregado de proteger antes da queda do Reino do Eld. Outros dizem que, durante as andanças depois da queda, Maerlyn descobriu certos *artifaxes* do Povo Antigo, ficou obcecado e deixou as sombras adentrassem até o fundo da sua alma por causa eles. Isto aconteceu na Floresta Infinita, dizem, onde Maerlyn ainda mantém uma casa mágica onde o tempo não avança.

— Não parece muito provável — comentou Tim... embora estivesse fascinado pela ideia de uma casa mágica onde os ponteiros jamais andassem e a areia nunca caísse na ampulheta.

— É pura merda, isto sim! — E, ao notar a expressão perplexa do menino, ela emendou: — Rogo seu perdão, mas às vezes só a vulgaridade funciona. Nem mesmo Maerlyn conseguiria estar em dois lugares ao mesmo tempo, vagando pela Floresta Infinita em uma ponta do Baronato do Norte e servindo aos lordes e pistoleiros de Gilead na outra. Não, o Cobrador não é Maerlyn, mas é um mago: um mago das trevas. Foi o que disse a dama que um dia ensinei, e é no que eu acredito. É por isso que você jamais deve se aproximar dele novamente. Qualquer bem que ele se ofereça para fazer por você será uma mentira.

Tim refletiu sobre isso, depois perguntou:

— Você sabe o que é uma *sighe*, sai?

— Claro. As *sighe* são fadas que dizem viver nas profundezas da floresta. O homem das trevas falou a respeito delas?

— Não, foi apenas uma história que Willem Palha me contou outro dia na serraria.

Por que eu menti?

Mas, no fundo do coração, Tim sabia.

Bern Kells não voltou naquela noite, o que foi o melhor. Tim queria ficar de guarda, mas era apenas um menino e estava exausto. *Vou fechar os olhos por alguns segundos para descansá-los*, foi o que disse a si mesmo ao se deitar no colchão de palha que arrumou atrás da porta. Pareceu que não se passaram mais do que alguns instantes, porém, quando Tim abriu os olhos novamente, a cabana estava tomada pela luz matinal. O machado do pai estava no chão ao lado, onde a mão relaxada deixara a ferramenta cair. Ele pegou a machadinha, recolocou no cinto e entrou apressado no quarto para ver a mãe.

A viúva Smack dormia profundamente na cadeira de balanço de Tavares que ela puxara para perto da cama de Nell, e o véu tremulava com os roncos. Os olhos de Nell estavam abertos e se voltaram para o som dos passos de Tim.

— Quem vem lá?

— É Tim, mamãe. — Ele se sentou ao lado na cama. — Sua visão voltou? Nem que seja um pouquinho?

Ela tentou sorrir, mas a boca inchada só conseguiu se contrair.

— Ainda está tudo escuro, infelizmente.

— Não tem problema. — Tim levantou a mão que não estava com talas e beijou as costas. — Acho que ainda é muito cedo.

As vozes acordaram a viúva.

— Ele diz a verdade, Nell.

— Cega ou não, no ano que vem seremos expulsos com certeza, e aí o que será de nós?

Nell virou o rosto para a parede e começou a chorar. Tim olhou para a viúva, sem saber o que fazer. Ela fez um gesto para que o menino saísse.

— Eu darei algo que está na minha bolsa para acalmá-la. Você tem alguns homens para visitar, Tim. Vá logo, ou eles sairão para a floresta.

Ele poderia ter se desencontrado de Peter Cosington e Ernie Marchly de qualquer maneira se Anderson Careca, um dos grandes fazendeiros da Vila da Árvore, não tivesse passado no barracão da dupla para bater papo enquanto eles selavam as mulas e se preparavam para o dia. Os três escutaram a história em um silêncio grave, e quando Tim se engasgou ao contar que a mãe continuava cega ao acordar naquela manhã, Peter Certinho pegou o garoto pelos braços e falou:

— Conte conosco, menino. Vamos reunir todos os lenhadores da cidade, tanto os que trabalham nos paus-de-broto quanto os que vão aos paus-ferros. Não haverá derrubada na floresta hoje.

— E eu mandarei os rapazes avisarem os fazendeiros — disse Anderson. — Avisar Destry e a serraria também.

— E quanto ao delegado? — perguntou Ernie Lerdo, um pouco nervoso.

Anderson abaixou a cabeça, cuspiu entre as botas e limpou o queixo com a base da palma da mão.

— Foi pra Tavares, pelo que escutei, à procura de caçadores ilegais ou para visitar a mulher que ele tem lá. Tanto faz. Howard Tasley vale tanto quanto peido em ventania. Nós faremos o serviço por conta própria e já teremos prendido Kells quando o delegado voltar.

— Com um par de braços quebrados, se ele oferecer resistência — acrescentou Cosington. — Ele nunca foi capaz de controlar a bebedeira ou o temperamento. Era gente boa quando tinha Jack Ross para controlá-lo, mas olhe a que ponto a situação chegou! Nell Ross cega de tanto apanhar! Grande Kells sempre arrastou a asa para ela, e o único que não sabia disso era...

Anderson calou Cosington com uma cotovelada, depois se voltou para Tim e se curvou com as mãos nos joelhos porque era alto.

— Foi o Cobrador que encontrou o cadáver do seu pai?

— Ié.

— E você mesmo viu o corpo.

Os olhos de Tim ficaram cheios de lágrimas, mas a voz permaneceu firme.

— Ié, vi sim.

— No nosso lote — comentou Ernie Lerdo. — Atrás de uma das sendas. Naquela que o *pooky* escolheu para morar.

— Ié.

— Sou capaz de matá-lo só por causa disso — afirmou Cosington —, mas traremos Grande Kells vivo, se pudermos. Ernie, é melhor nós dois irmos até lá para trazer... você sabe, os restos... antes de começarmos com a busca. Careca, você consegue espalhar a notícia sozinho?

— Ié. Nós nos reuniremos no mercado. Fiquem de olho na Trilha do Pau-ferro quando vocês forem, rapazes, mas eu aposto que encontraremos aquele inútil na cidade, caído de bêbado. — E falou mais para si mesmo do que para os demais: — Eu *nunca* acreditei naquela história de dragão.

— Comecem atrás do Gitty's — sugeriu Ernie Lerdo. — Ele dormiu ali para curar a bebedeira mais de uma vez.

— Pode deixar. — Anderson Careca olhou para o céu. — Eu não gosto muito deste tempo, para falar a verdade. Está quente demais para a Terra Ampla. Espero que o tempo não traga tempestade e peço aos deuses que não traga uma borrasca. Isto pioraria tudo. Nenhum de nós conseguiria pagar o Cobrador quando fizer a sua visita no ano que vem. Porém, se for verdade o que o menino disse, ele tirou uma maçã podre do cesto e nos fez um favor.

Ele não fez um favor para a mamãe, pensou Tim. *Se não tivesse me dado aquela chave e eu não tivesse usado, ela ainda teria a visão.*

— Vá para casa agora — disse Marchly para Tim. Ele falou com delicadeza, mas em um tom que não deu espaço para discussão. — Passe na minha casa a caminho, por favor, e diga para minha esposa que precisam de mulheres na sua. A viúva Smack tem que voltar para a própria casa e descansar, pois não é jovem, nem saudável. Também… — Ele suspirou. — Diga a ela que as moças serão necessárias na funerária de Stokes mais tarde.

Dessa vez, Tim levara Misty, e ela era o tipo de mula que precisava parar e mordiscar a cada arbusto. Quando o menino chegou em casa, duas carroças e uma charrete já o tinham ultrapassado, cada um com um par de mulheres dispostas a ajudar sua mãe naquele momento de sofrimento e dificuldade.

Tim havia acabado de colocar Misty no estábulo ao lado de Bitsy quando Ada Cosington surgiu na varanda para dizer que ele precisava levar a viúva Smack para casa.

— Você pode usar a minha charrete. Vá devagar onde houver sulcos, porque a pobre mulher está acabada.

— Ela está com tremedeira, sai?

— Não, acho que a pobrezinha está cansada demais para tremer. Ela esteve aqui quando sua mãe mais precisou e pode ter salvado a vida dela. Jamais se esqueça disso.

— Minha mãe voltou a enxergar? Só um pouquinho?

Tim sabia a resposta pelo rosto de sai Cosington antes mesmo de ela abrir a boca.

— Ainda não, filho. Você tem que rezar.

Tim pensou em dizer a ela o que seu pai às vezes falava: *Reze pela chuva o quanto quiser, mas cave um poço enquanto isso*. No fim, ele ficou calado.

* * *

Foi uma viagem lenta à casa da viúva com o pequeno burrico amarrado à traseira da charrete de Ada Cosington. O calor fora de época continuou, e a brisa fresca que geralmente soprava da Floresta Infinita havia parado. A viúva tentou dizer coisas animadoras sobre Nell, mas logo desistiu; Tim achou que elas soavam tão falsas aos ouvidos da professora quanto aos próprios. No meio da rua principal, o menino ouviu o som forte de um gargarejo, à direita. Ele virou o rosto, assustado, e depois relaxou. A viúva pegara no sono com o queixo apoiado no peito de passarinho. A borda do véu caiu no colo.

Quando os dois chegaram à casa nos arredores do vilarejo, Tim se ofereceu para acompanhar a viúva para dentro.

— Não, apenas me ajude a subir os degraus, e depois disso eu ficarei bem. Eu quero chá com mel e, a seguir, a cama, pois estou muito cansada. Você precisa estar com sua mãe agora, Tim. Sei que metade das mulheres da cidade estará lá quando voltar, mas é de você que ela precisa.

Pela primeira vez nos cinco anos em que tivera ela como sua professora, a viúva deu um abraço em Tim. Foi seco e firme. O menino sentiu o corpo dela pulsar debaixo do vestido. Afinal, parecia que ela não estava cansada demais para tremer. Nem para consolar um menino — um menino cansado, com raiva e extremamente confuso — que precisava muito de consolo.

— Vá até ela. E fique longe do homem das trevas, caso ele apareça para ti. Ele é feito de mentira dos pés à cabeça, e sua pregação não traz nada além de lágrimas.

Na volta pela rua principal, ele encontrou Willem Palha e o irmão, Hunter (conhecido como Hunter Malhado por causa das sardas), cavalgando para encontrar o destacamento, que seguira pela Rua da Árvore.

— Eles pretendem vasculhar cada senda e lote na Trilha do Pau-ferro — falou Hunter Malhado, empolgado. — Nós o encontraremos.

O destacamento não encontrara Kells na cidade afinal de contas, ao que parecia. Tim sentia que também não o encontrariam ao longo da Trilha do Pau-ferro. Não havia motivo para a sensação, mas era forte. Assim como a sensação de que o Cobrador ainda tinha mais coisas a fazer com Tim. O homem da capa preta tinha se divertido um pouco… mas não o *suficiente*.

A mãe estava dormindo, porém acordou quando Ada Cosington acompanhou Tim até o quarto. As outras mulheres estavam sentadas na sala principal, mas não ficaram à toa enquanto ele esteve fora. A despensa foi misteriosamente estocada — cada prateleira gemia com o peso de garrafas e pacotes —, e, embora Nell fosse uma ótima dona de casa do interior, Tim jamais tinha visto o lugar tão nos trinques. Até mesmo as vigas do teto foram escovadas para tirar a fumaça da lenha.

Todo e qualquer vestígio de Bern Kells foi removido. O maldito baú foi banido para debaixo do degrau da varanda dos fundos, para fazer companhia aos ratos, aranhas e sapos.

— Tim? — E quando o filho deu as mãos para Nell, que esticava os braços, ela suspirou de alívio. — Tudo bem?

— Ié, mamãe, tudo bem. — Era mentira, e ambos sabiam.

— Nós sabíamos que ele estava morto, não sabíamos? Mas isso não nos conforta. É como se ele tivesse sido morto novamente. — Lágrimas começaram a escorrer dos olhos cegos. O próprio Tim chorou, mas conseguiu fazê-lo em silêncio. Ouvir o filho chorar não faria o menor bem a ela. — Eles trarão seu pai para a pequena funerária que Stokes mantém atrás da ferraria. A maior parte dessas senhoras gentis estará lá para arrumá-lo, mas você pode ir primeiro, Timmy? Pode levar seu amor e todo o meu? Porque eu não posso. O homem com quem eu me casei, de tola que sou, me bateu tanto que mal consigo andar... e é claro que não enxergo nada. Que *ka-mai* eu me revelei ser e que preço nós pagamos!

— Calma. Eu te amo, mamãe. Claro que vou.

Mas, como havia tempo, Tim foi antes ao celeiro (havia mulheres demais na cabana para o gosto dele) e fez uma cama improvisada com palha e um velho cobertor para mulas. Ele pegou no sono quase imediatamente. Foi acordado por volta das três por Peter Certinho, que segurava o chapéu no peito e estava com uma expressão solene de tristeza.

Tim se sentou e esfregou os olhos.

— Vocês encontraram Kells?

— Não, rapaz, mas encontramos seu pai e o trouxemos de volta à cidade. Sua mãe disse que você vai prestar as últimas homenagens por vocês dois. É verdade?

— Ié, sim. — Tim ficou de pé e espanou a palha das calças e da camisa. Estava constrangido por ter sido flagrado dormindo, mas o descanso na noite anterior fora curto e assombrado por pesadelos.

— Venha então. Vamos na minha carroça.

* * *

A funerária atrás da ferraria era a coisa mais próxima que a cidade tinha de um necrotério, naquela época em que a maioria dos interioranos preferia cuidar dos próprios mortos, enterrá-los no próprio terreno com uma cruz de madeira ou uma placa tosca de pedra entalhada para marcar o túmulo. Dustin Stokes — inevitavelmente conhecido como Dustin Esquentado — estava do lado de fora e usava calças de algodão brancas em vez das calças de couro de sempre. Sobre elas tremulava uma enorme camisa branca que ia até os joelhos e quase parecia um vestido.

Ao vê-lo, Tim se lembrou de que era costume usar branco em funerais. Ele compreendeu tudo naquele momento, se deu conta da realidade de uma maneira que não fora capaz de entender nem quando olhara para o cadáver de olhos abertos do pai na água corrente, e suas pernas ficaram bambas.

Peter Certinho o amparou com uma mão forte.

— Vai conseguir, rapaz? Se não conseguir, não é vergonha. Ele era seu pai, e sei que você o amava muito. Todos nós amávamos.

— Vou ficar bem — assegurou Tim. Sentia como se lhe faltasse ar nos pulmões, e as palavras saíram sussurradas.

Dustin Esquentado levou o punho à testa e se curvou. Foi a primeira vez na vida que Tim foi saudado como um homem.

— *Hail*, Tim, filho de Jack. O ka de seu pai foi para a clareira, mas o que sobrou está aqui. Você quer entrar e ver?

— Sim, por favor.

Peter Certinho ficou para trás, e agora foi Stokes que pegou o braço de Tim; Stokes, que não vestia as calças de couro, nem xingava ao atiçar a fornalha com os foles, mas estava vestido de branco cerimonial; Stokes, que levou o menino para o pequeno aposento com cenas florestais pintadas nas paredes; Stokes, que o levou ao ataúde de pau-ferro no centro — aquele espaço aberto que sempre representava a clareira no fim do caminho.

Grande Jack Ross também vestia branco, embora a roupa fosse uma leve mortalha de linho. Os olhos sem pálpebras encaravam o teto, fascinados. Contra uma parede pintada estava apoiado o caixão, cujo cheiro acre, porém de alguma forma agradável, preenchia a sala, porque o caixão também era de pau-ferro e manteria aqueles pobres restos mortais por uns bons mil anos ou mais.

Stokes largou o braço de Tim, que seguiu em frente sozinho. Ele se ajoelhou. Colocou a mão por sob a mortalha de linho e encontrou a mão do pai. Estava fria, mas Tim não hesitou em entrelaçar seus dedos quentes e vivos nos dedos mortos. Era assim que os dois se davam as mãos quando Tim era um menininho que mal sabia andar. Naqueles dias, o homem que andava ao lado dele parecia ter quatro metros de altura e ser imortal.

Tim se ajoelhou junto ao ataúde e contemplou o rosto do pai.

Quando Tim saiu, ficou assustado com a posição baixa do sol, e soube que mais de uma hora se passara. Cosington e Stokes estavam perto da pilha de cinzas da altura de um homem nos fundos da ferraria e fumavam cigarros de palha. Não havia notícias de Grande Kells.

— Talvez ele tenha se jogado no rio e se afogado — especulou Stokes.

— Suba na carroça, filho — chamou Cosington. — Eu levo você de volta para a casa da sua mãe.

Mas Tim fez que não com a cabeça.

— Obrigado, mas eu vou a pé, caso não se importe.

— Precisa de tempo para pensar, não é? Ora, tudo bem. Vou para a minha própria casa. Será um jantar frio, mas comerei feliz. Ninguém inveja sua mãe em um momento como este, Tim. Nunca, jamais.

Tim deu um sorriso desanimado.

Cosington colocou os pés no para-lama da carroça, pegou as rédeas, depois pareceu pensar em algo e se abaixou na direção de Tim.

— Mas fique de olho em Kells ao andar por aí. Não que eu ache que vamos vê-lo, não à luz do dia. E vamos deixar dois ou três sujeitos fortes em volta da sua casa hoje à noite.

— Obrigado, sai.

— Nada disso. Me chame de Peter, rapaz. Você já é velho o suficiente, e eu prefiro. — Ele estendeu a mão e apertou a de Tim rapidamente.

— Sinto muito pelo seu pai. Sinto *muito mesmo*.

Tim seguiu a Estrada da Árvore com o sol vermelho se pondo à direita. Ele se sentiu oco, vazio, e talvez fosse melhor assim, pelo menos por enquanto. Com a mãe cega e sem um homem na casa para prover, que futuro havia para eles? Os colegas lenhadores de Grande Ross ajudariam o quanto pudessem, e pelo tempo que pudessem, mas tinham os próprios problemas. Seu pai sempre chamara a casa de propriedade privada, mas Tim percebeu agora que nenhum pedaço de terra, cabana ou fazenda na Vila da Árvore era realmente privado. Não enquanto o Cobrador viesse no ano que vem, e em todos os anos seguintes, com a lista de nomes. De repente, Tim odiou a distante Gilead, que para ele sempre pareceu ser (quando sequer pensava sobre ela, o que era raro) um local de maravilhas e sonhos. Se não houvesse Gilead, não haveria impostos. Então eles realmente teriam vidas privadas.

Tim viu uma nuvem de poeira surgir ao sul. O sol baixo transformou a nuvem em uma névoa sangrenta. Ele sabia que eram as mulheres que estiveram na cabana. Estavam nas carroças e charretes, a caminho da funerária de onde Tim acabara de sair. Lá, elas lavariam o corpo que já havia sido lavado pelo córrego onde fora jogado. Iriam ungi-lo com óleos. Colocariam casca de bétula na mão direita do morto com os nomes da esposa e do filho inscritos. Colocariam o ponto azul na testa de Grande Ross e o corpo no caixão, que seria fechado por pregos por Dustin Esquentado com golpes curtos do martelo, e cada golpe teria um horrível caráter definitivo.

As mulheres dariam condolências a Tim com a maior boa vontade do mundo, mas o menino não queria isto. Não sabia se poderia suportá-las sem sucumbir outra vez. Estava tão *cansado* de chorar. Com isso em mente, ele saiu da estrada e andou pela terra até o pequeno e agradável córrego conhecido como riacho Stape, que em pouco tempo o levaria à fonte: a nascente límpida entre a cabana e o celeiro de Ross.

Ele se arrastou meio que sonhando, pensou primeiro no Cobrador, a seguir na chave que só funcionava uma vez, aí então no *pooky*, depois nas mãos da mãe que se esticavam na direção do som de sua voz...

Tim estava tão absorto que quase passou pelo objeto que se projetava do caminho que acompanhava o curso do córrego. Era um bastão de aço com uma ponta branca que parecia de marfim. O menino ficou de cócoras e encarou o objeto de olhos arregalados. Ele se lembrou de ter perguntado ao Cobrador se era uma varinha de condão e ter ouvido a resposta enigmática: *Ela começou a vida como a alavanca de câmbio de um Dodge Dart.*

O bastão fora enfiado até a metade na argila, um gesto que deve ter exigido grande força. Tim esticou a mão para pegá-lo, hesitou, depois disse a si mesmo para deixar de ser tolo, que aquilo não era um *pooky* que o paralisaria com a mordida e o comeria vivo. Ele arrancou o objeto e o examinou com cuidado. Era realmente de aço, aço bem forjado, do tipo que apenas os Grandes Anciãos sabiam como fazer. Sem dúvidas muito valioso, mas será que era realmente mágico? Para Tim, parecia apenas outra coisa de metal, ou seja, algo frio e morto.

Nas mãos certas, sussurrou o Cobrador, *qualquer objeto pode ser mágico*.

Tim espiou um sapo que pulava sobre uma bétula podre no outro lado do córrego. Ele direcionou a ponta de marfim para o bicho e disse a única palavra mágica que conhecia: *abba-ka-dabba*. Quase esperava que o sapo fosse cair morto ou se transformasse em... bem, *alguma coisa*. O bicho não morreu e não se transformou. O que ele fez foi saltar para fora do tronco e desaparecer na grama alta e verde no limite do riacho. E, no entanto, aquilo tinha sido deixado para Tim, ele tinha certeza. O Cobrador de alguma forma soubera que ele viria por esse caminho. E quando viria.

Tim se virou para o sul novamente e viu um clarão de luz vermelha. Veio por entre a cabana e o celeiro. Por um momento, o menino ficou olhando o intenso reflexo escarlate. Depois começou a correr. O Cobrador deixara a chave para ele; o Cobrador deixara a varinha para ele; e ao lado da nascente onde eles pegavam água, o Cobrador deixara a bacia de prata.

Aquela que ele usava para ver.

Só que não era a bacia, e sim apenas um balde surrado de lata. Tim ficou desanimado e começou a ir na direção do celeiro, com a ideia de alimentar as mulas antes de entrar. Então ele parou e se virou.

Um balde, mas não era o balde *deles*. O balde que usavam era menor, feito de pau-ferro e equipado com uma alça de pau-de-broto. Tim voltou à nascente e o pegou. Ele bateu na lateral com a ponta de marfim da varinha do Cobrador. O balde soltou uma nota baixa e retumbante que fez o menino dar um pulo para trás. Nenhum pedaço de lata jamais produziu um som tão ressonante. Agora que pensou a respeito, também nenhum balde velho de lata seria capaz de refletir o sol poente de maneira tão perfeita quanto esse.

Você acha que eu abriria mão de minha bacia de prata para um pirralho como Tim, filho de Jack? Por que eu faria isso, se qualquer objeto pode ser mágico? E, falando em magia, por acaso eu não lhe dei a minha própria varinha?

Tim sabia que era apenas a sua imaginação recriando a voz do Cobrador, mas acreditava que o homem da capa preta teria dito praticamente a mesma coisa, se estivesse ali.

Então outra voz falou em sua mente: *Ele é feito de mentira dos pés à cabeça, e sua pregação não traz nada além de lágrimas.*

Essa voz Tim afastou, depois se dobrou para encher o balde que lhe fora deixado. Quando ficou cheio, a dúvida voltou. Ele tentou lembrar se o Cobrador tinha feito alguma série especial de passes sobre a água — passes mágicos não faziam parte do ritual da magia? — e não conseguiu. Tudo que Tim lembrava era o homem de preto dizendo que, se ele agitasse a água, não veria nada.

Mais descrente da própria habilidade de usar a varinha do que do objeto em si, Tim sacudiu o bastão a esmo, para a frente e para trás acima da água. Por um momento, não houve nada. Ele estava prestes a desistir quando uma bruma ofuscou a superfície e escondeu o reflexo. A bruma passou, e o menino viu o Cobrador olhando para ele. Estava escuro onde quer que o homem da capa preta se encontrasse, mas uma estranha luz verde, menor do que uma unha, pairava sobre a sua cabeça. A luz subiu mais, e na claridade Tim viu uma placa pregada no tronco de um pau-ferro. ROSS-KELLS fora pintado nela.

A luzinha verde subiu em uma espiral até ficar logo abaixo da superfície da água no balde, e Tim arfou. Havia uma pessoa na luz verde — uma mulher verde minúscula com asas transparentes nas costas.

É uma sighe *— uma fada!*

Aparentemente satisfeita por ter chamado a atenção de Tim, a *sighe* saiu voando, pousou brevemente no ombro do Cobrador, depois pareceu pular dali. Agora ela pairava entre dois postes que sustentavam uma barra transversal. Ali estava pendurada outra placa, e, assim como no caso das letras da placa que demarcava o lote de Ross-Kells, Tim reconheceu a letra caprichada do pai. FINAL DA TRILHA DO PAU-FERRO, dizia a placa. ADIANTE FICA FAGONARD. E embaixo, em letras maiores e mais escuras: **CUIDADO, VIAJANTE!**

A *sighe* disparou de volta para o Cobrador, circulou duas vezes por ele e pareceu deixar um rastro espectral de brilho verdejante, depois subiu e pairou discretamente ao lado da bochecha. O Cobrador olhou direto para Tim; uma figura que tremulava (como o próprio pai do menino tremulou quando o menino viu o cadáver na água) e, no entanto, era perfeitamente real, estava perfeitamente *ali*. Ele ergueu a mão em um semicírculo acima da cabeça e fez um corte com os dedos. Essa era uma linguagem de sinais que Tim conhecia bem, porque todos na Vila da Árvore a usavam, de tempos em tempos: *Ande rápido, ande rápido.*

O Cobrador e a companheira fada sumiram e deixaram Tim encarando o próprio rosto de olhos arregalados. Ele passou a varinha sobre o balde novamente e mal notou quc o bastão dc aço agora vibrava no punho. A fina cobertura de bruma reapareceu, aparentemente do nada. Ela rodopiou e desapareceu. Agora Tim viu uma casa alta com muitas cumeeiras e chaminés. Ela estava em uma clareira rodeada por paus-ferros de tamanha altura e circunferência que faziam os paus-ferros da trilha parecerem pequenos. *Com certeza*, pensou Tim, *os cumes devem furar as próprias nuvens*. Ele percebeu que esse lugar deveria ser nas profundezas da Floresta Infinita, o mais distante que o mais valente lenhador da Árvore jamais foi, sem dúvida. As inúmeras janelas da casa eram decoradas com símbolos cabalísticos, e por causa deles Tim soube que olhava para a casa de Maerlyn Eld, onde o tempo parava ou até mesmo corria ao contrário.

Um pequeno Tim cintilante apareceu no balde. Ele se aproximou da porta e bateu. Ela se abriu. De dentro saiu um velho sorridente cuja barba branca até a cintura reluzia com gemas. Sobre a cabeça havia um chapéu cônico tão amarelo quanto o sol de Terra Plena. Tim-da-água falou rapidamente com Maerlyn--da-água. Maerlyn-da-água se curvou e entrou de novo na casa... que parecia mudar constantemente de forma (embora talvez pudesse ter sido a água). O mago retornou, agora com um pano preto na mão que parecia seda. Ele ergueu aos olhos e demonstrou o uso: uma venda. Maerlyn-da-água entregou para Tim-da-água, mas, antes que ele pudesse pegar, a bruma reapareceu. Quando foi embora, Tim não viu nada além do próprio rosto e de uma ave que passava acima, que devia estar querendo voltar para o ninho antes do pôr do sol.

Tim passou o bastão por cima do balde uma terceira vez, agora ciente da vibração do objeto, apesar da fascinação. Quando a bruma passou, ele viu Tim-da-água sentado ao lado da cama de Nell-da-água. A venda estava sobre os olhos de sua mãe. Tim-da-água tirou a venda, e uma expressão de alegria inacreditável iluminou o rosto de Nell-da-água. Ela deu um abraço no filho, rindo. Tim-da-água também ria.

A bruma cobriu a visão como fez com as outras duas, mas a vibração do bastão de aço parou. *Inútil como lixo*, pensou Tim, e era verdade. Quando a bruma se desmanchou, a água no balde de lata não mostrou nada mais miraculoso além da luz que sumia no céu. Ele passou a varinha do cobrador sobre a água várias vezes mais, porém nada aconteceu. Tudo bem. O menino sabia o que precisava fazer.

Tim ficou de pé, olhou na direção da casa e não viu ninguém. Os homens que se ofereceram como voluntários para vigiar chegariam em breve, entretanto. Ele teria que agir rápido.

No celeiro, Tim perguntou a Bitsy se ela gostaria de fazer outro passeio noturno.

A viúva Smack estava exausta por conta de tudo que tinha feito a serviço de Nell Ross, mas ela também era velha e doente, e estava sentindo mais os efeitos do calor estranho e fora de época do que a consciência admitiria. Portanto, embora Tim não tenha ousado bater com força na porta (apenas o ato de bater após o pôr do sol consumiu a maior parte da determinação do menino), ela despertou na mesma hora.

A viúva pegou uma lamparina e, ao ver sob a luz quem estava ali, foi tomada pela tristeza. Se a doença degenerativa que a afligia não tivesse tirado a capacidade de formar lágrimas no olho que restava, a viúva teria chorado ao ver aquele rosto jovem tão cheio de tola ousadia e de determinação mortal.

— Você pretende voltar à floresta — falou ela.

— Ié — disse Tim baixinho, mas com firmeza.

— Apesar de tudo que eu falei.

— Ié.

— Ele te deixou fascinado. E por quê? Por lucro? Não, ele não. O Cobrador viu uma luz intensa na escuridão desse fim de mundo esquecido, só isso, e nada o interessa a não ser apagá-la.

— Sai Smack, ele me mostrou...

— Algo a ver com sua mãe, aposto. Ele sabe as alavancas que movem as pessoas; ié, ninguém sabe melhor do que o Cobrador. Ele tem chaves mágicas para abrir os corações. Sei que não consigo te deter com palavras, porque basta um olho para ler seu rosto. E sei que não posso te conter com força, assim como você sabe. Por que outro motivo veio a mim para seja lá o que quer?

Ao ouvir isso, Tim demonstrou vergonha, mas nenhum enfraquecimento na determinação, e diante disso a viúva compreendeu que ele realmente estava perdido para ela. Pior, o menino provavelmente estava perdido para si mesmo.

— O que *é* que você quer?

— Apenas que dê um recado para a minha mãe, por favor. Diga que eu fui à floresta e voltarei com uma coisa que vai lhe curar a visão.

Sai Smack não disse nada por vários segundos, apenas olhou o menino através do véu. Sob a luz da lâmpada erguida, Tim foi capaz de ver as feições arruinadas da professora bem melhor do que queria. Finalmente, ela falou:

— Espere aqui. Não saia correndo sem pedir licença, a não ser que queira que eu pense que tu é um covarde. Também não seja impaciente porque tu sabe que faço as coisas devagar.

Embora estivesse aflito para ir embora, Tim esperou como ela pediu. Os segundos pareceram minutos, e os minutos como horas, mas a viúva enfim retornou.

— Eu tinha certeza de que você havia ido embora — disse ela, e a velha não teria conseguido magoar mais o menino se tivesse açoitado seu rosto. A viúva entregou a lamparina que levou até a porta. — Para iluminar o caminho, pois vejo que você não tem luz nenhuma.

Era verdade. Na pressa de ir embora, Tim se esquecera.

— Obrigado, sai.

Na outra mão, ela segurava um saco de algodão.

— Tem uma bisnaga de pão aí dentro. Não é muita coisa, e é de dois dias atrás, mas é o melhor que posso fazer em termos de provisões.

O nó na garganta de Tim estava apertado demais para fazer discursos, então o menino apenas bateu na garganta três vezes e em seguida esticou a mão para o saco. Mas a viúva o segurou por um momento a mais.

— Há outra coisa aqui dentro, Tim. Algo que pertencia ao meu irmão, que morreu na Floresta Infinita, quase vinte anos atrás. Ele comprou de um mascate, e quando o provoquei e o chamei de um tolo que caía em qualquer uma, meu irmão me levou para os campos a oeste da cidade e me mostrou que aquilo funcionava. Ié, deuses, que barulho o troço fez! Meus ouvidos zumbiram por horas!

Do saco, ela retirou uma arma.

Tim encarou o objeto com olhos arregalados. Ele já havia visto imagens de armas nos livros da viúva, e o Velho Destry tinha na parede da sala de visitas um desenho emoldurado de um tipo de arma chamado de rifle, mas o menino jamais esperou ver uma de verdade. Tinha cerca de trinta centímetros de comprimento, cabo de madeira, e gatilho e canos de metal fosco. Eram quatro canos, presos por tiras que pareciam de latão. Os buracos na ponta, de onde saía seja lá o que a arma atirava, eram quadrados.

— Ele disparou duas vezes antes de me mostrar, e a arma jamais foi usada desde aquele dia, porque meu irmão morreu logo depois. Não sei se ainda *vai* atirar, mas eu a mantive seca, e uma vez por ano, no aniversário do meu irmão, eu passo óleo, do jeito que ele me mostrou. Cada câmara está carregada, e há mais cinco projéteis. Eles são chamados de balas.

— Palas? — perguntou Tim com a testa franzida.

— Não, não, *balas*. Olhe só.

Ela entregou o saco para liberar as duas mãos encarquilhadas, depois se virou para um lado da porta.

— Joshua disse que uma arma jamais deve ser apontada para uma pessoa a não ser que você queira machucá-la ou matá-la. Porque, disse ele, armas têm corações impulsivos. Ou talvez ele tenha dito corações malignos? Após todos esses anos, eu não lembro mais. Há uma pequena alavanca aqui do lado... bem aqui...

Houve um clique, e a arma se abriu entre o punho e os canos. A viúva mostrou para o menino quatro placas quadradas de latão. Quando ela puxou uma placa do buraco onde estava encaixada, Tim viu que ela era na verdade a base de um projétil — uma *bala*.

— A parte traseira de latão permanece depois que você dispara — falou ela. — Você precisa arrancar antes de carregar outra dentro. Entendeu?

— Ié. — Ele estava ansioso para manipular as balas sozinho. Mais: estava ansioso para segurar a arma, puxar o gatilho e ouvir a explosão.

A viúva fechou a arma (que novamente fez um perfeito cliquezinho) e depois mostrou a ponta onde ficava o cabo. Ele viu quatro pequenos dispositivos para engatilhar que deveriam ser puxados para trás com o polegar.

— Estes são os cães. Cada um dispara um cano diferente... se é que este troço maldito ainda dispara. Entendeu?

— Ié.

— A arma é chamada de trabuco. Joshua disse que era seguro desde que nenhum dos cães fosse engatilhado. — Ela cambaleou um pouco, como se tivesse sentido uma tontura. — Dar uma arma a uma criança! Uma criança que pretende entrar na Floresta Infinita à noite, para encontrar o diabo! Porém o que mais eu posso fazer? — E depois, não para Tim: — Mas ele não espera que uma criança tenha uma arma, não é? Talvez ainda haja Branco no mundo, e uma dessas velhas balas acabe no coração sombrio dele. Coloque a arma no saco, por favor.

A viúva entregou a arma para ele pelo cabo. Tim quase a derrubou. Que uma coisa tão pequena pudesse ser tão pesada era surpreendente. E, como a varinha de condão do Cobrador quando era passada sobre a água no balde, ela parecia *vibrar*.

— As balas adicionais estão embrulhadas em algodão. Contando as quatro na arma, você tem nove. Que te sirvam bem e que eu não me veja amaldiçoada na clareira por tê-la dado a você.

— Obrigado... *obrigado*-sai! — Foi tudo que Tim conseguiu dizer.

Ele enfiou a arma no saco.

A viúva Smack colocou as mãos na lateral da cabeça e soltou uma risada amarga.

— Você é um tolo e eu sou outra. Em vez de trazer o trabuco do meu irmão para você, eu deveria ter trazido a vassoura e batido na sua cabeça com ela. — A viúva soltou novamente aquela risada amarga e desesperada. — No entanto, não teria servido de nada, com minha força de velha.

— Pode levar o recado para a mamãe de manhã? Pois desta vez eu não irei apenas por um trecho curto da Trilha do Pau-ferro, mas até o fim.

— Ié, e vai partir o coração dela, provavelmente. — A viúva se curvou na direção do menino, e a barra do véu balançou. — Tu já pensou nisto? Vejo pelo teu rosto que já. Por que você faz isso quando sabe que uma notícia assim vai angustiar a alma de sua mãe?

Tim ficou vermelho do queixo às raízes do cabelo, mas se manteve firme. Naquele momento, ele se pareceu muito com o falecido pai.

— Eu pretendo salvar a visão dela. O Cobrador deixou magia suficiente para me mostrar como é possível fazer isso.

— Magia *sombria*! Que sustenta mentiras! *Mentiras*, Tim Ross!

— É o que você diz. — Agora ele empinou o queixo, algo também característico de Jack Ross. — Mas o Cobrador não mentiu sobre a chave; ela funcionou. Ele não mentiu sobre a surra; ela aconteceu. Não mentiu sobre mamãe estar cega; ela está. Quanto ao meu pai... tu sabe.

— Sim — disse a viúva, que agora falava com um forte sotaque interiorano que Tim jamais ouvira antes. — Sim, e cada uma das verdades do Cobrador agiu de duas maneiras: ou elas te magoaram ou armaram essa armadilha para ti.

Tim não falou nada diante disso, apenas abaixou a cabeça e examinou o bico das botinas gastas. A viúva quase se permitiu ter esperanças quando ele ergueu a cabeça, olhou nos olhos dela e falou:

— Eu deixarei Bitsy amarrada na trilha, depois do lote de Cosington-Marchly. Não quero deixá-la no trecho onde encontrei meu pai porque tem um *pooky* nas árvores. Quando você for visitar a mamãe, pode pedir ao sai Cosington para pegar Bitsy e levá-la para casa?

Uma mulher mais jovem poderia ter continuado a argumentar, quem sabe até mesmo implorasse, porém a viúva não era esta mulher.

— Mais alguma coisa?

— Duas coisas.

— Diga.

— Você daria um beijo na mamãe por mim?

— Ié, com prazer. E a outra coisa?

— Pode me dar a bênção para eu partir?

Ela considerou o pedido, depois fez que não com a cabeça.

— Quanto à bênção, o trabuco do meu irmão é o melhor que posso fazer.

— Então terá que ser o suficiente. — Tim fez uma mesura e levou o punho à testa como saudação; em seguida, deu meia-volta e desceu os degraus em direção ao ponto onde a fiel mula *mollie* estava amarrada.

Em uma voz quase baixa demais para ser escutada, mas não tanto, a viúva Smack falou:

— Em nome de Gan, eu te abençoo. Agora deixe o ka agir.

A lua estava baixa quando Tim desmontou e amarrou Bitsy em um arbusto ao lado da Trilha do Pau-ferro. Ele enchera os bolsos com aveia antes de sair do celeiro e agora espalhou diante do animal como vira o Cobrador fazer com o cavalo na noite anterior.

— Não se assuste, e sai Cosington virá te buscar de manhã — falou Tim.

Uma imagem de Peter Certinho encontrando Bitsy morta, com um buraco enorme na barriga feito por um predador da floresta (talvez aquele mesmo que sentira em seu *passear* pela Trilha do Pau-ferro na noite anterior) passou na sua mente. No entanto, o que mais ele poderia fazer? Bitsy era doce, mas não esperta o suficiente para voltar para casa sozinha, não importa quantas vezes tenha percorrido a mesma trilha, para cima e para baixo.

— Tu vai ficar bem — disse o menino enquanto acariciava o focinho liso... mas ficaria mesmo? Tim afastou da mente a ideia de que a viúva estivera certa a respeito de tudo e de que isso era apenas o primeiro indício.

O Cobrador me disse a verdade a respeito do resto; com certeza, disse a verdade sobre isso também.

Quando o menino já tinha avançado por três rodas na Trilha do Pau-ferro, ele começou a acreditar nisso.

Você tem que se lembrar de que Tim tinha apenas onze anos.

Tim não viu fogueira alguma naquela noite. Em vez do brilho laranja e hospitaleiro de madeira queimando, Tim vislumbrou uma luz fria e verde ao se aproximar do fim da Trilha do Pau-ferro. Ela tremeluzia e às vezes desaparecia, mas sempre voltava, forte o suficiente para lançar sombras que pareciam se enroscar aos seus pés como cobras.

A trilha — fraca agora, porque os únicos sulcos eram aqueles feitos pelas carroças de Grande Ross e Grande Kells — virou à esquerda para contornar um antigo pau-ferro com um tronco maior do que a casa mais larga da Vila da Árvore. Uns cem passos após a curva, o caminho à frente terminava em uma clareira. Lá estava a barra transversal, e ali, a placa. Tim conseguiu ler cada letra, pois acima da placa, suspensa em pleno ar pelas asas que batiam tão rápido que eram quase invisíveis, estava a *sighe*.

Ele se aproximou, esquecendo todo o resto com a maravilha que era aquela visão exótica. A *sighe* não tinha mais do que dez centímetros de altura. Ela estava nua e era linda. Era impossível dizer se o corpo era tão verde quanto o brilho que dele emanava, pois a luz em volta da *sighe* era intensa. No entanto, Tim viu o sorriso acolhedor e soube que ela o via muito bem, embora os olhos puxados e amendoados quase não tivessem pupilas. As asas faziam um som ronronante, baixo e constante.

Do Cobrador, não havia sinal.

A *sighe* fez um giro brincalhão no ar, depois mergulhou nos galhos de um arbusto. Tim sentiu um arrepio de medo, imaginou aquelas asas transparentes sendo rasgadas por espinhos, mas ela surgiu incólume e subiu em uma espiral estonteante a uma altura de quinze metros ou mais — tão alto quanto os primeiros galhos dos paus-ferros — antes de mergulhar na direção do menino. Tim viu os braços torneados jogados para trás, que fizeram com que a *sighe* parecesse uma menina que mergulhava em um lago. Ele se abaixou e ouviu uma risada quando ela passou por cima da cabeça, tão perto a ponto de mexer seu cabelo. O riso se parecia com sinos a uma grande distância.

Tim endireitou o corpo com cautela e viu a *sighe* retornar, agora dando piruetas sem parar no ar. O coração disparou intensamente no peito. Jamais vira nada tão adorável.

A *sighe* voou por cima da barra transversal, e sob a luz de vaga-lume ele viu um caminho difuso e em grande parte tomado pelo mato que levava para a Floresta Infinita. Ela ergueu um braço. A mão, que brilhava com fogo verde, chamava o menino. Encantado pela beleza sobrenatural e pelo sorriso acolhedor, Tim não hesitou e imediatamente passou debaixo da barra sem prestar nenhuma atenção para as duas palavras na placa do falecido pai: CUIDADO, VIAJANTE.

A *sighe* pairou até ele estar quase perto o suficiente para esticar o braço e tocá-la, depois disparou pelo restante do caminho. Lá ela esperou enquanto sorria e chamava Tim. O cabelo caía sobre os ombros, às vezes encobria os seios minúsculos, às vezes eram levantados pela brisa das asas e os revelava.

Na segunda vez que se aproximou, Tim a chamou... porém em voz baixa, com medo de que, se a saudasse em um volume muito alto, poderia estourar os tímpanos minúsculos da fada.

— Onde está o Cobrador?

Outro tilintar ressonante de risada foi a resposta. Ela executou um parafuso duas vezes, com os joelhos recolhidos até as saboneteiras dos ombros, depois foi embora e parou apenas para olhar para trás e garantir que Tim a seguia antes de disparar adiante. Foi assim que a *sighe* conduziu o menino fascinado cada vez mais às profundezas da Floresta Infinita. Tim não notou que o escasso resquício de caminho desapareceu e que a direção o levou entre paus-ferros altos que foram vistos apenas pelos olhos de poucos homens, e isso há muito tempo. Nem notou quando o intenso cheiro agridoce dos paus-ferros foi substituído pelo aroma bem menos agradável de água parada e vegetação podre. Os paus-ferros ficaram para trás. Haveria mais à frente incontáveis quilômetros de paus-ferros, mas não aqui. Tim chegara ao limite do grande pântano conhecido como Fagonard.

A *sighe* abriu novamente o seu sorriso provocador e continuou voando. Agora o brilho se refletia na água turva. Algo — que não era um peixe — rompeu a superfície espumosa e encarou a intrusa voadora com um olho sem cílios, depois voltou a mergulhar.

Tim não notou. O que ele viu foi o montículo de grama sobre o qual a *sighe* agora pairava. Seria uma longa distância, mas não havia dúvida de que o menino iria. Ela esperava. Ele pulou apenas para garantir e mesmo assim quase não conseguiu; o brilho verde era enganoso, fazia as coisas parecerem mais próximas do que realmente eram. Tim cambaleou e girou os braços. A *sighe* piorou a situação (sem querer, Tim tinha certeza; ela estava apenas brincando) ao fazer círculos rápidos ao redor da cabeça, que ofuscaram o menino com sua aura e encheram os ouvidos com a melodia de sua gargalhada.

A questão ficou em aberto (e ele nunca viu a cabeça escamosa que surgiu atrás, os olhos protuberantes, nem as mandíbulas escancaradas cheias de dentes triangulares), mas Tim era jovem e ágil. Ele recuperou o equilíbrio e em breve estava no topo do montículo.

— Qual é o seu nome? — perguntou ele à fada brilhante, que agora pairava imediatamente depois do montículo.

Tim não tinha certeza, apesar da risada tilintante, de que ela era capaz de falar ou se responderia na língua inferior ou superior, se fosse capaz. Mas a *sighe* respondeu, e Tim achou que era o nome mais adorável que escutara na vida, um par perfeito para a beleza etérea.

— Armaneeta! — chamou ela, que depois foi embora novamente, lançando risadas e olhares de flerte na direção do menino.

Tim seguiu a sighe cada vez mais para o interior do Fagonard. Às vezes, os montículos estavam próximos o suficiente para ele ir andando de um para o outro, mas, conforme os dois seguiam em frente, Tim descobriu que cada vez mais precisava pular, e os pulos ficavam cada vez mais longos. No entanto, o menino não sentia medo. Pelo contrário, ele estava fascinado e eufórico, rindo cada vez que cambaleava. Não viu os riscos em V que o seguiam, cortando a água escura tão suavemente quanto uma agulha de costureira varava seda; primeiro um, depois três, depois meia dúzia de riscos. Ele foi mordido por insetos chupadores de sangue e os afastou com a mão sem sentir as picadas que deixavam marcas vermelhas na pele. Nem viu as formas corcundas, porém mais ou menos eretas, que o seguiam por um lado e o encaravam com olhos que reluziam no escuro.

Tim esticou o braço para Armaneeta várias vezes, chamando:

— Venha a mim, não vou te machucar!

Ela sempre escapava de Tim, uma vez voando por entre os dedos que se fechavam e fazendo cócegas na pele com as asas.

A *sighe* deu a volta por um montículo que era maior do que os outros. Não crescia grama nesse, e Tim concluiu que devia ser uma rocha — a primeira que vira nessa parte do mundo, onde as coisas pareciam mais líquidas do que sólidas.

— Essa é longe demais! — gritou Tim para Armaneeta. Ele procurou por outra pedra para pisar, mas não havia nenhuma. Se quisesse chegar ao próximo montículo, teria que pular sobre a pedra primeiro. E ela o chamava.

Talvez eu consiga, pensou Tim. *Ela parece achar que eu consigo; por que outro motivo me chamaria?*

Não havia espaço no montículo atual para recuar e tomar impulso para saltar, portanto Tim dobrou os joelhos e aplicou toda a força em um pulo longo. Ele voou sobre a água, viu que não conseguiria alcançar a pedra — quase, mas não por completo — e esticou os braços. O menino aterrissou sobre o peito e o queixo; este último bateu com tanta força que fez surgir pontinhos na frente dos olhos já fascinados pelo brilho da fada. Levou um momento para se dar conta de que ele não estava agarrado em uma rocha — a não ser que rochas respirassem — e depois houve um grunhido longo e repugnante atrás de si. Isto foi seguido por um grande borrifo que molhou as costas e o pescoço de Tim com água quente e infestada de bichos.

O menino subiu apressado na pedra que não era pedra, ciente de que havia perdido a lamparina da viúva, mas que ainda mantinha o saco. Se não tivesse amarrado com firmeza a ponta em volta do pulso, ele o teria perdido também. O algodão estava úmido, mas não encharcado. Pelo menos não ainda.

Então, assim que sentiu a coisa atrás dele se aproximar, a "pedra" começou a se erguer. Tim estava sobre a cabeça de alguma criatura que relaxava na lama e nos sedimentos. Agora estava plenamente acordada e irritada. A criatura soltou um rugido e cuspiu fogo laranja-esverdeado pela boca, queimando os juncos que se projetavam da água logo à frente.

Não tão grande quanto uma casa, não, provavelmente não, mas é um dragão, com certeza, e, ó deuses, estou em cima da cabeça dele!

A exalação da criatura iluminou com força essa parte do Fagonard. Tim viu os juncos se dobrarem de um lado para outro conforme as criaturas que o seguiram fugiam do fogo do dragão o mais rápido possível. Tim também viu mais um montículo. Era um pouco maior do que aqueles que tinha passado para chegar à sua atual, e muito perigosa, posição.

Não havia tempo para se preocupar com a ideia de ser comido por um peixe gigante canibal caso errasse o pulo, ou de ser transformado em cinzas pelo próximo sopro do dragão, caso realmente alcançasse o montículo. Com um grito inarticulado, Tim pulou. Foi de longe seu pulo mais longo, e foi quase longo demais. Precisou agarrar tufos de grama para não rolar pelo outro lado e cair na água. A grama era afiada e feriu seus dedos. Alguns arbustos também estavam quentes e fumegantes após o ataque do dragão irritado, mas Tim se manteve firme. Não queria pensar no que poderia esperar por ele se rolasse para fora da pequena ilha.

Não que a posição fosse segura. Ele ficou de joelhos e olhou para o caminho de onde viera. A dragonesa — era uma fêmea, pois o menino viu a crista rosa na cabeça — se levantou da água e ficou sobre as patas traseiras. Não era do tamanho de uma casa, mas era maior do que Pretinho, o garanhão do Cobrador. Ela bateu as asas duas vezes, jogou gotículas para todas as direções e criou uma brisa que soprou o cabelo grudado pelo suor na testa de Tim. O som era parecido com os lençóis da mãe no varal enquanto estalavam sob um vento brusco.

A dragonesa olhava para o menino com olhos pequenos e cheios de veias vermelhas. Saliva ardente pingava das mandíbulas, assobiando ao bater na água. Tim viu a guelra bem no alto entre as placas peitorais tremular quando ela aspirou ar para atiçar a fornalha nas entranhas. Ele teve tempo para pensar como era estranho — e também um pouco engraçado — que a mentira do padrasto agora se tornaria verdade. Exceto que seria Tim a pessoa cozida viva.

Os deuses devem estar rindo, pensou Tim. E, caso não estivessem, o Cobrador provavelmente estava.

Sem pensar direito, Tim caiu de joelhos e estendeu as mãos para a dragonesa, com o saco de algodão ainda balançando no pulso direito.

— Por favor, minha senhora! — berrou ele. — Por favor, não me queime, pois me perdi e rogo seu perdão!

Por vários momentos, a dragonesa continuou a encará-lo, a guelra continuando a pulsar; a saliva incandescente pingava e assobiava. Então, devagar — para Tim pareciam centímetros por vez —, ela começou a submergir novamente. Por fim, não sobrou nada além do topo da cabeça… e aquele olhar fixo e terrível. Os olhos pareciam prometer que ela não seria misericordiosa caso ele escolhesse perturbar o seu descanso por uma segunda vez. Então eles também sumiram, e mais uma vez tudo que o menino conseguiu ver era algo que poderia se passar por uma rocha.

— Armaneeta? — Ele deu meia-volta, procurou pelo brilho verde, mas sabia que não o veria. Ela o conduzira às profundezas do Fagonard, a um lugar onde não havia mais montículos à frente e um dragão atrás. O trabalho da *sighe* estava feito.

— Nada além de mentiras — sussurrou Tim. — A viúva Smack estivera certa o tempo todo.

* * *

Tim se sentou na elevação e pensou que fosse chorar, mas as lágrimas não vieram. Ótimo por ele. Que bem faria chorar? Ele fora feito de bobo e pronto. Tim prometeu a si mesmo que teria mais discernimento da próxima vez… se *houvesse* uma próxima vez. Sentado ali sozinho na escuridão, com a lua escondida que lançava um brilho pálido pelo matagal, uma próxima vez não parecia provável. As criaturas submersas que haviam fugido voltaram. Elas evitavam o budoar aquático da dragonesa, mas ainda sobrava bastante espaço de manobra, e não havia dúvidas de que o único objeto de interesse era a ilhota onde Tim se sentava. Só restava ao menino torcer que elas fossem peixes de alguma espécie, incapazes de sair da água sem morrer. Entretanto, ele sabia que criaturas grandes que viviam em uma água tão espessa e rasa assim muito provavelmente respiravam tanto no seco quanto no molhado.

Tim observou as criaturas circularem e pensou: *Elas estão reunindo coragem para atacar.*

O menino encarava a morte e sabia disso, mas tinha apenas onze anos e estava faminto, apesar de tudo. Ele tirou o pão, viu que apenas uma ponta estava molhada e deu algumas mordidas. Depois colocou de lado para examinar o trabuco o melhor que conseguia com a luz do luar fortuito e sob o fraco brilho fosforescente da água do pântano. A arma parecia e dava a sensação de estar seca, assim como as balas adicionais, e Tim achou que conhecia uma maneira de garantir que elas continuassem assim. Ele abriu um buraco na metade seca do pão, enfiou as balas sobressalentes bem no fundo, fechou o buraco e colocou o pão ao lado do saco. O menino torceu para que o saco secasse, mas não tinha certeza. O ar estava muito úmido e…

Lá vieram elas, duas criaturas, em uma linha reta na direção da ilha de Tim. Ele ficou de pé em um pulo e berrou a primeira coisa que veio à cabeça.

— É melhor que vocês não venham! É melhor não, malditas! Tem um pistoleiro aqui, um legítimo filho de Gilead e de Eld, então é melhor que não!

Tim duvidava que tais criaturas com cérebros de ervilha fizessem a menor ideia do que ele gritava — ou se importariam mesmo se soubessem o que ele estava gritando —, mas o som da sua voz as assustou, e elas se afastaram.

Cuidado para não acordar a dama de fogo, pensou Tim. *Ela pode se levantar e te assar só para que você pare com o barulho.*

Mas que escolha ele tinha?

Na próxima vez que aqueles botes vivos subaquáticos avançaram contra ele, o menino bateu as mãos bem como gritou. Ele teria batido em um tronco oco se tivesse um tronco oco para bater, e que a dragonesa fosse para o *Na'ar*.

Tim pensou que, se chegasse a esse ponto, morrer queimado por ela seria um golpe de misericórdia comparado ao que sofreria nas mandíbulas das criaturas nadadoras. Certamente seria mais rápido.

Ele se perguntou se o Cobrador estaria em algum lugar próximo, observando aquilo e se divertindo. Tim decidiu que estava certo em parte. O Cobrador estaria observando, sim, mas não sujaria as botas nesse pântano fedido. Ele estaria em algum lugar seco e agradável, observando o espetáculo na bacia de prata com Armaneeta voando em círculos por perto. Talvez até mesmo sentada no ombro do Cobrador, com o queixo apoiado nas mãos minúsculas.

Quando uma luz opaca da alvorada começou a surgir de mansinho entre as árvores suspensas (monstruosidades retorcidas e cobertas de musgo de um tipo que Tim nunca tinha visto na vida), o montículo foi cercado por duas dezenas de silhuetas que nadavam em círculos. A menor parecia ter três metros de comprimento, mas a maioria era bem mais comprida. Gritar e bater palmas já não servia para afugentá-las. Elas iam vir atrás de Tim.

Como se a situação já não fosse ruim o suficiente, agora a luz que atravessava o teto verde permitiu que o menino notasse que a morte e a ingestão teriam uma plateia. Tim ficou contente pela pequena bênção de a claridade ser insuficiente para se distinguir os rostos dos observadores. As formas meio humanas e corcundas já eram ruins o bastante. Eles estavam no banco de terra mais próximo, a sessenta e cinco ou setenta metros de distância. O menino conseguiu perceber meia dúzia, mas achou que houvesse mais. A penumbra e a luz na bruma tornavam difícil dizer com certeza. Os ombros eram arredondados, as cabeças cabeludas se projetando à frente. Os farrapos pendurados nos corpos indistintos podiam ter sido restos de roupas ou tiras de musgo como aquelas penduradas nos galhos. Para Tim, os observadores pareciam uma pequena tribo de homens da lama que saíram da superfície aquática do pântano apenas para assistir aos monstros nadadores provocando e depois atacando a presa.

O que importa? Eu estou perdido, independentemente de eles assistirem ou não.

Um dos répteis que o cercavam saiu do grupo e pulou no montículo, o rabo batendo na água, a cabeça pré-histórica erguida, as mandíbulas se abrindo em um sorriso que parecia maior do que o corpo inteiro de Tim. Ele caiu embaixo do ponto onde o menino estava, com força suficiente para fazer o montículo inteiro tremer como gelatina. No banco de terra, vários dos homens de lama que observavam vibraram. Era como se fossem espectadores de uma partida de jogo de pontos em uma tarde de sábado.

A ideia o deixou tão irritado que expulsou o medo. O sentimento que correu para entrar no lugar vago foi fúria. Será que as feras aquáticas o comeriam? Tim não viu jeito de isso não acontecer. Porém, se o trabuco dado pela viúva não tivesse se molhado tanto, talvez ele conseguisse fazer com que pelo menos um deles pagasse pelo café da manhã.

E se o trabuco não disparar, eu viro e dou uma surra na fera com o cabo até que meu braço caia.

A criatura rastejou para fora da água nesse momento, as garras nas pontas das patas atarracadas da frente arrancaram nacos de junco e mato, deixando sulcos escuros que rapidamente se encheram de água. O rabo verde-escuro na ponta, branco como a barriga de um cadáver embaixo, impulsionou o bicho para a frente e para cima, bateu na água e jogou lama suja para todos os lados. Acima do focinho havia um ninho de olhos que pulsavam e inchavam, pulsavam e inchavam. Eles jamais se desviaram do rosto de Tim. As mandíbulas compridas rangeram; os dentes soaram como pedras batendo.

Em terra firme — a sessenta e cinco metros ou mil rodas, tanto faz —, os homens de lama berraram novamente, pareciam torcer pelo monstro.

Tim abriu o saco de algodão. As mãos estavam firmes e os dedos, convictos, embora a criatura tivesse subido meio corpo na pequena ilha e agora só houvesse um metro entre as botas encharcadas do menino e os dentes que estalavam.

Ele puxou um dos cães como a viúva havia mostrado, enroscou o dedo em volta do gatilho e se apoiou em um joelho só. Agora o menino e o horror que se aproximava estavam no mesmo nível. Tim sentiu o forte bafo de carniça e olhou no fundo da goela rosa e pulsante. Porém Tim sorria. Ele sentiu os lábios se esticarem e estava contente. Era bom sorrir nos momentos finais, era mesmo. Ele só queria que fosse o Cobrador do baronato que subisse o barranco, com aquela coisinha verde traiçoeira no ombro.

— Vamos ver se você gosta disso, maldito — murmurou Tim e puxou o gatilho. Houve um estrondo tão grande que o menino a princípio acreditou que o trabuco tinha explodido na sua mão. No entanto, não foi a arma que explodiu, mas sim o horrendo ninho de olhos do réptil. Eles jorraram linfa vermelho-escura no ar. A criatura soltou um rugido agonizante e se enroscou para trás no próprio rabo. As patas curtas da frente golpearam o ar. Ela caiu na água, se debateu, depois rolou para cima, com a barriga à mostra. Uma nuvem vermelha começou a crescer em volta da cabeça parcialmente submersa. A antiga careta esfomeada virou um sorriso cadavérico. Nas árvores, pássaros rudemente acordados bateram asas, chilraram e gritaram xingamentos.

Ainda envolvido naquela frieza (e ainda sorrindo, embora não estivesse ciente disso), Tim abriu o trabuco e removeu o cartucho usado. Estava fumegante e quente ao toque. Ele pegou a metade da bisnaga, meteu a tampa de pão na boca e enfiou um dos projéteis sobressalentes na câmara vazia. Fechou a pistola e depois cuspiu a tampa, que agora tinha um gosto oleoso.

— *Venham!* — berrou ele para os répteis que agora nadavam de um lado para outro de maneira agitada (o calombo que marcava o topo do dragão submerso desaparecera). — *Venham que tem mais!*

Não era bravata. Tim descobriu que realmente queria que eles viessem. Nada — nem mesmo o machado do pai, que ainda carregava no cinto — jamais pareceu tão absolutamente adequado para ele como o peso considerável do trabuco na mão esquerda.

Da terra firme veio um som que Tim não conseguiu identificar a princípio, não porque era estranho, mas porque ia contra todas as suposições que ele fizera a respeito dos observadores. Os homens de lama batiam palmas.

Quando o menino se virou para encará-los, com a arma fumegante ainda na mão, eles ficaram de joelhos, com punhos nas testas, e falaram a única palavra que pareciam conhecer. A palavra era *hail*, uma das poucas que é exatamente igual tanto na língua superior quanto na inferior, aquela que os *manni* chamavam de *fin-Gan*, ou primeira palavra; aquela que fazia o mundo girar.

É possível...

Tim Ross, filho de Jack, tirou os olhos dos homens de lama ajoelhados no banco de terra para a velha (mas muito eficiente) arma que ainda empunhava.

É possível que eles pensem...

Era possível. Mais do que possível, na verdade.

O povo do Fagonard acreditava que ele era um pistoleiro.

Por vários momentos, Tim ficou atordoado demais para se mexer. Do montículo onde lutou pela vida (e onde ainda poderia perdê-la), o menino olhou para os observadores, que estavam ajoelhados nos juncos altos e verdes e no terreno lamacento a sessenta e cinco metros de distância, com os punhos nas cabeças cabeludas. Eles devolveram o olhar.

Finalmente um pouco de bom senso voltou a ele, e Tim compreendeu que deveria usar a convicção dos homens de lama quando ainda podia. Ele puxou da memória as histórias que os pais lhe contaram e aquelas que a viúva Smack lia nos preciosos livros para os alunos. Nada parecia se aplicar de maneira adequada à situação, no entanto, até que Tim se lembrou de um trecho de uma antiga história que ouvira de Harry Lascado, um sujeito esquisito que trabalhava na serraria em meio período. O Velho Lascado era meio tonto, tendo o costume de apontar um dedo para as pessoas e fingir que puxava o gatilho, e também era dado a falar besteiras no que dizia ser a língua superior. O que ele mais gostava era de falar dos homens de Gilead que portavam grandes revólveres e embarcavam em missões.

Ó Harry, só espero que tenha sido o ka que tenha me feito ouvir aquela besteira em especial.

— *Hail*, lacaios! — gritou ele para os homens de lama no banco de terra. — Eu vejo vocês muito bem! Levantem-se em paz e servidão!

Por um longo momento, nada aconteceu. Então eles se levantaram e olharam fixamente para Tim com olhos fundos e essencialmente cansados. Os queixos estavam quase caídos sobre os esternos em expressões idênticas de admiração. O menino notou que alguns levavam arcos primitivos; outros tinham clavas amarradas aos peitos magros com vinhas entrelaçadas.

O que eu digo agora?

Às vezes, pensou Tim, *apenas a verdade nua e crua serve.*

— *Me tirem desta porra de ilha!* — berrou.

A princípio, os homens de lama apenas encararam Tim boquiabertos. Então eles se reuniram e confabularam em uma mistura de grunhidos, estalos e rosnados perturbadores. No momento em que Tim começou a acreditar que aquilo duraria para sempre, vários nativos deram meia-volta e saíram correndo. Outro homem de lama, o mais alto, se virou para o menino e mostrou as duas mãos. *Eram* mãos, embora houvesse dedos demais e as palmas fossem verdes com alguma substância musgosa. O gesto que as mãos fizeram era óbvio e enfático: *Fique aí.*

Tim concordou com a cabeça, sentando-se em seguida no montículo (*como d. Ana sentada na grama*, pensou ele) e começou a mastigar o resto do pão. Ele ficou de olho nas ondas dos nadadores que voltavam enquanto comia e manteve o trabuco na mão. Moscas e pequenos insetos pousaram na sua pele por tempo suficiente para beber o suor antes de alçarem voo novamente. Tim pensou que, se algo não acontecesse em breve, ele teria que pular na água só para fugir daquelas coisas irritantes, que eram rápidas demais para serem acertadas por um tapa. Só que quem sabia o que mais estaria escondido naquela escuridão ou à espreita no fundo?

Ao engolir a última mordida, um batuque ritmado começou a pulsar pelo pântano tomado pela bruma da manhã e assustou mais pássaros, que saíram voando. Alguns eram surpreendentemente grandes, com plumagem rosa e pernas magras e compridas que patinharam a água enquanto se esforçavam para alçar voo. Eles soltaram gritos agudos e ululantes que soaram aos ouvidos de Tim como a risada de crianças que enlouqueceram.

Alguém está batendo no tronco oco que eu desejei, há pouco tempo. O pensamento provocou um sorriso cansado.

O batuque durou cinco minutos ou mais, depois parou. Os malditos no banco de terra olhavam fixamente para a direção de onde Tim viera — um Tim muito mais jovem, que ria tolamente e seguia uma fada má chamada Armaneeta. Os homens de lama protegeram os olhos do sol, que agora brilhava intensamente pela folhagem acima e queimava a bruma. Estava se formando outro dia atipicamente quente.

Tim ouviu um espirro de água, e não demorou muito para que um barco esquisito e deformado surgisse das brumas que se desmanchavam. Ele fora montado com sobras de madeira retiradas sabem os deuses de onde e cruzava baixo na água, deixando um rastro de longos emaranhados de musgo e elódeas. Havia um mastro sem vela; no topo, uma cabeça de javali rodeada por uma agitada nuvem de moscas servia como vigia. Quatro dos habitantes do pântano remavam com remos de uma madeira laranja qualquer que Tim não reconhecia. Um quinto homem estava na proa com uma cartola preta de seda decorada com uma fita vermelha que descia sobre o ombro nu. Ele olhava em frente, às vezes acenava para a esquerda, às vezes para a direita. Os remadores acompanhavam a sinalização com a eficiência de prática de longa data, e o barco passava suavemente entre os montículos que levaram Tim à sua presente dificuldade.

Quando o barco se aproximou do trecho escuro de água parada onde o dragão esteve, o timoneiro dobrou o corpo, depois ficou ereto com um resmungo de esforço. Nos braços, o homem segurava um pedaço de carcaça gotejante que Tim supôs que, havia pouco tempo, estivera preso à cabeça que decorava o mastro. O timoneiro aninhou a carcaça nos braços, sem se importar com o sangue que sujava os peitos e braços cabeludos, e olhou para o fundo da água. Ele soltou um grito agudo e sibilante, seguido por vários estalos rápidos. A tripulação recolheu os remos. O barco manteve um pequeno avanço na direção do montículo onde Tim esperava, mas Timoneiro não prestou atenção; ele continuava olhando fixamente para a água.

Com um silêncio bem mais chocante do que o espirro de água mais barulhento, uma pata gigantesca surgiu com as garras meio contraídas. Sai Timoneiro pousou o naco sangrento de javali na palma exigente com tanta delicadeza quanto uma mãe coloca um bebê adormecido no berço. As garras se fecharam em volta da carne e apertaram gotículas de sangue que caíram na água. Assim, tão silenciosamente quanto veio, a garra desapareceu e levou o tributo.

Agora você sabe como acalmar um dragão, pensou Tim. Ele se deu conta de que estava reunindo um estoque maravilhoso de histórias, que fascinariam não apenas o Velho Lascado mas toda a Vila da Árvore. O menino se perguntou se viveria para contá-las.

A barcaça bateu no montículo. Os remadores abaixaram a cabeça e levaram o punho à testa. Timoneiro fez a mesma coisa. Quando ele gesticulou para Tim de dentro do barco, para indicar que o menino deveria embarcar, longos filamentos verdes e marrons balançaram para a frente e para trás do braço magro. Mais desse tipo de vegetação pendia das bochechas e se estendia do queixo. Até mesmo as narinas pareciam fechadas com vegetação, fazendo com que ele precisasse respirar pela boca.

Não são homens de lama, pensou Tim ao entrar no barco. *São homens-planta. Mutantes que estão se tornando parte do pântano em que vivem.*

— Eu agradeço — falou Tim para Timoneiro e tocou a testa com a lateral do punho.

— *Hail!* — respondeu Timoneiro. Os lábios se abriram em um sorriso. Os poucos dentes que apareceram eram verdes, mas o sorriso não foi menos simpático por causa disso.

— É uma sorte nos conhecermos — disse Tim.

— *Hail* — repetiu Timoneiro, e a seguir todos o acompanharam e fizeram o pântano retumbar: *Hail! Hail! Hail!*

Em terra firme (se uma terra que tremia e chapinhava a cada passo pudesse ser chamada de firme), a tribo se reuniu em volta de Tim. O cheiro era terroso e imenso. O menino manteve o trabuco na mão, não porque tivesse intenção de atirar neles ou sequer de ameaçá-los com a arma, mas porque era evidente que eles queriam vê-la. Se algum dos homens-planta tivesse estendido a mão para tocá-lo, Tim teria guardado o trabuco de volta no saco, mas ninguém fez isso. Eles grunhiram, gesticularam, fizeram aqueles chilros de pássaro, mas nenhum falou uma palavra discernível além de *hail*. No entanto, quando falava com os nativos, o menino não tinha dúvida de que *ele* era entendido.

Tim contou pelo menos dezesseis, todos homens e todos mutantes. Assim como a flora, a maioria tinha brotos fungosos que lembravam os cogumelos que o menino às vezes viu crescendo no pau-de-balsa que ele transportava para a serraria. Os nativos também apresentavam furúnculos e feridas supuradas. Tim começou a suspeitar fortemente de que, em algum lugar, poderia haver mulheres — algumas —, mas não haveria crianças. Essa era uma tribo moribunda. Em breve o Fagonard os levaria assim como a dragonesa levou o pedaço de javali como sacrifício. Enquanto isso, porém, eles olhavam para o menino de uma maneira que ele também reconheceu da época na serraria. Era a maneira como Tim e o restante dos meninos olhavam para o capataz quando o último trabalho tinha sido feito e a próxima tarefa ainda não havia sido designada.

A tribo do Fagonard pensava que ele era um pistoleiro — ridículo, ele era apenas um menino, mas era o que estava acontecendo —, e os nativos estavam, pelo menos por enquanto, sob seu comando. Fácil para eles, mas Tim nunca foi um chefe na vida nem sonhava ser um. O que ele queria? Se pedisse para ser levado de volta ao extremo sul do pântano, os nativos fariam isso; Tim tinha certeza. Dali ele acreditava que poderia achar o caminho para a Trilha do Pau-ferro, que por sua vez o levaria de volta à Vila da Árvore.

De volta para casa.

Era a coisa lógica a ser feita. Mas, quando voltasse, a mãe ainda estaria cega. Até mesmo a captura de Grande Kells não mudaria esse fato. Ele, Tim Ross, teria arriscado muito para não ganhar nada. Pior ainda, o Cobrador poderia usar a bacia de prata para vê-lo fugir de mansinho para o sul, derrotado. Ele riria. Provavelmente com a maldita fadinha sentada no ombro, que riria junto do Cobrador.

Ao considerar a opção, ele se lembrou de algo que a viúva Smack costumava dizer em dias mais felizes, quando ele era apenas um estudante cuja maior preocupação era terminar as tarefas antes que o pai voltasse da floresta. *A única pergunta idiota, meus bobinhos, é aquela que a pessoa não faz.*

Tim falou devagar (e sem muita esperança):

— Estou em uma jornada para encontrar Maerlyn, que é um grande mago. Me contaram que ele tem uma casa na Floresta Infinita, mas o homem que me disse isso era... — Um cretino. Um mentiroso. Um trapaceiro cruel que passava o tempo enganando crianças — ... era indigno de confiança — terminou Tim. — Vocês aqui do Fagonard já ouviram falar desse Maerlyn? Ele talvez use um chapéu alto da cor do sol.

Tim esperou por falta de compreensão ou que balançassem a cabeça negativamente. Em vez disso, os integrantes da tribo se afastaram e formaram um círculo fechado para conversar. Aquilo durou pelo menos dez minutos, e em vários momentos a discussão ficou bem acirrada. Finalmente eles voltaram para o ponto onde Tim esperava. Mãos contorcidas com dedos cheios de feridas empurraram o antigo timoneiro à frente. Esse ilustre nativo tinha ombros largos e compleição forte. Se não tivesse crescido na bacia encharcada de veneno que era o Fagonard, ele talvez pudesse ter sido considerado bonito. Os olhos tinham um brilho de inteligência. No peito, acima do mamilo direito, uma imensa ferida infeccionada pulsava e tremia.

Ele ergueu um dedo de um jeito que Tim reconheceu: era o gesto de *preste atenção em mim* da viúva Smack. O menino assentiu e apontou os dois primeiros dedos da mão direita — a que não segurava a arma — para os olhos, como a viúva lhe ensinara.

Timoneiro — o melhor ator da tribo, considerou Tim — também assentiu, depois fez um gesto embaixo da mistura esparsa de barba rala com mato no queixo.

Tim sentiu uma pontada de empolgação.

— Uma barba? Sim, ele tem uma barba!

A seguir, Timoneiro fez um gesto acima da cabeça que terminou com o punho fechado, para indicar não apenas um chapéu alto, mas um chapéu alto e *cônico*.

— É ele! — Tim chegou a rir.

Timoneiro sorriu, mas o menino achou que era um sorriso preocupado. Vários nativos falavam sem parar, nervosos. Timoneiro fez um gesto para que ficassem quietos, depois se voltou novamente para Tim. Antes que continuasse a pantomima, porém, a ferida acima do mamilo estourou e soltou um esguicho de pus e sangue. Dali saiu uma aranha do tamanho de um ovo de tordo. Timoneiro pegou, esmagou e jogou a aranha fora. Então, enquanto Tim observava com um misto de fascínio e pavor, ele usou uma mão para abrir a ferida. Quando as laterais ficaram escancaradas como lábios, Timoneiro usou a outra mão e retirou uma massa escorregadia de ovos que pulsavam fracamente. Ele jogou fora casualmente e se livrou dos ovos como um homem se livraria de um punhado de ranho após assoar o nariz em uma manhã fria. Nenhum dos demais prestou alguma atenção particular a isto. Os nativos esperavam que o espetáculo continuasse.

Após cuidar da ferida, Timoneiro ficou de quatro e começou a fazer uma série de avanços de um lado para outro como um predador, enquanto grunhia. Ele parou e ergueu os olhos para Tim, que balançou a cabeça. O menino também lutava contra o estômago. Essa gente tinha acabado de salvar sua vida, e ele achou que seria muita falta de educação vomitar na frente dos nativos.

— Essa imitação eu não entendi, sai. Sinto muito.

Timoneiro deu de ombros e ficou de pé. O emaranhado de mato que crescia do peito agora estava pontilhado de sangue. Novamente ele fez o gesto da barba e do chapéu alto e cônico. Novamente ficou de quatro, rosnou e fez avanços. Dessa vez, todos os outros nativos se juntaram ao Timoneiro. A tribo logo se transformou em um bando de animais perigosos; a risada e a evidente alegria dos nativos quase que estragando a ilusão.

Tim novamente balançou a cabeça, sentindo-se burro.

Timoneiro não parecia alegre, mas preocupado. Ele parou um momento, ficou pensativo com as mãos na cintura, depois chamou um companheiro à frente. Esse nativo era alto, careca e desdentado. Os dois confabularam longamente. Então o sujeito alto saiu correndo e alcançou muita velocidade, embora as pernas fossem tão arqueadas que ele balançava de um lado para o outro como um esquife em um vagalhão. Timoneiro chamou mais dois e falou com eles, que também saíram em disparada.

A seguir, ele ficou de quatro e recomeçou a imitação de animal selvagem. Quando terminou, Timoneiro ergueu o olhar para Tim com uma expressão quase suplicante.

— É um cachorro? — arriscou Tim.

Diante disso, o restante dos nativos riu com vontade.

Timoneiro ficou de pé e bateu no ombro de Tim com uma mão de seis dedos, como se dissesse para ele não se ofender.

— Só me diga uma coisa — falou Tim. — Maerlyn... sai, ele é real?

Timoneiro pensou a respeito, depois jogou os braços para o alto em um gesto exagerado de *delah*. Era uma linguagem corporal que qualquer habitante da Vila da Árvore teria reconhecido: *Quem sabe?*

Os dois nativos que haviam saído correndo voltaram com uma cesta de juncos entrelaçados e uma alça de cânhamo para carregá-la. Eles a colocaram aos pés de Timoneiro, se viraram para Tim, saudaram o menino e depois foram para trás, com sorrisos no rosto. Timoneiro ficou de cócoras e gesticulou para Tim fazer o mesmo.

O menino sabia o que havia na cesta mesmo antes de Timoneiro abri-la. Sentiu o cheiro de carne recém-cozida e teve que limpar a boca com a manga para não babar. Os dois homens (ou talvez suas mulheres) empacotaram o equivalente no Fagonard a um lanche de lenhador. Carne de porco fatiada foi servida com rodelas de um fruto laranja que parecia ser abóbora. Isto estava envolto em folhas verdes e finas para fazer popquins sem pão. Havia também morangos e mirtilos, frutos fora da estação fazia muito tempo na Vila da Árvore.

— Obrigado-sai! — Tim bateu na garganta três vezes. Isto fez com que todos rissem e batessem nas próprias gargantas.

O nativo alto voltou. Em um ombro havia um odre pendurado. Na mão ele carregava uma bolsinha feita do melhor e mais macio couro que Tim já tinha visto na vida. A bolsinha o nativo entregou a Timoneiro. O odre ele passou para o menino.

Tim não tinha noção de como estava com sede até sentir o peso do odre e apertar as mãos contra as laterais inchadas, que cederam levemente. Ele puxou a tampa com os dentes, ergueu apoiado no cotovelo como faziam os homens do vilarejo e bebeu longamente. O menino achou que a água poderia estar salobra (ou talvez infestada de insetos), mas ela estava fresca e doce como se tivesse saído da própria nascente entre a casa e o celeiro.

Os nativos riram e aplaudiram. Tim viu uma ferida no ombro de Altão pronta para dar cria e ficou aliviado quando Timoneiro bateu no seu ombro para que ele olhasse outra coisa.

Era a bolsa. Havia uma espécie de costura de metal que corria pelo meio. Quando Timoneiro puxou uma lingueta presa a essa costura, a bolsa se abriu como mágica.

Dentro havia um disco de metal escovado do tamanho de um pratinho. Havia algo escrito na parte de cima que Tim não foi capaz de ler. Embaixo do texto, havia três botões. Timoneiro apertou um deles, e um pequeno bastão surgiu do prato com um som baixo e lamuriento. Os nativos, que se juntaram em um semicírculo indefinido, riram e aplaudiram mais. Eles com certeza estavam se divertindo muito. Tim, com a sede saciada e os pés em terra firme (ou meio firme, pelo menos), decidiu que também estava se divertindo muito.

— Isto é do Povo Antigo, sai?

Timoneiro concordou com a cabeça.

— Coisas assim são consideradas perigosas de onde eu vim.

Timoneiro a princípio não pareceu entender, e, pelas expressões confusas, os outros homens-planta também não. Então o nativo riu e fez um longo gesto que abrangeu tudo: o céu, a água, a terra encharcada onde eles estavam. Como se dissesse que *tudo* é perigoso.

E neste lugar, pensou Tim, *tudo provavelmente é*.

Timoneiro cutucou o peito de Tim, depois deu levemente de ombros em tom de desculpas: *Sinto muito, mas você deve prestar atenção*.

— Tudo bem, estou atento — disse Tim, que apontou os olhos. O gesto fez todos rirem e se cutucarem, como se o menino tivesse feito uma boa piada.

Timoneiro apertou um segundo botão. O disco soltou um bipe, que fez a plateia murmurar em reconhecimento. Uma luz vermelha surgiu embaixo dos botões. Timoneiro começou a girar lentamente e segurou o objeto de metal diante de si como se fosse uma oferenda. A três quartos de completar o círculo, o instrumento bipou novamente e a luz vermelha virou verde. Timoneiro apontou um dedo exagerado na direção que o instrumento agora apontava. Assim como Tim foi capaz de inferir pelo sol praticamente escondido, aquilo era o norte. Timoneiro olhou para ver se o menino compreendeu. Tim achou que sim, mas havia um problema.

— Tem água naquela direção. Eu sei nadar, mas... — Ele arreganhou os dentes e deu uma mordida ao apontar para o montículo onde quase virou o café da manhã de alguma criatura escamosa. Todos riram muito com isso, e ninguém mais do que Timoneiro, que chegou a dobrar o corpo e se apoiar nos joelhos musgosos para evitar cair.

Sim, pensou Tim, *muito engraçado, eu quase fui devorado vivo*. Quando o espasmo passou e Timoneiro conseguiu ficar ereto novamente, ele apontou para o barco frágil.

— Ah, eu me esqueci daquilo — falou o menino.

Ele pensou que era um pistoleiro bastante burro.

Timoneiro pôs Tim a bordo, depois tomou o lugar de costume embaixo do mastro onde a cabeça podre do javali esteve. A tripulação assumiu os postos. A comida e a água foram entregues; a bolsinha de couro com a bússola (se é que aquilo era uma bússola), Tim guardara no saco de algodão da viúva. O trabuco foi enfiado no cinto no quadril esquerdo, onde agiu como um contrapeso improvisado para a machadinha no lado direito.

Houve um monte de *hail* para cá e *hail* para lá, depois Altão — que Tim acreditava ser o Líder, embora Timoneiro tivesse feito a maior parte da comunicação — se aproximou. Ele parou no banco de terra e olhou solenemente para o menino no barco, depois apontou os dois olhos: *preste atenção*.

— Eu te vejo muito bem! — E via mesmo, embora os olhos estivessem ficando pesados. Tim não se lembrava da última vez em que dormira. Com certeza não fora na noite anterior.

Líder balançou a cabeça, fez o gesto com os dedos novamente — com mais ênfase dessa vez —, e nas profundezas da mente de Tim (talvez até mesmo na alma, aquela pequena lasca cintilante de ka), o menino pareceu ouvir um sussurro. Pela primeira vez lhe ocorreu que talvez não fossem as *palavras* que esse povo do pântano compreendia.

— Ficar de olho?

Líder assentiu; os outros murmuraram e concordaram. Não havia risada ou alegria nos rostos agora; os nativos pareciam tristes e estranhamente infantis.

— Ficar de olho no quê?

Líder ficou de quatro e começou a girar em círculos rápidos. Dessa vez, no lugar de rosnados, ele deu uma série de latidos como um cachorro. De vez em quando, ele parava e erguia a cabeça na direção ao norte que o aparelho apontou e arreganhava as narinas com crostas verdes como se fungasse o ar. Finalmente, Líder se levantou e lançou um olhar indagador para Tim.

— Tudo bem — respondeu o menino.

Ele não entendeu a mensagem que Líder tentou passar — ou por que todos eles pareciam agora tão abatidos —, mas se lembraria. E saberia o que Líder tentou mostrar com tanta ênfase, se visse. Se visse, ele poderia compreender.

— Sai, você ouve meus pensamentos?

Líder concordou com a cabeça. Todos concordaram.

— Então tu sabe que eu não sou um pistoleiro. Só estava tentando criar alguma coragem.

Líder balançou a cabeça e sorriu, como se isso não significasse nada. Ele fez o gesto de *preste atenção* novamente, depois bateu os braços em volta do torso cheio de chagas e começou uma tremedeira exagerada. Os demais — até mesmo os tripulantes sentados no barco — copiaram o Líder. Depois de um tempo fazendo isso, ele caiu no chão (que cedeu como uma esponja com o peso). Os outros nativos também copiaram esse gesto. Tim olhou para os corpos, estupefato. Finalmente, Líder ficou de pé e encarou os olhos de Tim. O olhar do homem perguntou se ele entendeu, e Tim achou que havia compreendido, infelizmente.

— Você está dizendo...

Descobriu que não conseguia terminar a frase, pelo menos não em voz alta. Era terrível demais.

(*Você está dizendo que todos vocês vão morrer*)

Lentamente, enquanto encarava o olhar de Tim com seriedade — porém sorrindo um pouco, mesmo assim —, Líder concordou com a cabeça. Então Tim provou de maneira conclusiva que não era um pistoleiro. Ele começou a chorar.

Líder deu impulso com um bastão comprido. Os remadores à esquerda viraram o barco, e quando a embarcação se afastou da terra firme, Líder gesticulou com as duas mãos para que eles remassem. Tim estava sentado na traseira e abriu o cesto de comida. Ele comeu um pouquinho porque a barriga continuava com fome, mas apenas um pouquinho, porque o resto do corpo agora estava longe de sentir fome. Quando Tim ofereceu a cesta aos demais, os remadores deram um sorriso de agradecimento, mas declinaram. A água estava plácida, o ritmo constante dos remos ninava, e em pouco tempo os olhos de Tim se fecharam. Ele sonhou que a mãe o sacudia e avisava que era de manhã, que, se ficasse de preguiça na cama, Tim se atrasaria para ajudar o pai a selar as mulas.

Ele está vivo, então?, perguntou Tim, e a pergunta era tão absurda que Nell riu.

Tim foi sacudido para ser acordado, esta parte *realmente* aconteceu, mas não foi pela mãe. Foi Líder, que estava inclinado sobre o menino quando ele abriu os olhos, com um cheiro tão forte de suor e vegetação podre que Tim teve que conter um espirro. Nem era manhã. Pelo contrário: o sol cruzara o céu e lançava um brilho avermelhado entre os galhos de árvores estranhas e retorcidas que cresciam logo ao sair da água. Tim não sabia o nome daquelas árvores, mas conhecia as que cresciam na encosta depois do ponto onde o barco do pântano atracara. Eram paus-ferros realmente gigantes. Uma grande quantidade de flores douradas e laranja crescia em volta da base das árvores. Tim achou que se a mãe visse aquilo teria delirado diante da beleza das flores, depois se lembrou de que ela não era mais capaz de enxergá-las.

Eles haviam chegado ao fim do Fagonard. Adiante ficavam as verdadeiras profundezas da floresta.

Timoneiro ajudou Tim a sair pela lateral do barco, e dois remadores entregaram o cesto de comida e o odre de água. Quando a *gunna* do menino estava aos pés — dessa vez em um solo que não espirrava água nem estremecia —, o homem fez um gesto para Tim abrir o saco de algodão da viúva. Quando ele fez isso, Timoneiro emitiu um som de bipe que provocou uma risada de reconhecimento da tripulação.

Tim retirou a bolsinha de couro com o disco de metal e tentou devolvê-lo. Líder balançou a cabeça e apontou para o menino. O significado ficou bem evidente. Tim puxou a lingueta que abria a costura e retirou o aparelho. Era surpreendentemente pesado para algo tão fino e liso de uma maneira estranha.

Não posso deixar cair, disse Tim para si mesmo. *Voltarei por aqui e devolverei como devolveria qualquer prato ou ferramenta emprestada, lá na vila. Quer dizer, do jeito que estava quando me deram. Se eu fizer isso, vou encontrá-los vivos e bem.*

Os nativos observaram para ver se Tim se lembrava de como usar o aparelho. Ele apertou o botão que levantava o pequeno bastão, depois aquele que emitia o bipe e a luz vermelha. Não houve risadas ou vibração dessa vez; agora a situação era séria, quem sabe até mesmo uma questão de vida ou morte. Tim começou a se virar lentamente, e quando se voltou para um caminho de subida no arvoredo — o que talvez tenha sido um dia uma trilha —, a luz vermelha virou verde e houve um segundo bipe.

— Ainda norte — falou ele. — Isto indica o caminho mesmo depois do pôr do sol, não é? E se o arvoredo for espesso demais para ver a Velha Estrela e a Velha Mãe?

Timoneiro concordou com a cabeça, deu um tapinha no ombro de Tim... e então dobrou o corpo e deu um beijo rápido e delicado na bochecha do menino. Ele deu um passo para trás e pareceu assustado com a própria audácia.

— Tudo bem — disse Tim. — Não tem problema.

Timoneiro ficou em um joelho só. Os outros saíram do barco e fizeram o mesmo. Eles levaram o punho à testa e gritaram *hail!*.

Tim conteve as lágrimas que sentia querendo surgir e falou:

— Levantem-se, lacaios... se é o que vocês pensam que são. Levantem-se em amor e agradecimento!

Eles se levantaram e foram apressados de volta para o barco. Tim ergueu o disco de metal com texto na superfície.

— Eu vou devolver isto! Do mesmo jeito que encontrei! Vou sim!

Lentamente — porém ainda sorrindo, o que era terrível de certa forma —, Timoneiro balançou a cabeça. Ele lançou um último olhar demorado e afetuoso, depois empurrou o barco caindo aos pedaços para longe da terra firme, na direção da parte instável do mundo que era o lar dos nativos. Tim ficou observando a embarcação rumar lenta e majestosamente para o sul. Quando, num gesto de saudação, a tripulação ergueu os remos que pingavam água, o menino acenou com a mão. Observou os nativos irem embora até que o barco não era nada além de um vislumbre ilusório no cinturão de fogo do sol poente. Ele enxugou lágrimas frescas dos olhos e conteve (por pouco) a vontade de chamá-los de volta.

Quando o barco sumiu, ele pendurou a *gunna* no corpo magro, se virou na direção indicada pelo aparelho e começou a entrar nas profundezas da floresta.

A escuridão chegou. A princípio houve uma lua, mas o brilho era apenas uma luz mortiça inconstante quando chegou ao solo... e aí isto também sumiu. *Havia* um caminho, Tim sabia disso, mas era fácil andar a esmo de um lado ou de outro. Nas primeiras duas vezes que isso aconteceu, ele conseguiu evitar topar com uma árvore, mas não na terceira. Tim estava pensando em Maerlyn e na possibilidade de ele não existir e deu com o peito na raiz de um pau-ferro. Ele segurou firme o disco prateado, mas o cesto de comida rolou no chão e se esparramou.

Agora terei que catar tudo de quatro, e a não ser que eu fique aqui até de manhã, provavelmente não encontrarei um pouco do...

— Gostaria de uma luz, viajante? — perguntou uma voz feminina. Tim depois se convenceria de que gritou de surpresa (pois não temos a tendência de dourar as memórias para que reflitam o melhor de nós mesmos?), mas a verdade era mais simples: ele gritou de terror, deixou cair o disco, ficou de pé em um pulo, e esteve prestes a dar nos calcanhares (e dane-se se fosse topar ou não em alguma árvore) quando o seu lado interessado na sua sobrevivência interveio. Se corresse, provavelmente jamais seria capaz de encontrar a comida espalhada pelo limite do caminho.

Ou o disco, que prometera proteger e devolver incólume.

Foi o disco que falou.

Era uma ideia ridícula, nem mesmo uma fada do tamanho de Armaneeta caberia dentro daquela chapa fina de metal... mas será que era mais ridícula do que um menino sozinho na Floresta Infinita, que procurava por um mago morto havia séculos? Que, mesmo se estivesse vivo, provavelmente estaria a milhares de rodas de distância dali, em uma parte do mundo onde a neve jamais derretia?

Ele procurou pelo brilho verde e não o viu. Com o coração disparado no peito, Tim ficou de joelhos e tateou ao redor, tocou um resto de popquim de porco embrulhado em folhas, descobriu um pequeno cesto de mirtilos (a maioria derramada no chão), achou o próprio cesto... mas nenhum disco de prata.

Em desespero, Tim gritou.

— Onde você está, em nome de Nis?

— Aqui, viajante — falou a voz feminina. Perfeitamente calma. Vindo da esquerda. Ainda de quatro, Tim se virou naquela direção.

— Onde?

— Aqui, viajante.

— Continue falando, por favor.

A voz obedeceu.

— Aqui, viajante. Aqui, viajante, aqui, viajante.

O menino esticou o braço na direção da voz; a mão se fechou no precioso artefato. Quando virou o disco, ele viu a luz verde. Tim o aninhou junto ao peito, suando. Pensou para si mesmo que nunca havia sentido tanto medo na vida, nem mesmo quando se deu conta de que estava na cabeça de um dragão, nem tanto alívio.

— Aqui, viajante. Aqui, viajante. Aqui…

— Achei você — disse Tim, sentindo-se idiota, ao mesmo tempo em que não se achava idiota de maneira alguma. — Você pode, hã, ficar calada agora.

O disco de prata ficou em silêncio. Tim ficou sentado imóvel por talvez cinco minutos e prestou atenção aos barulhos noturnos da floresta — não tão ameaçadores quanto aqueles no pântano, pelo menos até agora — enquanto recuperava o controle. Então disse:

— Sim, sai, eu gostaria de uma luz.

O disco começou o mesmo zumbido baixo que fez quando ergueu o bastãozinho e, de repente, uma luz branca, tão intensa que deixou Tim temporariamente ofuscado, brilhou. As árvores ganharam vida em volta, e uma criatura qualquer que espreitava sem fazer barulho deu um pulo para trás com um ganido assustado. Os olhos de Tim ainda estavam ofuscados demais para conseguir enxergar direito, mas ele teve a impressão de ter visto um corpo de pelo liso e — talvez — a curva de um rabinho.

Um segundo bastão surgiu do disco. Na ponta, uma pequena protuberância coberta produzia aquele clarão furioso. Era como fósforo incandescente, porém, ao contrário de fósforo incandescente, ele não se extinguia. Tim não fazia ideia de como bastões e luzes podiam se esconder em uma chapa de metal tão fina e tampouco se importava; mas havia uma coisa com que ele se importava.

— Quanto tempo isto vai durar, minha senhora?

— A pergunta não é específica, viajante. Faça de novo.

— Quanto tempo a luz vai durar?

— A energia da bateria está em oitenta e oito por cento. A duração planejada é de setenta anos, com a margem de erro de mais ou menos dois.

Setenta anos, pensou Tim. *Deve ser suficiente*.

Ele começou a recolher e guardar novamente a *gunna*.

Com o clarão intenso para guiá-lo, o caminho que Tim seguia ficou até mais nítido do que esteve no limite do pântano, mas era uma subida constante, e por volta da meia-noite (se é que era meia-noite; não havia como saber), Tim estava esgotado, apesar do longo sono no barco. O calor atípico e opressivo continuava, o que não ajudava. Tampouco o peso do cesto e do odre. Finalmente ele se sentou, pousou o disco, abriu o cesto e comeu um dos popquins. Estava delicioso. O menino refletiu um segundo, depois se lembrou de que não sabia quanto tempo teria que fazer essas provisões durarem.

Também passou pela sua cabeça que a luz brilhante emanada pelo disco podia ser vista por qualquer coisa que por acaso estivesse nas redondezas, e algumas dessas coisas poderiam não ser amigáveis.

— Poderia desligar a luz, senhora?

Tim não tinha certeza se ela responderia — ele tentara várias artimanhas para puxar conversa nas últimas quatro ou cinco horas, sem resultados —, mas a luz foi apagada e mergulhou o menino em uma escuridão plena. Na mesma hora, Tim pareceu perceber animais por toda a volta, javalis, lobos do mato, talvez um *pooky* ou dois — e teve que se segurar para não pedir pela luz novamente.

Essa floresta de paus-ferros parecia saber que era Terra Ampla apesar do calor fora do comum e tinha polvilhado muito humo de fim de ano, a maior parte sobre as flores que cercavam a base das árvores, mas também além delas. Tim recolheu material suficiente para fazer uma cama improvisada e se deitou sobre ela.

Eu fiquei jippa, pensou ele — o termo desagradável da Vila da Árvore para as pessoas que enlouqueceram. Mas Tim não se *sentia jippa*. Ele se sentia plenamente satisfeito, embora sentisse falta dos habitantes do Fagonard e se preocupasse com eles.

— Vou dormir — falou. — Pode me acordar se alguma coisa surgir, sai?

Ela respondeu, mas não de uma forma que Tim compreendesse.

— Diretriz 19.

Esta é a que vem depois de dezoito e antes de vinte, pensou Tim e fechou os olhos. O menino começou a adormecer imediatamente. Pensou em fazer outra pergunta à voz feminina desencarnada: *Tu falou com o povo do pântano?* Mas aí ele já tinha dormido.

No recôndito mais profundo da noite, a parte da Floresta Infinita de Tim Ross ganhou vida com pequenas formas à espreita. Dentro do aparelho sofisticado marcado como Módulo Portátil de Orientação DARIA da North Central Positronics, NCP-1436345-NA, o fantasma na máquina marcou a aproximação dessas criaturas, mas permaneceu em silêncio, pois não pressentiu perigo. Tim continuou dormindo.

Os throckens — seis no total — se reuniram em volta do menino adormecido em um semicírculo indefinido. Por um tempo, eles o observaram com os estranhos olhos debruados de dourado, mas então se voltaram para o norte e ergueram os focinhos para o céu.

Acima do extremo norte do Mundo Médio, onde as neves jamais acabam e a Terra Nova nunca chega, um grande funil começou a se formar e soprar ar que chegou tarde do sul e era quente demais. Conforme o funil passou a respirar como um pulmão, ele sugou um pouco do ar gelado que estava embaixo e começou a girar mais rápido, o que criou uma bomba de energia autossustentável. Em pouco tempo, os limites do funil encontraram o Caminho do Feixe, que o Módulo de Orientação DARIA leu eletronicamente e que Tim Ross viu como uma vaga trilha através da floresta. O Feixe provou a tempestade, achou saborosa e sugou. A borrasca começou a se mover para o sul, lentamente a princípio, depois mais rápido.

Tim acordou com a cantoria dos pássaros, se sentou e esfregou os olhos. Por um momento, ele não sabia onde estava, mas a visão do cesto e dos fachos esverdeados de luz do sol que atravessavam o topo dos paus-ferros logo o situou. O menino ficou de pé, saiu do caminho para fazer as necessidades matinais e aí se interrompeu. Ele viu várias pequenas pilhas de fezes em volta do lugar onde dormiu e se perguntou o que foi que veio investigá-lo durante a noite.

Alguma coisa menor do que lobos, pensou. *Que isso baste*.

Tim abriu a braguilha e cuidou das necessidades. Quando terminou, ele reempacotou o cesto (um pouco surpreso por não ter sido assaltado pelos visitantes), tomou um gole do odre e pegou o disco de prata. Seu olhar recaiu no terceiro botão. A viúva Smack se manifestou dentro da cabeça e disse para não apertar o botão, para deixá-lo em paz, mas Tim decidiu desconsiderar esse conselho. Se ele prestasse atenção a conselhos bem-intencionados, não estaria aqui. Claro que a mãe também ainda poderia ter a visão… mas Grande Kells ainda seria seu padrasto. Ele imaginou que a vida toda era repleta de trocas similares.

Tim torceu para que aquele troço desgraçado não explodisse e apertou o botão.

— Olá, viajante! — disse a voz feminina.

Tim começou a responder, mas ela continuou sem prestar atenção.

— Bem-vindo à DARIA, um serviço de orientação da North Central Positronics. Você está no Caminho do Feixe do Gato, às vezes conhecido como o Feixe do Leão ou do Tigre. Você também está no Caminho do Pássaro, também conhecido como Caminho da Águia, Caminho do Falcão e Caminho do Abutre. Todas as coisas servem ao Feixe!

— É o que dizem — concordou Tim, tão fascinado que praticamente não se deu conta de que falava. — Embora ninguém saiba o que isto significa.

— Você saiu do Marco Nove, no pântano Fagonard. Não há uma Dogan no pântano Fagonard, mas há uma estação de recarga. Se você precisa de uma estação de recarga diga *sim* e eu calcularei a rota. Se não precisa de uma estação de recarga, diga *continue*.

— Continue — falou Tim. — Senhora... Daria... Eu procuro Maerlyn...

Ela o ignorou.

— A próxima Dogan na rota atual fica no Kinnock da Floresta do Norte, também conhecido como Ninho do Norte. A estação de recarga na Dogan do Kinnock da Floresta do Norte está desligada. Um distúrbio no Feixe indica magia naquele ponto. Também pode haver Mudança de Vida naquele ponto. Recomenda-se um desvio. Se você gostaria de se desviar, diga *desvio* e eu calcularei as alterações necessárias. Se gostaria de visitar a Dogan do Kinnock da Floresta do Norte, também conhecido como Ninho do Norte, diga *continue*.

Tim considerou as opções. Se o troço chamado Daria sugeria um desvio, o lugar chamado de Dogan provavelmente era perigoso. Por outro lado, magia não era exatamente aquilo de que ele viera à procura? Magia ou um milagre? E ele já estivera em cima da cabeça de um dragão. Como a Dogan do Kinnock da Floresta do Norte poderia ser mais perigosa?

Talvez muito mais, admitiu Tim para si mesmo... mas ele tinha o machado e a moeda da sorte do pai e tinha um trabuco. Um trabuco que funcionava e já havia derramado sangue.

— Continue — falou.

— A distância para a Dogan do Kinnock da Floresta do Norte é de oitenta quilômetros ou 45,45 rodas. O terreno é suave. As condições meteorológicas...

Daria parou. Houve um clique alto. A seguir:

— Diretriz 19.

— O que é a Diretriz 19, Daria?

— Para ignorar a Diretriz 19, fale a senha. Pode ser pedido que você a soletre.

— Eu não sei o que isto significa.

— E você tem certeza de que não quer que eu calcule um desvio, viajante? Detecto um forte distúrbio no Feixe que indica magia intensa.

— É magia benigna ou sombria? — Foi o mais próximo que Tim conseguiu chegar de fazer a pergunta que a voz no disco provavelmente não entenderia: *É Maerlyn ou é o homem que colocou eu e minha mãe nesta confusão?*

Quando não houve resposta por dez segundos, Tim começou a acreditar que não haveria resposta alguma... ou haveria outra repetição de *Diretriz 19*, o que realmente dava no mesmo. Mas veio uma resposta, embora não tivesse adiantado de nada.

— Ambas — informou Daria.

* * *

O caminho continuou subindo, e o calor também. Ao meio--dia, Tim estava cansado e faminto demais para seguir em frente. Ele tentou puxar conversa com Daria várias vezes, mas ela novamente ficara em silêncio. Apertar o terceiro botão não ajudou, embora a função de navegação parecesse incólume; quando Tim saía de propósito para a direita ou esquerda da rota visível que levava para as profundezas da floresta (e sempre para cima), a luz verde ficava vermelha. Quando o menino voltava ao curso, o verde reaparecia.

Ele comeu do cesto, depois se acomodou para tirar um cochilo. Quando acordou, era fim da tarde e estava um pouco mais fresco. Tim pendurou o cesto nas costas (estava mais leve agora) e o odre no ombro e continuou. A tarde foi curta e o crepúsculo ainda mais. A noite guardava poucos terrores para ele, em parte porque Tim já sobrevivera a uma noite, mas principalmente porque, quando precisava de luz, Daria fornecia. E, depois do calor do dia, o frescor da noite era revigorante.

Tim prosseguiu por umas boas horas antes de começar a se cansar novamente. Ele reuniu um pouco de humo para dormir em cima até amanhecer, quando Daria se pronunciou:

— Há uma paisagem à frente, viajante. Se deseja vê-la, diga *continue*. Se não quiser observar, diga *não*.

Tim estava em pleno ato de pousar o cesto no chão. Agora ele o pegou novamente, intrigado.

— Continue.

A luz intensa do disco se apagou, mas, depois que os olhos tiveram a chance de se ajustar, o menino viu luz adiante. Era o luar, só que bem mais forte do que a claridade filtrada pelas árvores sobre o caminho.

— Use o sensor de orientação verde — falou Daria. — Ande em silêncio. A paisagem fica um quilômetro e meio, ou 0,8 roda, ao norte de sua localização atual.

Dito isto, ela desligou.

Tim fez o máximo de silêncio possível ao andar, mas ainda achou que estava alto demais. No fim das contas, provavelmente não fez diferença. O caminho deu na primeira grande clareira que Tim havia encontrado desde que entrou na floresta, e os seres que a ocupavam não prestaram a mínima atenção nele.

Havia seis billy-malhados sentados em um pau-ferro caído, com os focinhos erguidos para a lua crescente. Os olhos brilhavam como joias. Throckens raramente eram vistos na Vila da Árvore hoje em dia, e ver apenas um era considerado uma sorte extrema. Tim nunca tinha visto um billy-malhado. Vários amigos diziam ter vislumbrado throckens brincando nos campos, ou nos bosques de pau-de-balsa, mas Tim suspeitava que eles mentiam. E agora... ver meia dúzia...

O menino achou que eles eram bem mais bonitos do que a traiçoeira Armaneeta, porque a única magia a respeito dos throckens era a magia normal dos seres vivos. *Estas eram as criaturas que me cercaram ontem à noite — eu sei que eram.*

O menino se aproximou dos billy-malhados como se estivesse dentro de um sonho; sabia que provavelmente os afugentaria, mas foi incapaz de ficar onde estava. Eles não se mexeram. Tim esticou a mão para um dos malhados e ignorou a voz triste na cabeça (parecia a da viúva) que dizia que ele certamente seria mordido.

O malhado não mordeu, mas, quando sentiu os dedos de Tim no pelo espesso embaixo do queixo, ele pareceu despertar e pulou do tronco. Os outros fizeram o mesmo. Eles começaram a correr em volta dos pés do menino e entre as pernas, se mordiscaram uns aos outros e soltaram latidos agudos que fizeram Tim rir.

Um throcken olhou para trás para o menino... e pareceu devolver a risada.

Os malhados deixaram Tim e correram para o centro da clareira. Lá fizeram um anel em movimento sob o luar; as sombras tênues dançavam e se agitavam. Todos pararam ao mesmo tempo e ficaram de pé nas pernas traseiras com as patinhas esticadas, como se fossem homenzinhos peludos. Debaixo do sorriso frio da lua crescente, todos estavam voltados para o norte, para o Caminho do Feixe.

— Você são maravilhosos! — gritou Tim.

Eles se viraram para o menino, tendo perdido a concentração.

— *Mavilhosos!* — disse um malhado... e a seguir todos correram para a floresta. Isto aconteceu tão rápido que Tim quase acreditou que havia imaginado a coisa toda.

Quase.

Ele acampou na clareira naquela noite, na esperança de que os malhados pudessem retornar. E, ao pegar no sono, Tim se lembrou de algo que a viúva Smack falara a respeito do tempo quente fora de estação. *Provavelmente não é nada... a não ser que você veja sir Throcken dançando à luz das estrelas ou olhando para o norte com o focinho erguido.*

Ele não viu apenas um malhado, mas sim meia dúzia fazendo ambas as coisas.

Tim se sentou. A viúva disse que estes eram sinais de alguma coisa — o quê? Uma borriscada? Era parecido, mas não era isso...

— Borrasca — disse o menino. — É isso.

— Borrasca — falou Daria, que assustou Tim e o deixou com olhos mais arregalados do que nunca. — Uma tempestade rápida de grande intensidade. As características incluem quedas bruscas e intensas de temperatura acompanhadas por ventos fortes. É conhecida por causar enorme destruição e perdas de vidas em partes civilizadas do mundo. Em áreas primitivas, tribos inteiras foram aniquiladas. Essa definição de *borrasca* foi um serviço da North Central Positronics.

Tim se deitou na cama de humo, cruzou os braços atrás da cabeça e olhou para o círculo de estrelas que a clareira deixava visível. Um serviço da North Central Positronics, então é mesmo? Bem... talvez. O menino pensou que na verdade talvez tivesse sido um serviço de Daria. Ela era uma máquina maravilhosa (embora Tim não tivesse certeza de que Daria era *somente* uma máquina), mas havia coisas que ela não tinha permissão de contar a ele. Tim, entretanto, pensou que Daria talvez estivesse *sugerindo* algumas coisas. Será que ele estava sendo induzido por ela, como fizeram o Cobrador e Armaneeta? Tim precisava admitir que era uma possibilidade, mas não acreditava nisso de verdade. Ele pensou — possivelmente porque era apenas uma criança idiota, pronta para acreditar em qualquer coisa — que talvez Daria tivesse ficado sem ninguém para conversar por muito tempo e que passara a gostar dele. De uma coisa Tim estava certo: se havia uma tempestade terrível a caminho, era melhor ele terminar o mais rápido possível o que tinha a fazer e depois encontrar um local protegido. Mas que lugar seria seguro?

Esse pensamento levou as reflexões de Tim para a tribo do Fagonard. Os nativos não estavam nem um pouco a salvo... como já sabiam, pois afinal não tinham imitado os malhados para ele? Tim havia prometido a si mesmo que reconheceria o que os nativos tentaram mostrar caso se deparasse com isso. E reconheceu. A tempestade estava a caminho — a borrasca. Eles sabiam disso, provavelmente através dos malhados, e presumiam que seriam mortos por ela.

Com esses pensamentos em mente, Tim achou que levaria muito tempo para pegar no sono, mas cinco minutos depois ele estava perdido para o mundo.

Tim sonhou com throckens que dançavam sob o luar.

* * *

Ele começou a considerar Daria como uma acompanhante, embora ela não falasse muito e, quando falava, Tim nem sempre entendia o motivo (ou o que em nome do *Na'ar* Daria dizia). Uma vez foi uma série de números. Em outra, ela disse que estaria "desconectada" porque "procurava por sinal de satélite" e sugeriu que ele parasse. Ele fez isso, e por meia hora o disco pareceu completamente morto — sem luzes, sem voz. Já estava começando a achar que Daria realmente havia morrido e aí a luz verde voltou a acender, o bastãozinho reapareceu e ela anunciou:

— Eu reestabeleci contato com o satélite.

— Desejo-lhe o prazer disso — respondeu Tim.

Várias vezes Daria se ofereceu para calcular um desvio. Tim continuou a recusar. E uma vez, perto do fim do segundo dia após ter saído do Fagonard, ela recitou um versinho:

Veja a Águia com seu olhar intenso
E as asas com que abraça o firmamento!
Ela vigia a terra e vigia o mar
E até uma criança como eu a águia não deixa de vigiar.

Se chegasse aos cem anos (o que, dada a missão maluca de agora, Tim duvidava que acontecesse), ele achava que jamais se esqueceria das coisas que viu nos três dias em que ele e Daria se arrastaram, sempre subindo, no calor sem fim. O caminho, outrora indefinido, se tornou uma avenida distinta, ladeada por muros decadentes de rocha por várias rodas de distância. Uma vez, por quase uma hora, o corredor no céu acima daquela avenida se encheu de milhares de enormes pássaros vermelhos que voavam para o sul, como se migrassem. *Mas, com certeza*, pensou Tim, *eles devem parar na Floresta Infinita, pois nenhum pássaro desses jamais foi visto nos céus da Vila da Árvore*. Em outra ocasião, quatro cervos azuis, que não tinham mais do que sessenta centímetros de altura, cruzaram o caminho em frente a ele, sem dar bola para o menino estupefato que ficou olhando fixamente para aqueles anões mutantes. E houve um momento em que Tim e Daria chegaram a um campo repleto de cogumelos amarelos gigantes que tinham 1,2 metro de altura, com chapéus do tamanho de guarda-chuvas.

— Eles prestam para comer, Daria? — perguntou Tim, pois chegava ao fim das provisões no cesto. — Tu sabe?

— Não, viajante — respondeu ela. — Eles são venenosos. Se você sequer roçar a pele no pó dos cogumelos, morrerá de convulsões. Eu aconselho extremo cuidado.

Tim seguiu o conselho e chegou a prender a respiração até passar por aquele campo perigoso cheio de morte traiçoeira que reluzia ao sol.

Perto do fim do terceiro dia, o menino surgiu na beirada de um precipício estreito que despencava por trezentos metros ou mais. Ele não conseguiu ver o fundo, pois estava cheio de flores brancas. Era um campo tão espesso que a princípio Tim confundiu com uma nuvem que caíra na terra. O cheiro que subiu pela brisa era doce de uma maneira fantástica. Uma ponte de pedra cruzava a garganta e passava por uma cachoeira do outro lado, que brilhava vermelho cor de sangue na luz refletida do sol do poente.

— Devo cruzar aquilo? — perguntou Tim baixinho. A ponte não parecia muito mais larga do que uma viga do celeiro... e, no meio, não muito mais grossa.

Daria não respondeu, mas o brilho constante da luz verde foi resposta suficiente.

— Talvez pela manhã — falou ele, que sabia que não dormiria porque ficaria com aquilo na cabeça, mas que também não queria arriscar a travessia tão perto do fim do dia. A ideia de ter que transpor a última parte daquela passagem elevada no escuro era aterrorizante.

— Eu aconselho a atravessar agora — falou Daria — e a continuar na direção da Dogan do Kinnock da Floresta do Norte com o máximo de velocidade possível. Já não dá mais para fazer um desvio.

Ao olhar para a garganta com a ponte arriscada, Tim nem precisava da voz do disco para lhe dizer que um desvio não era mais possível. Mas ainda assim...

— Por que não posso esperar até de manhã? Com certeza seria mais seguro.

— Diretriz 19. — Do disco saiu um clique mais alto do que qualquer um que Tim ouvira antes, e Daria acrescentou: — Mas eu aconselho rapidez, Tim.

Ele tinha pedido a ela várias vezes para chamá-lo pelo nome em vez de *viajante*. Essa foi a primeira vez que Daria fez isso, e o gesto o convenceu. Tim abandonou o cesto da tribo do Fagonard — não sem algum arrependimento — porque pensou que poderia desequilibrá-lo. Enfiou os dois últimos popquins na camisa, pendurou o odre nas costas, depois verificou se tanto o trabuco quanto a machadinha do pai estavam firmemente presos em cada lado da cintura. Ele se aproximou da passagem de pedra, olhou para o leito de flores brancas lá embaixo e viu as primeiras sombras da noite começarem a se formar ali. Tim visualizou a si mesmo dando aquele passo-em-falso-derradeiro; se viu girando os braços em uma tentativa inútil de manter o equilíbrio; sentiu o pé primeiro errar a pedra e depois correr pelo ar; ouviu o grito quando a queda começou. Haveria alguns momentos para se arrepender da vida inteira que poderia ter vivido, e então...

— Daria, eu tenho que cruzar? — perguntou o menino com uma voz miúda e trêmula.

Nenhuma resposta, o que já foi resposta suficiente. Tim pisou sobre a queda.

O som dos saltos da bota na rocha era muito alto. Ele não quis olhar para baixo, mas não tinha escolha; se não prestasse atenção aonde ia, seria o seu fim. A ponte de pedra era tão larga quanto uma rua de vilarejo quando Tim começou, mas, no momento em que chegou ao meio — como temia, apesar de ter torcido que fosse apenas um truque pregado pelos olhos —, a ponte tinha somente a largura das botinas. Ele tentou andar com os braços esticados, mas uma brisa soprou pela garganta, inflou a camisa e fez com que Tim se sentisse como uma pipa prestes a decolar. Ele abaixou os braços e foi em frente, calcanhar primeiro, ponta do pé depois, calcanhar primeiro, ponta do pé depois, enquanto se balançava de um lado para o outro. Ficou convencido de que seu coração batia freneticamente pela última vez e de que sua mente formulava os últimos pensamentos aleatórios.

Mamãe jamais saberá o que aconteceu comigo.

No meio do caminho, a ponte chegou ao trecho mais estreito e também mais fino. Tim podia sentir a fragilidade pelos pés e ouviu o vento tocar o afinador de sopro ao longo da parte interior erodida. Agora, a cada vez que dava um passo, ele tinha que passar uma bota sobre o precipício.

Não pare, falou Tim para si mesmo, mas sabia que, se hesitasse, ele poderia fazer exatamente isto. Então, pelo rabo do olho, Tim viu movimento lá embaixo e *realmente* hesitou.

Tentáculos compridos com textura de couro emergiram das flores. Eles eram azul-acinzentados na ponta e rosados como pele queimada embaixo. Ergueram-se na direção de Tim em uma dança ondulante — primeiro dois, depois quatro, então oito, e então uma floresta de tentáculos.

— Eu aconselho rapidez, Tim — repetiu Daria.

O menino se forçou a recomeçar a andar. Devagar no começo, depois mais rápido à medida que os tentáculos continuavam a diminuir a distância. Seria impossível uma criatura ter um alcance de trezentos metros, não importava o tamanho monstruoso do corpo lá embaixo nas flores, mas, quando Tim viu os tentáculos se afinarem e se esticarem para alcançá-lo mais alto ainda, ele começou a se apressar. E no momento em que o tentáculo mais longo alcançou a parte inferior da ponte e passou a tatear por ela, o menino disparou.

A cachoeira — que não era mais vermelha, ostentando agora um pálido rosa-alaranjado — trovejava diante dele. Quando Tim sentiu alguma coisa roçar na bota e buscar apoio, ele se atirou para a frente, na direção da água, com um grito sem palavras. Houve um momento de frio congelante, que envolveu seu corpo como uma luva, e a seguir o menino estava do outro lado da cachoeira e de volta à terra firme.

Um dos tentáculos atravessou a cachoeira. Ele se empinou como uma cobra, pingando água… e então recuou.

— Daria! Você está bem?

— Eu sou à prova de água — respondeu Daria num tom que soou de maneira suspeita como convencimento.

Tim se levantou e olhou em volta. Estava em uma pequena caverna. Escrita em uma parede, em uma tinta que um dia devia ter sido vermelha, mas que ao longo dos anos (ou talvez dos séculos) desbotou e virou um tom de ferrugem, estava uma anotação misteriosa:

JOÃO 3:16
TEMA O INFERNO TORÇA PELO CÉU
HOMEM JESUS

À frente havia uma pequena escada de pedra tomada pela luz do poente que desvanecia. De um lado, havia um monte de latas e pedaços de máquinas quebradas — molas, fios, vidro quebrado e pedaços de placas verdes com rabichos de metal. Do outro lado da escada havia um esqueleto sorridente com o que parecia ser um antigo cantil amarrado sobre as costelas. *Olá, Tim!*, era o que o sorriso parecia dizer. *Bem-vindo ao outro lado do mundo! Quer um gole de poeira? Eu tenho muito!*

Tim subiu os degraus e passou rapidamente pela relíquia. Ele sabia perfeitamente bem que o esqueleto não ganharia vida e tentaria agarrá-lo pela bota, como os tentáculos das flores tentaram fazer; o que estava morto permanecia morto. Ainda assim, pareceu mais seguro não se demorar por lá.

Quando saiu da caverna, Tim viu que o caminho novamente entrava na floresta, mas ele não ficaria lá por muito tempo. Não muito adiante, as velhas árvores grandes recuavam e a longa, longa encosta que Tim vinha subindo terminava em uma clareira bem maior do que aquela em que os malhados dançaram. Lá uma enorme torre feita de vigas de metal subia aos céus. No topo havia uma luz vermelha que piscava.

— Você quase chegou ao destino — disse Daria. — A Dogan do Kinnock da Floresta do Norte fica três rodas à frente. — O clique surgiu de novo, ainda mais alto do que antes. — Você realmente tem que se apressar, Tim.

Enquanto o menino estava parado olhando a torre com a luz piscante, a brisa que tanto o assustara ao cruzar a ponte de pedra surgiu novamente, só que dessa vez o sopro foi gelado. Ele ergueu os olhos para o céu e viu que as nuvens que iam lentamente na direção do sul agora corriam.

— É a borrasca, Daria, não é? A borrasca está chegando.

Daria não ofereceu resposta, mas Tim não precisava de uma.

Ele começou a correr.

Quando chegou à clareira da Dogan, Tim estava sem fôlego e conseguia apenas chegar a um trote, apesar da noção de urgência. O vento continuou a aumentar e o empurrava, os galhos altos dos paus-ferros começando a sussurrar. O ar ainda estava quente, mas Tim não achava que continuaria assim por muito tempo. Ele precisava chegar a um local protegido e esperava fazer isso nesse troço chamado Dogan.

Mas, quando entrou na clareira, o menino mal olhou para o prédio circular, com telhado de metal, que ficava na base da torre esquelética com a luz piscante. Ele tinha visto outra coisa que capturou toda a sua atenção e tirou o seu fôlego.

Estou vendo isto? Estou realmente vendo isto?

— Deuses — sussurrou ele.

Quando o caminho cruzava a clareira, era pavimentado por um material liso e escuro qualquer, tão reluzente que refletia tanto as árvores que dançavam ao vento forte quanto as nuvens com tons do poente que voavam acima. O caminho terminava em um precipício rochoso. O mundo inteiro parecia acabar aqui e recomeçar a cem rodas ou mais de distância. No espaço intermediário havia um grande abismo de ventania em que as folhas dançavam e giravam. Havia ferrugens também. Eles subiam e davam guinadas nos redemoinhos e correntes. Alguns estavam obviamente mortos, com as asas arrancadas dos corpos.

Tim também mal notou o grande abismo e os pássaros moribundos. À esquerda da estrada de metal, a cerca de três metros do lugar onde o mundo despencava para o nada, havia uma jaula circular feita de barras de aço. Virado de ponta-cabeça em frente à jaula estava um balde surrado de latão que o menino conhecia muito bem.

Dentro da jaula, andando devagar em volta de um buraco no centro, estava um enorme tigre.

O animal viu o menino que o encarava boquiaberto e se aproximou das barras. Os olhos eram tão grandes quanto uma bola de jogo de pontos, mas com um brilho verde em vez de azul. Na pele, listras de tom laranja-escuro se alternavam com listras de um preto intenso. As orelhas estavam eriçadas. O focinho se arreganhou e revelou longos dentes brancos. Ele rosnou. O som foi baixo, como uma peça de roupa de seda sendo rasgada lentamente na costura. Podia ter sido uma saudação… mas Tim duvidava.

No pescoço do tigre havia um colar de prata. Ali estavam pendurados dois objetos. Um parecia uma carta de baralho. O outro era uma chave com um estranho formato retorcido.

Tim não fazia ideia de quanto tempo ficou hipnotizado por aqueles fabulosos olhos esmeralda ou por quanto tempo teria ficado, mas o perigo extremo da situação se anunciou através de uma série de explosões baixas e trovejantes.

— O que foi isso?

— Árvores do outro lado do Grande Cânion — explicou Daria. — A mudança extremamente rápida de temperatura faz com quem explodam. Procure por abrigo, Tim.

A borrasca — o que mais poderia ser?

— Quanto tempo leva para chegar até aqui?

— Menos de uma hora. — Houve outro daqueles cliques altos. — É possível que eu tenha de desligar.

— Não!

— Eu violei a Diretriz 19. Tudo que posso dizer em defesa é que há muito tempo não tenho alguém com quem conversar.

Clique! Depois veio um som mais preocupante e fatídico: *Claque!*

— E quanto ao tigre? Ele é o Guardião do Feixe? — Assim que articulou a ideia, Tim foi tomado pelo horror. — Eu não posso deixar um Guardião do Feixe morrer aqui fora na borrasca!

— O Guardião do Feixe no fim deste caminho é Aslan — disse Daria. — Aslan é um leão, e se ainda viver, ele está bem longe daqui, na terra das neves infinitas. Este tigre é… *Diretriz 19*! — Então soou um estalo ainda mais alto quando ela cancelou a diretriz, a um custo que Tim não sabia.

— Esse tigre é a magia de que falei. Esqueça ele. *Procure abrigo!* Boa sorte, Tim. Você foi meu am…

Não houve clique nem claque dessa vez, mas sim um terrível estalo. Saiu fumaça do disco e a luz verde se apagou.

— Daria!

Nada.

— *Daria, volte!*

Mas Daria sumiu.

Os sons de artilharia emitidos pelas árvores moribundas ainda estavam muito longe, do outro lado daquele vão nublado no mundo, mas não havia dúvida de que se aproximavam. O vento continuava a ganhar força e a ficar cada vez mais frio. Lá no alto, o último grupo de nuvens passou voando. Atrás delas veio uma terrível claridade violeta em que as primeiras estrelas começaram a aparecer. O sussurro do vento nos galhos altos das árvores ao redor virou um coro triste de suspiros. Era como se os paus-ferros soubessem que as suas longas, longas vidas chegavam ao fim. Um grande lenhador estava a caminho e brandia um machado feito de vento.

Tim deu outra olhada no tigre (que retomou o passo lento e majestoso, como se o menino tivesse merecido apenas uma consideração momentânea), depois correu para a Dogan. Pequenas janelas redondas de vidro de verdade — muito grosso, pela aparência — davam a volta na circunferência na altura da cabeça de Tim. A porta também era de metal. Não havia maçaneta ou ferrolho, apenas uma ranhura como uma boca estreita. Acima da ranhura, em uma placa de aço enferrujada, estava isto:

NORTH CENTRAL POSITRONICS, LTD.
Kinnock da Floresta do Norte
Quadrante Bend

POSTO AVANÇADO 9

Nível Baixo de Segurança
USE O CARTÃO

Tim teve dificuldade de entender as palavras porque eram uma mistura esquisita das línguas superior e inferior. O que fora rabiscado embaixo delas, porém, foi fácil de entender: **Todos aqui estão mortos.**

Na base da porta havia uma caixa que parecia com a que a mãe de Tim possuía para guardar tralhas e lembrancinhas, só que feita de metal em vez de madeira. O menino tentou abri-la, mas estava trancada. Havia letras gravadas na caixa que ele não foi capaz de ler. Ela tinha um buraco de fechadura em um formato estranho — como a letra q⟦* —, mas nenhuma chave. Tim tentou erguer a caixa e não conseguiu. Podia estar presa ao chão no topo de um pilar de pedra enterrado.

Um ferrugem morto bateu no lado do rosto de Tim. Mais cadáveres emplumados passaram voando e girando sem parar no ar cada vez mais agitado. Alguns bateram na lateral da Dogan e caíram ao redor dele.

Tim leu mais uma vez as últimas palavras da placa de aço: USE O CARTÃO. Se ele tinha alguma dúvida sobre o que seria tal coisa, bastou olhar para a ranhura embaixo das palavras. Ele achou que até sabia qual seria a aparência de um "cartão", pois acreditava que tinha acabado de ver um, juntamente com uma chave que poderia servir no buraco em forma daquele da caixa de metal. O cartão e a chave — e uma possível salvação — pendurados no pescoço de um tigre que provavelmente poderia engoli-lo com três mordidas. E, uma vez que Tim não viu comida alguma na jaula, talvez fossem necessárias apenas duas mordidas.

Isto cheirava cada vez mais a uma pegadinha, embora apenas um homem muito cruel fosse achar graça em uma piada dessas. O tipo de sujeito que usaria uma fada má para atrair um menino para um pântano perigoso, talvez.

O que fazer? Havia algo que ele *poderia* fazer? Tim teria gostado de perguntar a Daria, mas tinha muito medo de que a amiga no disco — uma fada boa para compensar a fada má do Cobrador — estivesse morta, assassinada pela Diretriz 19.

Ele se aproximou lentamente da jaula, agora já precisando se inclinar contra o vento. O tigre viu o menino e deu a volta no buraco do meio para se postar diante da porta da jaula. O animal baixou a cabeçorra e encarou Tim com os olhos reluzentes. O vento ondulou o pelo grosso e fez as listras tremerem e parecerem mudar de lugar.

O balde de latão deveria ter rolado com o vento, mas não rolou. Como a caixa de aço, parecia fixo no lugar.

Ele deixou o balde para mim lá em casa, para que eu pudesse ver as mentiras e acreditar nelas.

Tudo não passara de uma brincadeira, e debaixo do balde ele encontraria o sentido da piada, aquela última frase criativa — tipo *Eu não posso recolher palha com uma colher!* ou *Então eu virei o corpo dela e aqueci o outro lado* — que

* Que soa como *S* na língua inferior.

teoricamente fazia as pessoas gargalharem alto. Contudo, uma vez que era o fim, por que não? Uma risada cairia bem.

Tim pegou o balde e levantou. Ele esperava encontrar a varinha de condão do Cobrador embaixo, mas não. A piada foi ainda melhor do que isto. Era outra chave, grande e entalhada com enfeites. Como a tigela premonitória do Cobrador e o colar do tigre, ela era feita de prata. Um bilhete fora amarrado com um pouco de barbante à cabeça da chave.

Do outro lado da garganta, as árvores rachavam e explodiam. Agora a poeira vinha rolando do precipício em nuvens gigantes que foram rasgadas em tiras como fumaça.

O bilhete do Cobrador era breve:

> **Saudações, Bravo e Engenhoso Menino! Bem-vindo ao Kinnock da Floresta do Norte, que um dia foi conhecido como o Portal para o Mundo Exterior. Eu deixei um Tigre encrenqueiro aqui para você. Ele está MUITO faminto! Mas, como pode ter adivinhado, a chave para o ABRIGO está pendurada no pescoço dele. Como também pode ter adivinhado, *esta* Chave abre a Jaula. Use-a se tiver coragem! Lembranças à sua Mãe (cujo Novo Marido irá fazer uma visita a ela EM BREVE). Eu permaneço seu Fiel Criado!**
>
> **RF/MB**

O homem — se é que era um homem — que deixara o bilhete para Tim se surpreendia com pouca coisa, mas talvez teria ficado surpreso com o sorriso no rosto do menino quando ele se levantou levando consigo a chave na mão e chutou o balde de latão. O balde subiu e saiu voando no vento forte, que agora já era quase um vendaval. O objetivo fora cumprido, e ele perdera toda a magia.

Tim olhou para o tigre. O tigre olhou para Tim. O animal parecia completamente alheio à tempestade que aumentava. O rabo balançava devagar de um lado para o outro.

— Ele acha que eu preferiria ser levado pelo vento ou morrer de frio em vez de encarar suas garras e presas. Talvez ele não tenha visto isto. — Tim sacou o trabuco do cinto. — Funcionou com aquela criatura que fazia as vezes de peixe no pântano, e tenho certeza de que funcionará com você, sai Tigre.

Tim ficou novamente maravilhado com a pegada da arma. A função era tão simples, tão óbvia. Tudo o que o trabuco queria fazer era atirar. E, quando o menino o empunhou, atirar era tudo o que ele queria fazer.

Mas...

— Ah, ele viu. — Tim abriu um sorriso maior. Ele mal conseguia sentir os cantos da boca subirem porque a pele do rosto começou a ficar dormente com o frio. — Sim, ele viu muito bem. Será que o Cobrador imaginava que eu chegaria tão longe assim? Talvez não. Será que imaginou que, se chegasse, eu atiraria em você para viver? Por que não? *Ele* atiraria. Mas por que mandar um menino? Por quê, quando o Cobrador provavelmente já enforcou mil homens e cortou mil gargantas e despejou sabe-se lá quantas pobres viúvas como a mamãe? Pode me responder isto, sai Tigre?

O tigre apenas o encarou com a cabeça baixa e o rabo que balançava devagar, de um lado para o outro. Tim recolocou o trabuco de volta no cinto com uma mão; com a outra ele enfiou a chave de prata enfeitada na fechadura da porta curva da jaula.

— Sai Tigre, eu lhe ofereço um acordo. Me deixe usar a chave em volta do seu pescoço para abrir o abrigo e ambos viveremos. Mas, se você me estraçalhar, ambos morreremos. Tu entendeu? Me dê um sinal de que tu entendeu.

O tigre não ofereceu sinal algum. Apenas encarou o menino.

Tim realmente não esperava uma resposta e talvez não precisasse de uma. Haverá água, se Deus quiser.

— Eu te amo, mamãe — falou o menino e girou a chave. Houve um baque quando os antigos tambores viraram. Tim agarrou a porta e a puxou para abrir, as dobradiças tinindo. Então ele recuou com as mãos nas laterais do corpo.

Por um momento, o tigre ficou onde estava, como se estivesse desconfiado. E então saiu da jaula. Ele e Tim se encararam sob um céu cada vez mais púrpura enquanto o vento assobiava e as explosões se aproximavam em marcha. Eles se encararam como pistoleiros. O tigre começou a avançar. Tim deu um passo para trás, mas compreendeu que, se desse outro, perderia a coragem e teria que dar nos calcanhares. Então ficou parado onde estava.

— Venhas, tu. Aqui está Tim, filho de Grande Jack Ross.

Em vez de dilacerar a garganta de Tim, o tigre se sentou e ergueu a cabeça para expor o colar, e a chave e o cartão pendurados nele.

Tim não hesitou. Mais tarde ele poderia se dar ao luxo de ficar espantado, mas não agora. O vento ficava mais forte a cada segundo, e, se não agisse rapidamente, ele seria levado voando até o arvoredo, onde provavelmente seria empalado. O tigre era mais pesado, mas não demoraria a ir junto.

O cartão que era uma chave e a chave que parecia um ¶ estavam soldados ao colar de prata, mas o fecho do colar era bem fácil. Tim apertou as laterais nos entalhes e o colar saiu. Ele teve um momento para assimilar o fato de que o tigre ainda usava um colar — este feito da pele rosa onde o pelo não crescia mais — e depois correu para a porta de metal da Dogan.

O menino ergueu o cartão e inseriu. Nada aconteceu. Ele virou e tentou do outro lado. Ainda nada. Veio uma rajada de vento, uma mão fria de cadáver que jogou Tim contra a porta e fez seu nariz sangrar. Ele se afastou da porta, virou o cartão de cabeça para baixo e tentou novamente. Ainda nada. De repente, Tim se lembrou de algo que Daria dissera — foi apenas três dias atrás? *A Dogan do Kinnock da Floresta do Norte está desligada*. Ele achou que agora sabia o que isto significava. A luz piscante na torre das vigas de metal ainda podia estar funcionando, mas aqui embaixo a energia que abastecia o local estava apagada. Tim havia encarado o tigre, que não o comera em troca, mas a Dogan estava trancada. Os dois morreriam aqui fora do mesmo jeito.

Era o fim da piada, e em algum lugar o homem de preto ria.

Ele se virou e viu o tigre passar o nariz na caixa de metal com as inscrições no topo. A fera ergueu o olhar, depois esfregou o focinho na caixa novamente.

— Tudo bem — disse Tim. — Por que não?

O menino se ajoelhou perto o suficiente da cabeça baixa do tigre a ponto de sentir o bafo quente soprar na sua bochecha fria. Ele tentou a chave ᑫ⟦. Ela se encaixou na fechadura perfeitamente. Por um momento, Tim teve uma lembrança perfeita de ter usado a chave dada pelo Cobrador para abrir o baú de Kells. Então ele girou a chave agora, ouviu o clique e ergueu a tampa. Na esperança por salvação.

Em vez de salvação, o menino viu três itens que pareciam não ter utilidade alguma: uma grande pena branca, uma garrafinha marrom e um guardanapo branco liso, do tipo que eram postos sobre as mesas compridas atrás do auditório da Vila da Árvore, antes do banquete da Colheita de cada ano.

O vento virou uma ventania; uma gritaria fantasmagórica começando quando ele soprou pelas vigas entrecruzadas da torre de metal. A pena saiu rodopiando da caixa, mas, antes que fosse embora voando, o tigre esticou o pescoço e a pegou com os dentes. A fera se virou para o menino e ofereceu a pena. Tim pegou e enfiou no cinto ao lado da machadinha do pai, sem realmente pensar a respeito. Ele começou a engatinhar para longe da Dogan. Voar para cima das árvores e ser transpassado por um galho não seria uma maneira agradável de morrer, mas seria melhor — mais rápido — do que ser esmagado contra a Dogan enquanto aquele vento mortífero entrava pela pele e congelava os órgãos vitais.

O tigre rugiu e soltou aquele som de seda sendo lentamente rasgada. Tim começou a virar a cabeça e foi jogado contra a Dogan. Ele lutou para recuperar o fôlego, mas o vento continuava tentando arrancar o ar pela boca e pelo nariz.

Agora era o guardanapo que o tigre oferecia, e assim que Tim finalmente jogou ar para os pulmões (ar que entorpeceu a garganta ao descer), ele viu uma coisa surpreendente. Sai Tigre tinha pegado o guardanapo pela ponta, e ele havia se desdobrado para ficar quatro vezes maior.

Isto é impossível.

Só que Tim estava vendo aquilo. A não ser que estivesse sendo enganado pelos olhos — que agora vertiam água que congelava nas bochechas —, o guardanapo nas mandíbulas do tigre cresceu e ficou do tamanho de uma toalha. Tim esticou a mão para o guardanapo. O tigre segurou até ver que a coisa estava firme na mão dormente do menino, depois soltou. A ventania uivava em volta dos dois, agora com força suficiente para fazer até mesmo um tigre de trezentos quilos precisar se firmar no chão, mas o guardanapo que agora era uma toalha estava caído na mão de Tim, como se estivesse em uma calmaria.

Tim encarou o tigre. O animal devolveu o olhar, aparentemente bem à vontade consigo mesmo e com o mundo que uivava ao redor. O menino se viu pensando no balde de latão, que funcionou tão bem para premonição quanto a tigela de prata do Cobrador. *Nas mãos certas*, dissera ele, *qualquer objeto pode ser mágico*.

Talvez até mesmo uma modesta peça de algodão.

O pano ainda estava com o dobro do tamanho — pelo menos o dobro. Tim desdobrou de novo, e a toalha virou uma toalha de mesa. Ele segurou diante de si, e embora a ventania crescente continuasse a passar por ambos os lados, o ar entre o seu rosto e o pano pendurado estava tranquilo.

E *quente*.

Tim pegou a tolha de mesa que fora um guardanapo, balançou e abriu mais uma vez. Agora era um lençol, que ficou pousado calmamente no chão embora uma tempestade de pó, gravetos e ferrugens mortos passasse voando por ambos os lados. O som de toda aquela *gunna* solta que batia na lateral curva da Dogan parecia granizo. Tim começou a rastejar debaixo do lençol, depois hesitou e olhou nos olhos verdes e brilhantes do tigre. Ele também olhou para as pontas grossas dos dentes do animal, que o focinho não cobria completamente, antes de levantar a ponta do pano mágico.

— Ande. Entre aqui embaixo. Não há vento, nem frio.

Mas você sabia disso, sai Tigre, não sabia?

O tigre se abaixou, estendeu as garras consideráveis e rastejou com a barriga no chão até ficar debaixo do lençol. Tim sentiu algo parecido com um monte de arame roçar no braço quando o tigre se ajeitou para ficar à vontade: bigodes. Ele ficou arrepiado. A seguir, o longo corpo peludo da fera estava deitado ao lado do menino.

O tigre era muito grande, e metade do corpo estava fora da frágil cobertura branca. Tim se levantou como pôde, lutou contra o vento que batia na cabeça e nos ombros quando eles ficaram descobertos, e balançou o lençol novamente. Houve um som de rasgo quando o pano se desdobrou mais uma vez, ficando então do tamanho de uma vela de barco. Agora a borda quase chegava à base da jaula do tigre.

O mundo rugia e o ar estava revolto, mas embaixo do lençol tudo estava parado. Quer dizer, exceto o coração acelerado de Tim. Quando o dele começou a se acalmar, ele sentiu outro coração batendo contra as costelas. E ouviu um ronco grave e baixo. O tigre estava ronronando.

— Estamos seguros, não é? — perguntou Tim.

O tigre olhou para o menino por um momento, depois fechou os olhos. Para Tim, foi resposta suficiente.

A noite chegou, e com ela veio a fúria plena da borrasca.

Do lado de fora da magia forte que a princípio parecera ser nada mais do que um pobre guardanapo, o frio aumentou rapidamente, impulsionado por um vento que em pouco tempo soprava a bem mais do que cem rodas por hora. As janelas da Dogan ganharam cataratas de gelo de centímetros de espessura. Os paus-ferros atrás da Dogan implodiram e caíram para trás, sendo depois levados para o sul em uma nuvem mortal de galhos, lascas e pedaços inteiros de troncos. Ao lado de Tim, o seu companheiro cochilava, alheio a tudo. O corpo da fera relaxou e se esticou conforme o sono ficava profundo, o que empurrou Tim para o limite da cobertura. Em dado momento, ele se viu realmente dando uma cotovelada no tigre, igual a uma pessoa que acotovela um colega de cama adormecido e que tenta roubar todos os lençóis. O tigre rosnou e flexionou as garras, mas se afastou um pouquinho.

— Obrigado-sai — sussurrou Tim.

Uma hora depois do poente — ou talvez duas; Tim perdera a noção do tempo —, um som estridente e horripilante se juntou ao uivo do vento. O tigre abriu os olhos. Tim abaixou a ponta do alto do lençol e olhou lá fora. A torre acima da Dogan havia começado a dobrar. O menino olhou, fascinado, como a dobra se tornara uma inclinação. Então, quase rápido demais para ver, a torre se desintegrou. Em um momento ela estava lá; no seguinte, a torre era apenas barras que voavam e lanças de aço atiradas pelo vento em uma grande avenida no que havia sido, naquele mesmo dia, uma floresta de paus-ferros.

A Dogan será a próxima, pensou Tim, mas não foi.

A Dogan permaneceu, do jeito que fazia havia mil anos.

Foi uma noite que ele nunca esqueceu, mas estranha de um jeito tão fabuloso que nunca conseguiu descrevê-la... ou mesmo se recordar racionalmente, como nós nos lembramos de eventos mundanos da vida. A compreensão completa só viria nos sonhos, e ele sonhou com a borrasca até o fim da vida. Nem tampouco eram pesadelos. Eram sonhos bons. Eram sonhos de segurança.

Era quente debaixo do lençol, e o corpanzil adormecido do companheiro o tornou ainda mais quente. Em algum momento, o menino abaixou a cobertura o suficiente para ver um trilhão de estrelas esparramadas pelo domo do céu, mais do que já tinha visto na vida. Era como se a tempestade tivesse feito minúsculos furinhos no mundo acima do mundo e o transformado em uma peneira. O que reluzia através dos furos era o brilhante mistério da criação. É possível que tais coisas não fossem destinadas aos olhos humanos, mas Tim estava convencido de que recebera uma permissão especial para ver, pois estava sob um lençol mágico e deitado ao lado de uma criatura que até mesmo os mais crédulos moradores da Vila da Árvore teriam desconsiderado como mística.

Tim sentiu uma admiração ao ver aquelas estrelas, mas também uma satisfação profunda e permanente, como sentia quando era criança e acordava à noite, seguro e quentinho debaixo da manta, ainda meio adormecido, e ouvia o vento cantar a canção solitária de outros lugares e outras vidas.

O tempo é um buraco de fechadura, pensou ele ao olhar as estrelas. *Sim, acho que sim. Nós às vezes dobramos o corpo e espiamos através do buraco. E o vento que sentimos nas bochechas quando fazemos isso — o vento que sopra pela fechadura — é a respiração de todo o universo vivo.*

O vento rugiu pelo céu vazio, o frio aumentou, mas Tim Ross estava deitado a salvo e quentinho, com um tigre adormecido ao seu lado. Em algum momento, o próprio menino caiu em um sono que era profundo, satisfatório e não perturbado por sonhos. Enquanto pegava no sono, ele sentiu como se fosse bem pequeno e voasse no vento que soprava pela fechadura do tempo. Longe da beirada do Grande Cânion, sobre a Floresta Infinita e o Fagonard, acima da Trilha do Pau-ferro, depois da Vila da Árvore — apenas um valente ninho de luzes dali de onde ele cavalgava o vento — e além, além, ó, muito além, por toda a extensão do Mundo Médio até onde uma enorme Torre de ébano sobe aos céus.

Eu vou lá! Algum dia eu vou!

Foi o último pensamento antes de Tim ser tomado pelo sono.

De manhã, o berro agudo e constante do vento abaixou de volume e se tornou um zumbido. A bexiga de Tim estava cheia. Ele afastou o lençol, rastejou para o chão que fora varrido até os ossos da rocha que ficava embaixo e fez a volta apressado em torno da Dogan. A respiração saiu da boca em rajadas de vapor branco que foram imediatamente arrancadas pelo vento. O outro lado da Dogan era protegido do vento, mas estava frio, muito frio. A urina soltou vapor, e quando ele terminou, a poça no chão começou a congelar.

O menino voltou correndo, lutando contra o vento a cada passo e tremendo sem parar. Quando rastejou para dentro do lençol mágico e do bendito calor, os dentes batiam. Ele abraçou o corpo muito musculoso do tigre sem sequer pensar duas vezes e teve apenas um medo momentâneo quando a fera abriu os olhos e a boca. Surgiu uma língua que parecia tão comprida quanto uma passadeira e tão rosa quanto uma rosa da Nova Terra. A língua lambeu o lado do rosto do menino, que tremeu novamente, não de medo, mas da lembrança de o pai roçar a bochecha contra a de Tim de manhã cedinho, antes de Grande Ross encher a tigela e fazer a barba. O pai disse que jamais deixaria crescer uma barba como a do parceiro, disse que não combinava com ele.

O tigre abaixou a cabeça e começou a fungar a gola da camiseta de Tim. O menino riu quando os bigodes fizeram cosquinha no pescoço. Aí se lembrou dos dois últimos popquins.

— Eu divido, embora a gente saiba que tu poderia ficar com os dois se bem quisesse.

Ele deu um dos popquins para o tigre. A comida desapareceu na mesma hora, mas a fera apenas observou enquanto Tim comia o outro popquim. O menino se alimentou o mais rápido possível, apenas por precaução no caso de sai Tigre mudar de ideia. A seguir, puxou o lençol sobre a cabeça e adormeceu de novo.

Ao acordar pela segunda vez, Tim deduziu ser meio-dia. O vento havia diminuído ainda mais, e quando o menino colocou a cabeça para fora, o ar estava um pouquinho mais quente. Ainda assim, ele imaginou que o falso verão de que a viúva Smack esteve tão certa em desconfiar tinha acabado para valer. Assim como a comida do menino.

— O que tu comeu lá dentro? — perguntou Tim para o tigre. Esta pergunta naturalmente levou a outra. — E por quanto tempo ficou enjaulado?

O tigre se levantou, andou um pouquinho até a jaula e aí se espreguiçou: primeiro uma pata traseira, depois a outra. Foi mais adiante, na direção da beirada do Grande Cânion, onde fez as necessidades. Quando terminou, a fera cheirou as barras da prisão, depois se afastou da jaula como se não fosse do seu interesse, e voltou para o ponto onde Tim observava, deitado apoiado nos cotovelos.

O tigre olhou o menino com melancolia — foi o que Tim achou — nos olhos verdes, depois abaixou a cabeça e empurrou com o nariz o lençol mágico que protegera os dois da borrasca. A caixa de metal estava embaixo. Tim não se lembrava de ter pegado a caixa, mas devia ter feito isso; se ela tivesse ficado onde estava, teria sido levada pelo vento. Isto o lembrou da pena. Ela estava segura, enfiada no cinto. Tim a tirou e examinou com atenção, enquanto passava os dedos pela bela espessura. Podia ter sido a pena de um falcão... e, se fosse, teria sido da metade do tamanho. Ou se ele algum dia tivesse visto um falcão branco, coisa que não aconteceu.

— Isto veio de uma águia, não foi? — perguntou ele. — Pelo sangue de Gan, veio *sim*.

O tigre não parecia interessado na pena, embora tivesse estado disposto a arrancá-la do sopro da tempestade crescente na noite anterior. O focinho comprido e amarelo se abaixou e empurrou a caixa perto da cintura de Tim. Depois olhou para o menino.

Tim abriu a caixa. A única coisa que sobrara no interior era a garrafa marrom, que parecia do tipo que guardava remédio. O menino pegou a garrafa e imediatamente sentiu um formigamento na ponta dos dedos, igual ao que sentiu na varinha de condão do Cobrador quando a passou de um lado para o outro sobre o balde de latão.

— Devo abrir a garrafa? Porque com certeza tu não consegue.

O tigre se sentou, os olhos verdes fixos na garrafinha. Aqueles olhos pareciam brilhar por dentro, como se o próprio cérebro ardesse com magia. Com cuidado, Tim desatarraxou a garrafa. Quando arrancou a tampa, ele viu um pequeno conta-gotas transparente preso embaixo.

O tigre abriu a boca. O significado foi bem óbvio, mas...

— Quantas gotas? — perguntou Tim. — Eu não te envenenaria por nada neste mundo.

O tigre apenas se sentou com a cabeça ligeiramente erguida e a boca aberta. Parecia um filhote de pássaro à espera de receber uma minhoca.

Após um tempo — Tim jamais usara um conta-gotas antes, embora tenha visto uma versão maior e mais tosca que Destry chamava de alimentador —, ele conseguiu puxar um pouco do fluido para o interior do tubinho. Com o coração batendo forte, o menino segurou o conta-gotas sobre a boca do tigre. Ele achava que sabia o que iria acontecer, pois tinha ouvido muitas lendas dos troca-peles, mas era impossível ter certeza de que o tigre era um humano enfeitiçado.

— Vou pingar gota por gota — disse Tim para o tigre. — Se quiser que eu pare antes que acabe, feche sua boca. Se você entendeu, me dê um sinal.

Mas, como antes, o tigre não deu sinal algum. Ficou apenas sentado, à espera.

Uma gota... duas... três... o tubinho estava meio vazio agora... quatro... cin...

De repente, a pele do tigre começou a ondular e intumescer, como se criaturas estivessem presas embaixo e lutassem para sair. O focinho recuou e revelou a arcada dentária, depois se refez tão completamente que a boca ficou selada. Aí, a criatura soltou um rugido abafado que parecia ser de dor ou raiva que pareceu estremecer a clareira.

Tim recuou sentado, aterrorizado.

Os olhos começaram a saltar e afundar, como se estivessem em molas. O rabo que balançava foi puxado para dentro, reapareceu e foi puxado para dentro novamente. O tigre cambaleou para longe, dessa vez na direção do precipício na beirada do Grande Cânion.

— *Pare!* — berrou Tim. — *Tu vai cair!*

O tigre cambaleou como um bêbado ao longo da beirada, e uma pata chegou a passar sobre o limite e desalojou um pouco de cascalho. Ele andou por trás da jaula que o conteve, as listras viraram um borrão e desapareceram em seguida. A cabeça estava mudando de forma. Surgiu um branco e aí, em cima, um amarelo intenso onde o focinho esteve. Tim ouviu um som rangente como se os próprios ossos dentro do corpo se rearrumassem.

Do outro lado da jaula, o tigre rugiu de novo, mas no meio o rugido se transformou em um grito nitidamente humano. A criatura embaçada e em transformação ficou ereta, e onde havia patas, Tim agora viu um par de velhas botas pretas. As garras se transformaram em *siguls* de prata: luas, cruzes, espirais.

A ponta amarela da cabeça do tigre continuou a crescer até virar o chapéu cônico que Tim vira no balde de latão. O branco embaixo da mandíbula virou uma barba que reluzia no sol frio e ventoso. Reluzia porque era cheia de rubis, esmeraldas, safiras e diamantes.

Então o tigre sumiu, e Maerlyn do Eld se revelou diante do menino fascinado.

Ele não sorria como fazia na visão de Tim... mas obviamente aquela nunca tinha sido realmente a visão *dele*. Aquela fora a ilusão do Cobrador, com o intuito de levá-lo ao seu fim. O verdadeiro Maerlyn olhou para Tim com bondade, mas também com seriedade. O vento soprou o robe de seda branca em volta de um corpo tão magro que era pouco mais do que um esqueleto.

Tim ficou em um joelho só, abaixou a cabeça e ergueu à testa um punho trêmulo. Tentou dizer "*Hail*, Maerlyn", mas a voz o traiu, e ele não conseguiu nada além de um resmungo seco.

— Levante-se, Tim, filho de Jack — falou o mago. — Mas, antes disso, recoloque a tampa na garrafa. Sobraram algumas gotas, acredito eu, e você irá querê-las.

Tim levantou a cabeça e lançou um olhar de dúvida para a figura alta que estava ao lado da jaula que o aprisionara.

— Para tua mãe — disse Maerlyn. — Para os olhos de tua mãe.

— Verdade? — sussurrou Tim.

— Tão verdade quanto a Tartaruga que sustenta o mundo. Você andou um bom caminho, mostrou grande bravura, não sem um pouco de insensatez, mas deixemos isto de lado, pois as duas geralmente andam juntas, em especial nos jovens, e você me libertou da forma em que fiquei preso por muitos e muitos anos. Por isto você deve ser recompensado. Agora, feche a garrafa e fique de pé.

— Obrigado — disse Tim. As mãos tremiam e os olhos ficaram embaçados com lágrimas, mas ele conseguiu colocar a tampa na garrafa sem derramar o que sobrou. — Achei de verdade que você fosse um Guardião do Feixe, mas Daria me disse outra coisa.

— E quem é Daria?

— Uma prisioneira como você. Presa em uma maquininha que o povo do Fagonard me deu. Acho que ela está morta.

— Sinto muito por sua perda, filho.

— Ela era minha amiga — falou Tim simplesmente.

Maerlyn fez que sim com a cabeça.

— É um mundo triste, Tim Ross. Quanto a mim, uma vez que este é o Feixe do Leão, foi uma piadinha da parte dele me colocar na forma de um grande felino. Embora não na forma de Aslan, porque isto é magia que nem ele consegue fazer... se bem que ele gostaria, ié. Ou matar Aslan e todos os outros Guardiões, para que os Feixes entrem em colapso.

— O Cobrador — sussurrou Tim.

Maerlyn jogou a cabeça para trás e riu. O chapéu cônico não caiu, o que Tim achou uma coisa mágica por si só.

— Não, não, ele não. Uma magia de nada e uma vida longa são tudo do que *ele* é capaz. Não, Tim, existe um ser bem mais importante do que o sujeito do grande manto. Quando o Supremo aponta o dedo onde quer, o Grande

Manto sai correndo. Mas enviar você não foi uma ordem do Rei Rubro, e aquele que você chama de Cobrador pagará por sua tolice, tenho certeza. Ele é valioso demais para ser morto, mas ser machucado? Ser *punido*? Ié, acho que sim.

— O que ele fará com o Cobrador? Esse tal de Rei Rubro?

— Melhor não saber, mas pode ter certeza de uma coisa: ninguém na Vila da Árvore jamais o verá de novo. Seus dias de cobrança de impostos estão finalmente acabados.

— E minha mãe… ela realmente voltará a enxergar?

— Ié, pois você agiu bem. Nem eu serei o último a quem você servirá na vida. — Ele apontou para o cinto de Tim. — Esta é apenas a primeira arma que você usará, e a mais leve.

Tim olhou para o trabuco, mas foi o machado do pai que ele tirou do cinto.

— Armas não são para gente como eu, sai. Sou apenas um menino de uma vila. Serei um lenhador, como meu pai. A Vila da Árvore é o meu lugar, e lá eu ficarei.

O velho mago deu um olhar astuto para ele.

— Você diz isso com o machado na mão, mas o que diria se fosse a arma? O que seu *coração* diria? Não responda, pois vejo a verdade em seus olhos. O ka vai levar você para longe da Vila da Árvore.

— Mas eu amo a vila — sussurrou Tim.

— Tu ainda vai ter um tempo morando lá, portanto não fique chateado. Mas preste bem atenção no que vou dizer e obedeça.

Ele apoiou as mãos nos joelhos e inclinou o corpo alto e magro na direção de Tim. A barba bateu no vento fraco, e as joias reluziram como fogo. O rosto era chupado, como o do Cobrador, mas tinha uma expressão de seriedade em vez de humor malicioso, e de bondade em vez de crueldade.

— Quando retornar à cabana, em uma viagem que será bem mais rápida do que a que fez para chegar aqui, e bem menos arriscada, você irá até sua mãe e pingará as últimas gotas da garrafa nos olhos dela. Depois você deve dar a machadinha do seu pai para ela. Compreendeu? A moeda dele você usará a sua vida inteira, será enterrado com ela em volta do seu pescoço, *mas dê o machado para sua mãe*. Faça isto imediatamente.

— P-por quê?

As sobrancelhas emaranhadas de Maerlyn se juntaram; os cantos da boca se curvaram para baixo; subitamente a bondade foi embora, substituída por uma teimosia assustadora.

— Não é da sua conta, menino. Quando o ka vem, ele chega como o vento, como a borrasca. Você obedecerá?

— Sim — falou Tim, assustado. — Darei o remédio a ela como você mandou.

— Ótimo.

O mago se voltou para o lençol debaixo do qual eles haviam dormido e ergueu as mãos sobre o pano. A ponta perto da jaula se ergueu com um som farfalhante, se dobrou e de repente ficou da metade do tamanho de antes. O pano se dobrou novamente e ficou do tamanho de uma toalha de mesa. Tim pensou que as mulheres da Árvore gostariam muito de ter uma magia como esta quando precisassem fazer as camas e se perguntou se uma ideia assim seria considerada blasfêmia.

— Não, não, tenho certeza de que você tem razão — falou Maerlyn sem pensar. — Mas daria errado e causaria confusão. A magia é uma caixinha de surpresas, mesmo para um velho como eu.

— Sai… é verdade que você vive de trás para a frente no tempo?

Maerlyn ergueu as mãos, como se achasse graça e se irritasse ao mesmo tempo; as mangas do robe caíram e revelaram braços tão finos e brancos quanto galhos de bétula.

— Todo mundo acha isto, e, se eu dissesse o contrário, as pessoas ainda pensariam o mesmo, não é? Eu vivo como vivo, Tim, e a verdade é que estou praticamente aposentado hoje em dia. Você também ouviu falar da minha casa mágica na floresta?

— Ié!

— E se eu te dissesse que moro em uma caverna com nada além de uma simples mesa e um colchão de palha no chão. E se você contasse para outras pessoas, será que elas acreditariam?

Tim refletiu a respeito e balançou a cabeça.

— Não. Elas não acreditariam. Duvido que as pessoas sequer acreditarão que eu conheci você.

— Isto diz respeito a elas. Quanto ao que diz respeito a você… está pronto para voltar?

— Posso fazer mais uma pergunta?

O mago ergueu um único dedo.

— *Apenas* uma. Pois eu passei muitos longos anos nesta jaula, que você pode ver que não sai um centímetro do lugar, apesar da força do vento que soprou, e estou cansado de cagar naquele buraco. Levar a vida simples de um monge é muito bonito, mas há limites. Faça sua pergunta.

— Como o Rei Rubro te prendeu?

— Ele não é capaz de prender ninguém, Tim, pois ele próprio está preso no topo da Torre Negra. Mas o Rei Rubro tem poderes e emissários. Aquele que você conheceu está longe de ser o maior deles. Um homem veio à minha caverna. Eu me enganei ao acreditar que ele era um mascate ambulante, pois a magia era forte. Magia que ele recebeu do Rei, como você deve saber.

Tim arriscou outra pergunta.

— Uma magia mais forte do que a sua?

— Não, mas... — Maerlyn suspirou e ergueu os olhos para o céu da manhã. Tim ficou espantado ao se dar conta de que o mago estava envergonhado. — Eu estava bêbado.

— Ah — falou Tim baixinho. Não pensou em nada além disso para dizer.

— Chega de confabulação — falou o mago. — Sente-se na alcatifa.

— Na...?

Maerlyn gesticulou para o que às vezes era um guardanapo, às vezes um lençol, e agora era uma toalha de mesa.

— Aquilo. E não se preocupe se sujá-la com as botas. A alcatifa tem sido usada por outras pessoas muito mais sujas de viagem do que você.

Tim estava preocupado exatamente com isso, mas subiu na toalha de mesa e depois se sentou.

— Agora a pena. Leve nas mãos. Ela saiu do rabo de Garuda, a águia que guarda a outra ponta deste Feixe. Ou foi o que me disseram, embora tenha sido quando eu era pequeno; sim, eu fui pequeno um dia, Tim, filho de Jack; mas também me disseram que os bebês eram encontrados debaixo de repolhos no jardim.

Tim mal prestou atenção a isso. Ele pegou a pena que o tigre havia salvado de ser levada pelo vento e a segurou.

Maerlyn encarou o menino por debaixo do chapéu cônico amarelo.

— Quando tu chegar em casa, qual é a primeira coisa que fará?

— Pingarei as gotas nos olhos da mamãe.

— Ótimo. E a segunda?

— Darei a machadinha do papai para ela.

— Não se esqueça. — O velho se dobrou para a frente e beijou a testa de Tim. Por um instante, o mundo inteiro brilhou aos olhos do menino com tanta intensidade quanto as estrelas no auge da borrasca. Por um momento estava tudo *lá*. — Tu é um menino corajoso com um coração valente, como as outras pessoas notarão e te chamarão. Agora vá com meus agradecimentos e voe para casa.

— V-v-voar? *Como?*

— Como tu anda? Apenas pense a respeito. Pense no lar. — Milhares de rugas fluíram dos cantos dos olhos do velho quando ele deu um sorriso radiante. — Porque, como alguém ou outra pessoa famosa disse certa vez, não há lugar como o lar. Veja! Veja bem!

Então Tim pensou na cabana onde cresceu e no quarto onde adormeceu a vida inteira ouvindo o vento lá fora, que contava histórias de outros lugares e outras vidas. Pensou no celeiro que Misty e Bitsy usavam como estábulo e torceu para que estivessem sendo alimentadas por alguém. Willem Palha, talvez. Pensou na nascente de onde havia tirado tantos baldes de água. Pensou na mãe, mais do que em tudo: o corpo robusto com os ombros largos, os cabelos castanhos, os olhos quando eram cheios de alegria em vez de preocupação e tristeza.

Como eu sinto saudade de você, mamãe, pensou ele... e quando fez isto, a toalha de mesa saiu do chão rochoso e pairou sobre a própria sombra.

Tim arfou. O pano balançou, depois virou. Agora estava mais alto do que o chapéu de Maerlyn, que teve que erguer o olhar para o menino.

— E se eu cair? — gritou Tim. Maerlyn riu.

— Mais cedo ou mais tarde, todos caímos. Por enquanto, segure firme a pena! A alcatifa não irá te derrubar, apenas segure firme a pena e pense no lar!

Tim pegou a pena com firmeza e pensou na Vila da Árvore: a rua principal, a ferraria com a funerária entre ela e o cemitério, as fazendas, a serraria perto do rio, a cabana da viúva, e — mais do que tudo — a propriedade da família. A alcatifa subiu mais alto, flutuou acima da Dogan por vários momentos (como se decidisse), depois rumou para o sul ao longo do rastro da borrasca. Ela se moveu lentamente a princípio, mas, quando a sombra caiu sobre o emaranhado de cachoeiras cobertas de gelo que antigamente eram um milhão de acres de floresta virgem, a alcatifa foi acelerando.

Tim teve um pensamento terrível: e se a borrasca houvesse passado pela Vila da Árvore e tivesse congelado e matado todos, incluindo Nell Ross? Ele se virou a fim de gritar a pergunta para Maerlyn, mas o mago já havia ido embora. Tim viu Maerlyn mais uma vez, mas, quando isto aconteceu, o próprio Tim era um homem velho. E isto é uma história para outro dia.

A alcatifa subiu até que o mundo embaixo se abrisse como um mapa. No entanto, a magia que protegera Tim e seu peludo companheiro de cama ainda continuava firme, e embora ele ouvisse o fim do sopro frio da borrasca ao redor, o menino continuava quentinho. Tim se sentou de pernas cruzadas no transporte como um jovem príncipe do Mohaine em um elefante, com a Pena de Garuda nas mãos diante do corpo. Ele se *sentiu* como Garuda, pairando acima de um grande trecho de floresta que parecia um vestido gigante de um verde tão escuro que era quase preto. No entanto, o terreno era cortado por uma cicatriz cinza, como se o vestido tivesse sido rasgado e mostrasse uma anágua suja por baixo. A borrasca arruinou tudo que tocou, embora a floresta como um todo não tivesse sofrido muito. A avenida de destruição não tinha mais do que quarenta rodas de largura.

Porém, quarenta rodas foram suficientes para destruir o Fagonard. A água escura do pântano se transformou em cataratas de gelo branco-amarelado. As árvores cinza e retorcidas que cresciam das águas foram todas derrubadas. Os montículos não eram mais verdes; agora pareciam emaranhados de vidro leitoso.

Encalhado em um montículo e virado de lado estava o barco da tribo. Tim pensou em Timoneiro, Líder e todos os demais e irrompeu em um choro amargo. Se não fosse pelos nativos, ele estaria caído e congelado em um daqueles montículos a cento e cinquenta metros lá embaixo. O povo do pântano o alimentou e deu a ele Daria como presente, a boa fada. Não era justo, não era justo, não era justo. Foi o que gritou seu coração de criança, e assim o seu coração de criança morreu um pouquinho. Pois assim também é o mundo.

Antes de deixar o pântano para trás, Tim viu outra coisa que o entristeceu: um enorme trecho escuro onde o gelo derreteu. Pedaços de gelo sujos de fuligem flutuavam em volta de um enorme cadáver escamoso deitado de lado como um barco encalhado. Era a dragonesa que o poupara. Tim podia imaginar — ié, podia imaginar muito bem — como ela devia ter lutado contra o frio com rajadas do sopro flamejante, mas no fim das contas a dragonesa foi sobrepujada pela borrasca, como tudo o mais no Fagonard. Ali era agora um lugar de morte congelada.

Acima da Trilha do Pau-ferro, a alcatifa começou a descer. Pairou para baixo sem parar, e, quando chegou à senda de Cosington-Marchly, ela pousou. Mas, antes que a visão mais panorâmica do mundo sumisse, Tim observou o rastro da borrasca, que até então ia reto para o sul e agora se curvava um pouco mais para oeste. E o estrago parecia menor, como se a tempestade tivesse começado a diminuir. Isto deu esperança ao menino de que o vilarejo tivesse sido poupado.

Pensativo, ele examinou a alcatifa e depois passou a mão sobre o pano.

— Dobre! — disse Tim (se sentindo um pouco tolo).

A alcatifa não se dobrou, mas, quando ele se abaixou para fazer o serviço sozinho, o pano se dobrou uma vez, depois duas, a seguir três, e ficou menor a cada dobra, mas não mais grosso. Em questão de segundos, novamente a alcatifa aparentava ser nada mais do que um guardanapo de algodão caído no chão. E um que não seria escolhido para usar no jantar, porque ele tinha uma pegada de bota bem no meio.

Tim guardou a alcatifa no bolso e começou a andar. E, quando chegou ao bosque de paus-de-balsa (onde a maioria das árvores ainda estava de pé), ele começou a correr.

Tim evitou a cidade, pois não queria perder um segundo qualquer respondendo a perguntas. Poucas pessoas teriam tido tempo para ele, de qualquer forma. A borrasca *poupara* a Vila da Árvore, mas o menino viu pessoas cuidando de animais que conseguiram salvar de celeiros destruídos e inspecionando campos para contabilizar o estrago. A serraria fora soprada para o Rio da Árvore. Os pedaços flutuaram rio abaixo, e não sobrou nada da fundação de pedra.

Ele seguiu o riacho Stape, como fizera no dia em que encontrou a varinha de condão do Cobrador. A nascente do terreno de Tim, que congelara, já começava a derreter, e embora algumas telhas de pau-de-balsa tivessem sido arrancadas do teto da cabana, a construção em si continuava firme como sempre. Parecia que a mãe fora deixada sozinha, pois não havia carroças ou mulas na frente da casa. Tim entendeu que as pessoas quisessem cuidar dos próprios terrenos quando uma tempestade como a borrasca viesse, mas isso não o impediu de ficar furioso. Abandonar uma mulher que ficou cega e foi espancada aos caprichos de uma tempestade... isto não era certo. E não era como agiam os vizinhos na Vila da Árvore.

Alguém a levou para um lugar seguro, disse o menino a si mesmo. *Para o Auditório de Reunião, mais provavelmente.*

Então Tim ouviu um zurro vindo do celeiro que não parecia nenhuma das mulas. Ele meteu a cabeça dentro e sorriu. O burrico da viúva Smack, Girassol, estava amarrado a um poste e mastigava feno.

Tim meteu a mão no bolso e sentiu um momento de pânico quando não conseguiu encontrar a preciosa garrafa. Mas a descobriu escondida debaixo da alcatifa, e o coração se acalmou. Ele subiu na varanda (o rangido familiar do terceiro degrau fez com que se sentisse como um menino em um sonho) e abriu a porta devagar. A cabana estava quente, pois a viúva deixara um bom fogo na lareira, que agora apenas ardia baixo sobre um leito espesso de cinzas e brasas rosadas. Ela estava sentada na cadeira do pai com as costas voltadas para o menino, e o rosto virado para o fogo. Embora Tim estivesse ansioso para ver a mãe, ele fez uma pausa por tempo suficiente para tirar as botas. A viúva viera quando todos os outros tinham ido embora; ela acendeu a lareira para manter a cabana aquecida; até mesmo com a perspectiva do que parecia ser a destruição do vilarejo inteiro, ela não se esqueceu de como um vizinho deve agir. Tim não teria acordado a mulher por nada no mundo.

Ele foi na ponta dos pés à porta do quarto, que estava aberta. Lá na cama estava deitada a mãe, com as mãos agarradas à colcha e os olhos cegos voltados para o teto.

— Mamãe? — sussurrou Tim.

Por um instante, ela não se mexeu, e o menino sentiu a estocada fria do medo. *Cheguei tarde demais*, pensou ele. *Ela morreu e está ali deitada.*

Então Nell se levantou apoiada nos cotovelos, e o cabelo caiu em cascata sobre o travesseiro atrás. Ela olhou na direção de Tim. O rosto estava agitado pela esperança.

— Tim? É você ou estou sonhando?

— Você está acordada — respondeu ele.

E correu até ela.

Os braços de Nell envolveram Tim com força, e ela encheu o rosto de beijos calorosos que só uma mãe daria.

— Pensei que você tinha sido morto! Ah, Tim! E quando a tempestade veio, eu tive certeza e queria morrer. Onde você esteve? Como pôde me magoar tanto, seu menino mau? — E então os beijos recomeçaram.

Tim se entregou ao carinho, sorriu e se regozijou com o conhecido cheiro limpo da mãe, mas então se lembrou do que Maerlyn dissera: *Quando tu chegar em casa, qual é a primeira coisa que vai fazer?*

— Onde você esteve? Me conte!

— Eu contarei tudo, mamãe, mas primeiro se deite e abra bem os olhos, o máximo que conseguir.

— Por quê? — As mãos dela continuaram a passar por cima dos olhos, nariz e boca do filho, como se para se certificar de que ele realmente estava ali. Os olhos que Tim esperava curar o encaravam... e passavam por ele. Estavam começando a ter uma aparência leitosa. — Por quê, Tim?

Ele não queria dizer, caso a cura prometida não funcionasse. Não acreditava que Maerlyn tivesse mentido — era o Cobrador que tinha como passatempo mentir —, mas o mago podia ter se enganado.

Ah, por favor, não deixe que ele tenha se enganado.

— Não se preocupe. Eu trouxe um remédio, mas só tem um pouquinho, então você tem que ficar bem parada.

— Não entendi.

Na escuridão em que vivia, Nell achou que o que Tim disse a seguir podia ter vindo do pai morto em vez do filho vivo.

— Apenas saiba que eu fui bem longe e arrisquei muito pelo que tenho em mãos. Agora fique parada!

Ela obedeceu e ergueu os olhos cegos para o filho. Os lábios tremiam.

As mãos de Tim tremiam também. Ele ordenou que ficassem paradas, e por um milagre, elas obedeceram. O menino respirou fundo, prendeu o fôlego e desatarraxou a tampa da garrafa preciosa. Tirou tudo com o conta-gotas, que era bem pouco. O líquido nem sequer encheu metade do tubinho fino. Ele se debruçou sobre Nell.

— Parada, mamãe! Prometa para mim, pois o remédio pode arder.

— Estou tão parada quanto possível — sussurrou ela. Uma gota no olho esquerdo.

— E aí? — perguntou Tim. — Ardeu?

— Não. É tão agradável que parece uma bênção. Coloque um pouco no outro olho, por favor.

Tim pingou no olho direito, depois se sentou reto e mordeu o lábio. Será que a aparência leitosa tinha diminuído ou era apenas a sua vontade que fazia parecer assim?

— Você consegue enxergar alguma coisa, mamãe?

— Não, mas... — Ela ficou aflita. — Vejo luz! *Tim, eu vejo luz!*

Ela começou a se apoiar nos cotovelos novamente, mas Tim a empurrou para trás. Ele pingou mais uma gota em cada olho. Teria que ser suficiente, pois o conta-gotas estava vazio — o que foi bom também porque, quando Nell gritou, Tim deixou cair o objeto no chão.

— Mamãe? *Mamãe!* O que foi?

— *Eu vejo seu rosto!* — berrou ela, que levou as mãos às bochechas. Nesse momento os olhos se encheram de lágrimas, mas isso Tim viu muito bem porque os olhos agora se fixavam nele em vez de passarem por ele. E estavam tão brilhantes quanto jamais estiveram.

— Ó Tim, ó meu querido, *eu vejo seu rosto, vejo muito bem*!

A seguir veio um pequeno momento que não precisa ser contado o que também é uma boa coisa, porque alguns momentos de alegria vão além da descrição.

Você deve dar a machadinha do seu pai para ela.

Tim tateou o cinto, tirou a machadinha e colocou ao lado da mãe na cama. Nell viu a machadinha — e enxergou o objeto, uma coisa que ainda era maravilhosa para os dois —, depois tocou no cabo, que estava liso e gasto por muitos anos de uso extenso. Ela ergueu o rosto para o filho com uma expressão de dúvida.

Tim apenas balançou a cabeça e sorriu.

— O homem que me deu as gotas disse para eu dar a machadinha para você. É tudo o que sei.

— Quem, Tim? Que homem?

— Esta é uma longa história e que cairia melhor com café da manhã.

— Ovos! — disse ela ao começar a se levantar. — Pelo menos uma dúzia! E a barriga de porco da despensa fria!

Ainda sorrindo, Tim pegou os ombros da mãe e a empurrou com delicadeza de volta ao travesseiro.

— Eu sei fazer ovos mexidos e fritar carne. Vou até trazer para você. — Um pensamento ocorreu ao menino. — Sai Smack pode comer conosco. É uma surpresa que ela não tenha acordado com toda essa gritaria.

— Ela veio quando o vento começou a soprar e ficou acordada o tempo todo durante a tempestade para alimentar a lareira — falou Nell.

— Pensamos que a casa fosse sair voando, mas permaneceu firme. Ela deve estar exausta. Acorde a viúva, Tim, mas seja gentil.

Tim beijou a bochecha da mãe e saiu do quarto. A viúva dormia na cadeira do morto ao lado da lareira, com o queixo sobre o peito, cansada demais até para roncar. O menino a sacudiu delicadamente pelo ombro. A cabeça balançou e rolou, depois voltou à posição original.

Tomado por uma certeza horripilante, Tim deu a volta até a frente da cadeira. O que ele viu fez com que perdesse a força nas pernas, e o menino desmoronou de joelhos. O véu tinha sido arrancado. O rosto deformado, que um dia foi bonito, estava sem vida. O olho que sobrou olhava sem expressão para o menino. O colo do vestido preto estava avermelhado com sangue seco, pois a garganta tinha sido cortada de orelha a orelha.

Tim tentou respirar para berrar, mas não conseguiu soltar o grito, pois mãos fortes se fecharam em volta da sua garganta.

Bern Kells havia entrado de mansinho na sala de estar pela entrada de serviço, onde ficou sentado no baú, tentando lembrar por que matara a velha. Achou ter sido culpa da lareira. Grande Kells passara duas noites tremendo debaixo de uma pilha de palha no celeiro de Rincon Surdo, e essa velha coroca, que enfiou um monte de conhecimentos inúteis na cabeça do enteado, passou esse tempo todo no quentinho. Não era justo.

Ele observou o menino entrar no quarto da mãe. Ouviu os gritos de alegria de Nell, e cada um foi como um golpe nos seus órgãos vitais. Ela não tinha direito de gritar, a não ser de dor. Nell era a culpada por todo o seu sofrimento; ela o enfeitiçara com os seios grandes, a cintura fina, o cabelo longo e os olhos risonhos. Ele esperara que a influência de Nell sobre sua mente diminuiria com o passar dos anos, mas isso nunca aconteceu. No fim das contas, Kells simplesmente teve que possuí-la. Por que outro motivo ele mataria seu melhor e mais antigo amigo?

Agora veio o menino que o transformou em um homem caçado. A vadia era ruim e o filhote, pior ainda. E o que estava enfiado no cinto dele? Era uma arma, pelos deuses? Onde ele arrumou tal coisa?

Kells esganou Tim até que o menino parou de se debater e simplesmente ficou pendurado nas mãos fortes do lenhador enquanto tossia. A seguir, ele arrancou a arma do cinto de Tim e a jogou para o lado.

— Uma bala é boa demais para um intrometido como você — falou Kells com a boca contra o ouvido de Tim. Ao longe, como se todas as sensações estivessem se enterrando no corpo, Tim sentiu a barba do padrasto fazer cócegas na pele. — Assim como a faca que eu usei para cortar a garganta da velha vadia doente. Com você vai ser fogo, filhote. Ainda tem muito carvão. O suficiente para fritar os olhos e cozinhar a pele do...

Houve um som baixo e encorpado, e de repente as mãos que esganavam Tim sumiram. Ele se virou, ofegante no ar que ardia como fogo.

Kells estava ao lado da cadeira de Grande Ross e olhava sem acreditar sobre a cabeça de Tim, na direção da chaminé cinza de pedra bruta. Sangue escorreu pela manga direita da camisa de flanela de lenhador, que ainda estava suja de palha das noites que passara como um fugitivo no celeiro de Rincon Surdo. Acima da orelha esquerda, havia crescido um cabo de machado na cabeça. Nell Ross estava diante dele, com a frente da camisola salpicada de sangue. Lentamente, Grande Kells arrastou os pés e deu meia-volta para encará-la. Ele tocou na lâmina enterrada do machado e abriu a mão para ela, com a palma cheia de sangue.

— *Eu corto a corda, seu agente da morte!* — berrou Nell na cara dele, e como se tivessem sido as palavras que o mataram, e não o machado, Bern Kells desmoronou morto no chão.

Tim levou as mãos ao rosto, como se quisesse bloquear da visão e da memória a coisa que acabara de presenciar... embora soubesse desde já que ela o acompanharia pelo resto da vida.

Nell abraçou o filho e o levou para a varanda lá fora. A manhã estava clara, o gelo nos campos começava a derreter, uma bruma subia no ar.

— Você está bem, Tim? — perguntou ela.

O menino respirou fundo. O ar na garganta ainda estava quente, porém não ardia mais.

— Sim. E você?

— Eu ficarei bem — respondeu a mãe. — *Nós* ficaremos bem. É uma bela manhã, e nós estamos vivos para vê-la.

— Mas a viúva... — Tim começou a chorar.

Eles se sentaram nos degraus da varanda e olharam para o campo onde, pouco tempo antes, o Cobrador do baronato esteve sentado no cavalo alto e preto. *Cavalo sombrio, coração sombrio*, pensou Tim.

— Nós rezaremos por Ardelia Smack — falou Nell —, e a Vila da Árvore inteira virá ao enterro. Eu não diria que Kells fez um favor para ela, pois assassinato nunca é um favor, mas a viúva Smack sofreu demais nos últimos três anos, e a vida dela não teria sido longa, de qualquer forma. Acho que devemos ir à cidade e ver se o delegado já voltou de Tavares. No caminho, você me conta tudo. Tu me ajuda a prender Misty e Bitsy à carroça?

— Sim, mamãe. Mas eu tenho que pegar algo primeiro. Algo que ela me deu.

— Tudo bem. Tente não ver o que sobrou lá dentro, Tim.

Ele não olhou, mas pegou a arma e colocou no cinto...

O TROCA-PELE
(PARTE 2)

— Ela disse para o filho não olhar o que sobrou lá dentro. O corpo do padrasto, entende? E ele disse que não olharia. E não olhou, mas pegou a arma e colocou no cinto…

— O trabuco que a viúva deu para ele — comentou Bill Pequeno Streeter. Ele estava sentado contra a parede da cela, embaixo do mapa de Debaria desenhado a giz, com o queixo apoiado no peito. O menino falou pouco e, sendo honesto, achei que ele tivesse adormecido e que eu estava contando a história apenas para mim mesmo. Mas Bill Pequeno ouviu o tempo todo, ao que parecia. Lá fora, o vento crescente do simum emitiu um curto grito e estridente, depois voltou a soltar um gemido baixo e constante.

— Ié, Bill Pequeno. Ele pegou a arma, colocou no lado esquerdo do cinto e carregou pelos próximos dez anos de sua vida. Depois, carregou modelos maiores: revólveres. — Esta era a história, e eu terminei da mesma maneira que minha mãe terminava todas as histórias que lia para mim quando eu era pequeno, no quarto da torre. Fiquei triste por ouvir aquelas palavras da minha própria boca. — E assim aconteceu, era uma vez, muito antes de o avô do seu avô nascer.

Lá fora, a luz começava a falhar. Eu pensei que seria apenas amanhã, afinal de contas, que o destacamento que subiu as colinas voltaria com os saleiros que soubessem cavalgar. E realmente, isto fazia mesmo diferença? Pois um pensamento desagradável me veio enquanto eu contava a história do Jovem Tim para o Bill Pequeno. Se eu fosse o troca-pele, e se o xerife e um bando de delegados (sem falar em um jovem pistoleiro vindo de Gilead) chegassem perguntando se eu sabia selar, montar e cavalgar, será que eu admitiria? Improvável. Jamie e eu deveríamos ter pensado nisso de cara, mas ainda éramos novatos sobre como se deve pensar um homem da lei.

— Sai?

— Sim, Bill?

— Algum dia Tim se tornou um pistoleiro de verdade? Ele se tornou, não foi?

— Quando ele tinha vinte e um anos, três homens com revólveres de grosso calibre chegaram à Vila da Árvore. Eles iam para Tavares na esperança de recrutar um destacamento, mas Tim foi o único a ir com o trio. Eles o chamavam de “arma canhota” porque era assim que Tim sacava.

"Ele foi com os homens e se saiu bem, pois era ao mesmo tempo destemido e ótimo de mira. O trio o chamava de *tet-fa* ou amigo do *tet*. Mas chegou um dia em que Tim se tornou ka-tet, um dos pouquíssimos pistoleiros que não vieram da linhagem genuína do Eld. Mas quem sabe? Não dizem que Arthur teve muitos filhos com três esposas e muitos mais nascidos por debaixo dos panos?

— Eu não sei o que isto quer dizer.

Isto eu fui capaz de entender; até dois dias atrás, eu não sabia o que significava "consolo".

— Deixe pra lá. Ele ficou conhecido primeiramente como Ross Canhoto, e então, após uma grande batalha às margens do lago Cawn, como Tim Coração Valente. A mãe terminou os dias em Gilead como uma grande dama, segundo minha mãe. Mas tudo isto é...

... uma história para outro dia — completou Bill. — É o que meu pai sempre diz quando peço mais. — Ele contraiu o rosto, e a boca tremeu nos cantos quando se lembrou do alojamento ensanguentado e do cozinheiro que morrera com o avental sobre o rosto. — O que ele *dizia*.

Passei o braço pelos ombros de Bill novamente, algo que pareceu um pouco mais natural dessa vez. Eu tinha decidido levá-lo de volta para Gilead conosco caso Everlynne de Serenity se recusasse a acolhê-lo... mas duvidava que ela fosse recusar. Ele era um bom menino.

Lá fora o vento gemia e assobiava. Fiquei de ouvido atento ao trim-trim, mas o aparelho permaneceu mudo. Com certeza as linhas estavam caídas em algum lugar.

— Sai, por quanto tempo Maerlyn ficou enjaulado como um tigre?

— Não sei, mas foi por muito tempo, com certeza.

— O que ele *comeu*?

Cuthbert teria inventado alguma coisa na mesma hora, mas não veio nada à minha mente.

— Se ele cagava em um buraco, devia comer — argumentou Bill, sendo bastante razoável. — Se a pessoa não come, não caga.

— Eu não sei o que ele comeu, Bill.

— Talvez ele tivesse magia suficiente sobrando, mesmo como tigre, para fazer o próprio jantar. Do nada, tipo assim.

— Sim, deve ter sido isso.

— Algum dia Tim chegou à Torre? Porque existem histórias a respeito disso também, não é?

Antes que eu pudesse responder, Strother — o delegado gordo com a faixa de couro de cascavel no chapéu — entrou na prisão. Quando me viu sentado com o braço em volta do menino, ele deu um risinho. Pensei em arrancá-lo do rosto dele — o que teria sido rápido —, mas deixei de lado a ideia quando ouvi o que ele tinha a dizer.

— Vêm chegando cavaleiros. Devem ser muitos, com carroças, porque dá para ouvir mesmo com este maldito vento forte. As pessoas estão enfrentando a poeira para ver.

Eu me levantei e saí da cela.

— Posso ir? — perguntou Bill.

— Melhor que espere aqui por enquanto. — Tranquei a porta da cela. — Não vou demorar.

— Odeio isto aqui, sai!

— Eu sei. Vai acabar logo.

Eu esperava estar certo quanto a isto.

Quando saí do gabinete do xerife, o vento me fez cambalear e a poeira de álcali pinicou minhas bochechas. Apesar do vendaval crescente, ambas as calçadas da rua principal estavam repletas de espectadores. Os homens cobriam a boca e o nariz com as bandanas; as mulheres usavam os lenços. Eu vi uma madame-sai usar o chapéu de trás para a frente, o que a deixou com uma aparência estranha, porém devia ser bastante útil contra a poeira.

À esquerda, cavalos começaram a surgir das nuvens esbranquiçadas de álcali. O xerife Peavy e Canfield do Jefferson estavam na dianteira, com os chapéus abaixados e os lenços no pescoço tão erguidos que apenas os olhos apareciam. Atrás vieram três carroças compridas sem cobertura, abertas ao vento. Elas estavam pintadas de azul, mas as laterais e a tampa tinham uma borda branca de sal. No lado de cada carroça foram escritas as palavras COMPANHIA SALINA DE DEBARIA em tinta amarela. Em cada assoalho estavam sentados seis ou oito sujeitos em macacões e chapéus de palha de trabalhadores conhecidos como *clobbers* (ou *clumpets*, não lembro qual é o termo). De um lado da caravana vinham Jamie DeCurry, Kellin Frye, e o filho de Kellin, Vikka. Do outro lado estavam Snip e Arn do rancho Jefferson e um sujeito grande com um bigodão louro-claro com um guarda-pó amarelo para combinar. Este revelou ser o delegado de Pequena Debaria... pelo menos quando não estava ocupado nas mesas de faro ou Olho Vivo.

Nenhum dos recém-chegados parecia contente, mas os saleiros pareciam os menos contentes de todos. Era fácil encará-los com suspeita e antipatia; eu tive que me lembrar de que apenas um deles era um monstro (supondo, quer dizer, que o troca-pele não tivesse escapado completamente de nossas mãos).

A maioria provavelmente veio por vontade própria ao serem informados que dessa maneira poderiam ajudar a acabar com a praga.

Eu pisei na rua e ergui as mãos sobre a cabeça. O xerife Peavy parou o cavalo na minha frente, mas eu o ignorei por ora, pois em vez disso olhava para os mineiros amontoados nas carroças sem cobertura. Uma conta rápida deu vinte e um saleiros. Eram vinte suspeitos a mais do que eu queria, mas bem menos do que imaginava.

Eu gritei para ser ouvido na ventania.

— *Vocês homens vieram nos ajudar, e em nome de Gilead, eu digo obrigado!*

Foi fácil escutá-los, pois o vento soprava na minha direção.

— Gilead pode chupar minha rola — disse um.

— Moleque melequento — falou outro.

— Chupa aqui em nome de Gilead — disparou um terceiro.

— Eu posso dar uma prensa neles a qualquer momento que você quiser — disse o homem do bigodão. — É só dizer, jovem, pois sou o delegado da merda de buraco de onde eles vieram, o que faz deles minha responsabilidade. Will Wegg. — Ele levou o punho à testa por mera formalidade.

— Jamais — falei e aumentei a voz. — *Quantos de vocês querem beber?*

Isto deu um fim aos resmungos, e em vez disso os homens vibraram.

— *Então desçam e formem uma fila!* — berrei. — *De dois em dois, por gentileza!* — Eu sorri para eles. — *E, se não quiserem, vão para o inferno e vão com sede!*

Isto fez a maioria rir.

— Sai Deschain — disse Wegg —, dar bebida a esses sujeitos não é uma boa ideia.

Mas eu achava que era. Chamei Kellin Frye com um gesto e deixei cair duas moedas de ouro na mão dele. O homem arregalou os olhos.

— Você é o líder dessa boiada — falei. — O que você tem aí deve pagar duas doses de uísque para cada um, se forem pequenas, e é tudo que quero que bebam. Leve Canfield com você e aquele lá. — Apontei para um dos peões. — O nome dele é Arn?

— Snip — corrigiu o sujeito. — O outro é Arn.

— Ié, ótimo. Snip, você fica em uma ponta do bar, Canfield na outra. Frye, você fica atrás deles, perto da porta e cuide deles.

— Eu não levarei meu filho para dentro do Busted Luck — disse Kellin Frye. — Aquilo é um puteiro.

— Não será necessário. Vikka fica nos fundos com o outro peão. — Apontei Arn com o polegar. — Tudo que vocês dois precisam fazer é ficar de olho em algum saleiro que tente sair de mansinho pela porta dos fundos. Se virem alguém, gritem e se mandem, porque provavelmente é o nosso homem. Entenderam?

— Sim — falou Arn. — Anda, moleque, vamos nessa. Talvez se eu sair deste vento, consiga acender um cigarro que fique aceso.

— Ainda não — falei e chamei o menino.

— Ei, pistoleirinho! — berrou um dos mineiros. — Vai tirar a gente deste vento antes do anoitecer? Estou com uma sede do caralho!

Os demais concordaram.

— Segura a matraca — falei. — Se fizer isso, vai molhar o bico. Se ficar falando comigo sem parar enquanto faço meu trabalho, vai ficar sentado no fundo da carroça lambendo sal.

Isso aquietou os mineiros, e eu me abaixei para falar com Vikka Frye.

— Você foi instruído a falar uma coisa com alguém enquanto esteve lá em cima nas Rochas Salinas. Você falou?

— Ié, eu... — O pai deu uma cotovelada tão forte no menino que quase o derrubou. Vikka Frye se lembrou dos modos e recomeçou, dessa vez com um punho na testa. — Sim, sai, se foi do seu agrado.

— Com quem você falou?

— Puck DeLong. É um garoto que conheço do Dia de Feira da Colheita. Ele é apenas o filho de um mineiro, mas já andamos juntos e fizemos a corrida de três pernas. O pai é o capataz do turno da noite. É o que Puck diz, de qualquer forma.

— E o que você falou com ele?

— Que foi Billy Streeter que viu o troca-pele na forma humana. Eu contei que Billy se escondeu embaixo de uma pilha de arreios velhos e que foi isso que o salvou. Puck sabia quem o menino era, porque Billy esteve no Dia de Feira da Colheita também. Foi Billy que ganhou a corrida do ganso. Você conhece a corrida do ganso, sai pistoleiro?

— Sim — respondi. Eu mesmo disputara corrida de ganso em mais de um Dia de Feira da Colheita, e nem fazia tanto tempo assim.

Vikka Frye engoliu em seco, e os olhos se encheram de lágrimas.

— O pai de Billy vibrou a ponto de estourar a garganta quando Billy chegou em primeiro — sussurrou.

— Tenho certeza disso. Você acha que Puck DeLong espalhou a história?

— Sei lá. Mas eu teria espalhado, se fosse eu.

Achei que isso bastava e dei um tapinha no ombro de Vikka.

— Pode ir. E, se alguém tentar sair de mansinho, dê um grito. Um grito bem alto, para ser ouvido apesar do vento.

Ele e Arn foram para o beco que os levaria aos fundos do Busted Luck. Os saleiros não prestaram atenção aos dois; eles só tinham olhos para as portas vaivém e a ideia fixa na bebida barata que esperava atrás delas.

— *Homens!* — berrei. E quando se viraram para mim: — *Molhai vossos bicos!*

Isso provocou outra comemoração, e eles partiram para o saloon. Mas foram caminhando, não correndo, e indo dois de cada vez. Foram bem treinados. Calculava que a vida deles como mineiros era pouco mais do que escravidão e agradeci que o ka tenha me apontado um caminho diferente… se bem que, pensando em retrospecto, eu me pergunto se haveria muita diferença entre a escravidão da mina e a escravidão do revólver. Talvez uma: eu sempre tive o céu para olhar, e por isso digo a Gan, ao Homem Jesus, e a todos os outros deuses que possam existir, obrigado.

Gesticulei para Jamie, o xerife Peavy e o novo sujeito — Wegg — para que me acompanhassem até ao outro lado da rua. Ficamos debaixo da marquise que protegia o gabinete do xerife. Strother e Pickens, os delegados duvidosos, ficaram amontoados na passagem, de butuca.

— Entrem, vocês dois — falei para eles.

— Nós não recebemos ordens suas — disse Pickens com as manguinhas de fora, agora que o chefe voltara.

— Entrem e fechem a porta — falou Peavy. — Vocês idiotas ainda não perceberam quem dá as ordens aqui?

Eles recuaram; Pickens olhou feio para mim, e Strother fez o mesmo com Jamie. A porta bateu com força suficiente para fazer o vidro tremer. Por um momento, nós quatro ficamos parados ali, observando as grandes nuvens de poeira de álcali serem sopradas pela rua principal, algumas delas tão espessas que fizeram as carroças de sal desaparecer. Mas houve pouco tempo para contemplação; a noite cairia em breve, ocasião em que um dos saleiros que agora bebiam no Busted Luck poderia não mais ser um homem.

— Acho que temos um problema — falei. Eu me dirigi a todos, mas era para Jamie que eu olhava. — Me parece que um transmorfo que sabe o que ele é dificilmente admitiria que sabe andar a cavalo.

— Eu pensei nisto — disse Jamie e inclinou a cabeça para o delegado Wegg.

— Pegamos todos os que sabem cavalgar — explicou Wegg. — Pode acreditar, sai. Por acaso eu não vi com meus próprios olhos?

— Eu duvido que você tenha visto todos eles — falei.

— Eu acho que ele viu — argumentou Jamie. — Escute, Roland.

— Existe um sujeito rico lá em Pequena Debaria chamado Sam Shunt — disse Wegg. — Os mineiros o chamam de Shunt Xana, o que não é de surpreender, porque ele controla a maioria dos mineiros pela parte do corpo onde o pelo é curto. Ele não é o dono da companhia, pois ela é dos mandachuvas em Gilead, mas é dono de boa parte do que resta: os bares, as putas, as choças...

Olhei para o xerife Peavy.

— Barracos em Pequena Debaria onde alguns dos mineiros dormem — explicou Peavy. — As choças não são grande coisa, mas pelo menos não ficam debaixo da terra.

Voltei a olhar para Wegg, que segurava as lapelas do guarda-pó e parecia orgulhoso de si mesmo.

— Sammy Shunt é dono da loja da companhia, o que significa que ele é o dono dos mineiros. — Wegg sorriu. Quando eu não sorri de volta, ele tirou as mãos das lapelas e as levantou. — É como o mundo é, jovem sai... eu não fiz o mundo assim, nem você.

"Bem, Sammy é ótimo na hora da farra... desde que consiga ganhar uns trocados com isso, quer dizer. Quatro vezes ao ano, ele organiza corridas para os mineiros. Algumas são corridas a pé, outras são de obstáculos, em que os mineiros têm que pular sobre barricadas de madeira ou sobre valas cheias de lama. É muito engraçado quando eles caem dentro. As putas sempre vêm para assistir e morrem de rir com isso."

— Ande com a história — rosnou Peavy. — Esses sujeitos não levarão muito tempo para beber duas doses.

— Sammy também arma corridas de cavalo — continuou Wegg —, embora só forneça pangarés, caso alguns dos pôneis quebre a perna e tenha que ser sacrificado.

— Se um mineiro quebrar uma perna, *ele* é sacrificado? — perguntei.

Wegg riu e bateu na coxa como se eu tivesse contado uma boa piada. Cuthbert teria dito a ele que eu não faço piadas, mas é claro que Cuthbert não estava lá. E Jamie quase nunca dizia alguma coisa se não fosse necessário.

— Rápido no gatilho, jovem pistoleiro, muito rápido no gatilho você é! Não, eles são bem cuidados, se puderem ser cuidados; há algumas putas que ganham um dinheirinho extra como enfermeiras depois das pequenas competições de Sammy Shunt. Elas não ligam; afinal, estão servindo aos mineiros de uma forma ou de outra, não?

"Há um ingresso pago, é claro, retirado dos salários dos mineiros. Isto paga as despesas de Sammy. Quanto aos mineiros, o ganhador de qualquer que seja a competição em particular — de curta distância, de obstáculos ou de cavalos — ganha um ano de dívidas perdoadas na loja da companhia. Sammy mantém os juros altos para os outros mineiros, de forma que nunca perde dinheiro. Viu como funciona o esquema? Bem malandro, não concorda?"

— Malandro como o diabo — comentei.

— Sim! Então, quando chega a hora de correr naqueles pangarés pela pequena pista que Sammy arma, todo mineiro que *sabe* cavalgar cavalga *pra valer*. É engraçado demais vê-los bater o saco para cima e para baixo, dou minha palavra. E eu estou sempre lá para manter a ordem. Eu vi todas as corridas nos últimos sete anos e todo escavador que já correu na vida. Aqueles moleques lá são cavaleiros. Havia mais um, mas na corrida que Sammy armou na última Terra Nova, o saleiro em questão caiu da montaria e detonou as tripas. Viveu um ou dois dias, depois bateu as botas. Então eu não acho que seja ele seu troca-pele, não é?

Dito isto, Wegg soltou uma sonora gargalhada. Peavy encarou o delegado com resignação; Jamie, com uma mistura de aversão e espanto.

Será que eu deveria acreditar nesse homem quando ele dizia que reuniu todos os saleiros que sabiam andar a cavalo? Eu decidi que acreditaria, se o delegado desse uma resposta afirmativa a uma pergunta.

— Você mesmo aposta nas corridas de cavalo, Wegg?

— Ganhei uma boa bolada no ano passado — disse ele com orgulho. — É claro que Shunt paga apenas com vale, pois é sovina, mas isso banca minhas putas e meu uísque. Eu gosto que as putas sejam jovens e o uísque, velho.

Peavy olhou para mim por cima do ombro de Wegg e deu de ombros como se dissesse: *é esse o xerife que eles têm lá em cima, então não me culpe por isso.*

Não o culpava.

— Wegg, entre no gabinete e espere por nós. Jamie e xerife Peavy, venham comigo.

Eu expliquei ao atravessarmos a rua. Não levei muito tempo.

— Diga a eles o que queremos — pedi a Peavy quando paramos do lado de fora das portas vaivém. Falei baixo porque ainda éramos observados pela cidade inteira, embora aqueles reunidos do lado de fora do saloon tenham se afastado de nós, como se tivéssemos algo contagioso. — Eles conhecem você.

— Não tão bem quanto conhecem Wegg — argumentou Peavy.

— Por que você acha que eu quis que ele ficasse do outro lado da rua?

Ele deu uma risada seca ao ouvir isso e empurrou a porta vaivém para entrar. Jamie e eu fomos atrás.

Os clientes habituais tinham se recolhido para as mesas de jogo e deixaram o bar para os saleiros. Snip e Canfield flanqueavam o grupo; Kellin Frye estava com as costas apoiadas na parede de madeira com os braços cruzados sobre o colete de couro de carneiro. Havia um segundo andar — reservado para os quartinhos do puteiro, imaginei —, e a sacada lá em cima estava cheia de moças não muito charmosas, que olhavam para os mineiros.

— Vocês aí! — falou Peavy. — Virem e olhem pra mim!

Eles obedeceram prontamente. Não seria o xerife nada mais do que apenas mais um capataz aos olhos dos saleiros? Alguns seguravam o que havia restado da dose pequena de uísque, mas a maioria já tinha terminado. Eles pareciam mais animados agora, com as bochechas coradas pelo álcool em vez do vento abrasivo que os perseguira morro abaixo.

— Agora a questão é a seguinte — continuou Peavy. — Vocês vão se sentar sobre o bar, todos vocês, filhos da mãe, e tirar as botas para que vejamos seus pés.

Isso provocou um murmúrio de descontentamento.

— Se você quer saber quem cumpriu pena no presídio Beelie, por que simplesmente não pergunta? — falou um barbudo grisalho. — Eu estive lá e não tenho vergonha. Roubei um pão para minha patroa e nossos dois bebês. Não que isso tenha servido para os bebês: ambos morreram.

— E se a gente não obedecer? — perguntou um saleiro mais jovem.

— Os pistoleirinhos vão meter bala na gente? Não sei se me importo. Pelo menos não terei mais que descer naquele filão.

Isto provocou um murmúrio de apoio. Alguém disse alguma coisa que soou como *luz verde*.

Peavy pegou meu braço e me puxou para a frente.

— Foi este pistoleirinho que tirou vocês de um dia de trabalho e pagou pela bebida. E a não ser que você seja o homem que procuramos, do que diabos está com medo?

O saleiro que respondeu não devia ser mais velho do que eu.

— Sai xerife, nós estamos *sempre* com medo.

Esta foi uma verdade mais crua do que eles estavam acostumados, e um silêncio completo caiu sobre o Busted Luck. Lá fora, o vento gemia. A poeira que batia nas finas paredes de tábuas soava como granizo.

— Meninos, prestem atenção — falou Peavy, agora em um tom de voz mais baixo e respeitoso. — Esses pistoleiros poderiam sacar as armas e obrigá-los a fazer o que tem que ser feito, mas eu não quero isso, e nem vocês precisam que seja assim. Contando o que aconteceu no rancho Jefferson, há mais de três dezenas de mortos em Debaria. Três no Jefferson eram mulheres. —

Ele fez uma pausa. — Não, minto. Uma era mulher, as outras não passavam de meninas. Sei que vocês levam vidas duras e não ganham nada em fazer uma boa ação, mas peço de qualquer forma. E por que não? Só há um de vocês com algo a esconder.

— Bem, dane-se, porra — falou o barbudo grisalho.

Ele meteu as mãos atrás no bar e ergueu o corpo para ficar sentado no balcão. O sujeito devia ser o Velho do grupo, pois todos os demais fizeram o mesmo. Observei para ver quem mostrava hesitação, mas não reconheci isso em ninguém. Assim que o processo começou, eles encararam como uma espécie de brincadeira. Em pouco tempo, havia vinte e um saleiros cheios de bebida nas ideias sentados sobre o bar, e as botas caíram sobre o chão sujo de serragem em uma série de baques. Ai, deuses, eu sou capaz de sentir o fedor daqueles pés até hoje.

— Ugh, para mim já chega — disse uma das putas, e, quando olhei para cima, vi as mulheres que nos assistiam saírem da sacada em uma tempestade de plumas e um turbilhão de anáguas. O barman se juntou aos demais nas mesas de jogos com os dedos no nariz. Aposto que naquela noite não foram servidos muitos filés no Racey's Café durante o jantar; o cheiro dali deve ter matado o apetite de qualquer um.

— Subam as bainhas — falou Peavy. — Quero ver os tornozelos.

Agora que a coisa havia começado, eles obedeceram sem discutir. Eu dei um passo à frente e disse:

— Se eu apontar para alguém, desça do bar e fique contra a parede. Pode levar as botas, mas não perca tempo calçando. Você irá apenas atravessar a rua e pode fazer isso descalço.

Passei pela fila de pés estendidos, a maioria magros de dar pena e todos cheios de veias saltadas e roxas, à exceção dos pés dos mineiros mais jovens.

— Você... você... e você...

Ao todo, havia dez saleiros com anéis azuis em volta dos tornozelos, o que significava que tinham cumprido pena no presídio Beelie. Jamie foi até eles. Não sacou as armas, mas enfiou os polegares no cinto cruzado, com as palmas perto o suficiente das coronhas dos revólveres para deixar clara a situação.

— Barman — falei. — Sirva outra dose pequena para esses homens que sobraram.

Os mineiros sem a tatuagem do presídio vibraram ao ouvir isso e começaram a recolocar as botas.

— E quanto a nós? — perguntou o barbudo grisalho. O anel tatuado em volta do tornozelo tinha esmaecido e virado nada mais do que um fantasma azul. Os pés descalços eram tão retorcidos quanto velhos tocos de árvore. Como o Velho conseguia andar com eles, e ainda por cima *trabalhar*, estava além da minha compreensão.

— Nove de vocês ganharão doses *duplas* — falei, o que apagou a tristeza dos rostos. — O décimo ganhará outra coisa.

— Uma repuxada da corda — disse Canfield do Jefferson em voz baixa. — E depois do que eu vi no rancho, espero que ele dance na ponta da corda por um bom tempo.

Deixamos Snip e Canfield vigiando os onze saleiros que bebiam no bar e conduzimos os outros dez para o outro lado da rua. O barbudo grisalho foi à frente e andou depressa com os pés de toco de árvore. A luz do dia esmaeceu até um tom esquisito de amarelo que eu nunca tinha visto antes, e ficaria escuro em breve. O vento soprou e a poeira voou. Eu fiquei de olho para ver se um deles fugiria — torci por isso, nem que fosse para poupar a criança que esperava na cadeia —, mas nenhum fugiu.

Jamie se aproximou de mim.

— Se ele estiver aqui, está torcendo para que o menino não tenha visto acima dos tornozelos. Ele quer encarar a situação, Roland.

— Eu sei — respondi. — E como isto foi tudo que o menino *realmente* viu, ele provavelmente vai sustentar o blefe.

— E aí?

— Prendemos todos eles, creio, e esperamos que um deles mude de pele.

— E se isto não for uma coisa que o domine? E se ele for capaz de evitar que aconteça?

— Então eu não sei — falei.

Wegg tinha começado uma partida de Olho Vivo a três com Pickens e Strother, valendo moedas. Eu bati na mesa e espalhei os palitos de fósforo que usavam como fichas.

— Wegg, acompanhe estes homens à cadeia com o xerife. A situação vai levar alguns minutos ainda. Há mais algumas coisas para cuidarmos.

— O que há na cadeia? — perguntou Wegg enquanto olhava com certa melancolia para os palitos de fósforo espalhados. Acho que ele estava ganhando. — O menino, imagino?

— O menino e o fim desta situação miserável — falei com mais confiança do que sentia.

Peguei o barbudo grisalho pelo cotovelo, com delicadeza, e o puxei de lado.

— Qual é o seu nome, sai?

— Steg Luka. Por que se interessa em saber? Acha que sou eu?

— Não — respondi, e não achava. Não havia razão; apenas pressentimento. — Mas se você sabe quem é, se sequer pensa que sabe, tem que me contar. Há um menino assustado lá dentro, preso em uma cela para o próprio bem. Ele viu algo parecido com um urso gigante matar o pai, e eu gostaria de poupá-lo de mais sofrimento se for possível. Ele é um bom menino.

O sujeito pensou a respeito, depois foi ele que pegou meu cotovelo... e com uma mão que parecia de ferro, Velho me puxou para o canto.

— Não sei dizer, pistoleiro, pois todos descemos lá, nas profundezas do novo filão, e todos nós vimos.

— Viram o quê?

— Uma rachadura no sal com uma luz verde que brilhava. Um brilho forte, depois fraco. Como uma batida de coração. E... ela fala bem no seu rosto.

— Eu não entendi.

— Nem eu entendo. A única coisa que sei é que todos nós vimos e sentimos. Ela fala bem no rosto e manda entrar. E é cruel.

— A luz ou a voz?

— Ambas. É do Povo Antigo, não tenho dúvida disso. Nós contamos a Banderly, que é o capataz, e ele desceu por si mesmo. Viu por si mesmo. *Sentiu* por si mesmo. Mas será que ele iria fechar o filão por causa daquilo? O cacete que iria. Banderly tem os próprios chefes a quem deve responder, e eles sabem que há um montão de sal sobrando lá embaixo. Então ele mandou uma equipe fechar a rachadura com pedras, e foi o que fizeram. Eu sei porque fui um deles. Mas pedras que são colocadas podem ser retiradas. E foram, eu juro. Elas estavam de um jeito, agora estão de outro. Alguém entrou lá, pistoleiro, e o que quer que esteja do outro lado... o modificou.

— Mas você não sabe quem.

Luka fez que não com a cabeça.

— Só posso dizer que deve ter sido entre meia-noite e seis da manhã, pois a essa hora tudo fica sossegado.

— Volte para seus companheiros e agradeça a eles. Você beberá em breve, obrigado. — Mas os dias de bebedeira de sai Luka tinham chegado ao fim. Nunca se sabe, não é?

Ele voltou, e eu observei os saleiros. Luka era de longe o mais velho. A maioria era de meia-idade, e alguns ainda eram jovens. Eles pareciam interessados e empolgados em vez de assustados, e eu entendia bem; afinal, os mineiros tinham tido algumas bebidas para se animarem, e esta situação representava uma mudança no trabalho duro dos dias normais. Nenhum deles parecia nervoso ou culpado. Nenhum parecia alguma coisa diferente do que eram: saleiros em uma cidade mineradora moribunda no fim da ferrovia.

— Jamie — chamei. — Uma palavrinha com você.

Eu o acompanhei até a porta e falei diretamente no ouvido dele. Confiei uma missão a Jamie e mandei executá-la o mais rápido possível. Ele concordou com a cabeça e saiu de mansinho na tarde tempestuosa. Ou talvez naquela altura fosse o início da noite.

— Para onde *ele* foi? — perguntou Wegg.

— Não é da sua conta — respondi e me virei para os homens com as tatuagens azuis nos tornozelos. — Formem um fila, por gentileza. Do mais velho ao mais jovem.

— Eu lá vou saber a minha idade? — falou um homem parcialmente careca que usava um relógio de pulso com a correia enferrujada e remendada com barbante. Alguns dos outros riram e assentiram.

— Apenas façam o melhor possível — falei.

Eu não tinha interesse nas idades, mas a discussão e os argumentos tomaram algum tempo, que era o objetivo principal. Se o ferreiro entregasse a encomenda, tudo ficaria bem. Caso contrário, eu improvisaria. Um pistoleiro que não é capaz de improvisar morre cedo.

Os mineiros andaram de um lado para o outro como crianças brincando de dança das cadeiras, trocando de lugar até ficarem em ordem aproximada de idade. A fila começava na porta da cadeia e terminava na porta da rua. Luka era o primeiro; Relógio de Pulso estava no meio; aquele que parecia ter a minha idade — que disse que todos sempre estavam com medo — era o último.

— Xerife, você pega o nome de cada um deles? — perguntei. — Quero falar com o menino Streeter.

Billy estava parado diante das barras da cela de embriaguez e desordem. Ele tinha ouvido nossa confabulação e parecia assustado.

— Ele está aqui? — perguntou. — O troca-pele?

— Acho que sim, mas não há como ter certeza — respondi.

— Sai, estou com medo.

— Eu não te culpo. Mas a cela está trancada e as barras são de aço de qualidade. Ele não consegue te pegar, Billy.

— Você não viu quando ele é um urso — sussurrou Billy. Os olhos estavam grandes e reluzentes, fixos no lugar. Já vi homens com olhos assim depois de levarem um soco forte no queixo. É o olhar que fazem logo antes de os joelhos fraquejarem. Lá fora, o vento soltou um grito agudo sobre a parte inferior do telhado da cadeia.

— Tim Coração Valente também sentiu medo — falei. — Mas ele foi em frente. Espero que você faça o mesmo.

— Você vai estar aqui?

— Ié. Meu companheiro Jamie, também.

Como se eu tivesse convocado Jamie, a porta do gabinete se abriu e ele entrou batendo poeira de álcali da camisa. A visão de Jamie me deixou contente. O cheiro de pés fedidos que o acompanhou era menos bem-vindo.

— Pegou a encomenda? — perguntei.

— Sim. É bem bonita. E aqui está a lista de nomes.

Ele entregou as duas coisas.

— Está pronto, filho? — perguntou Jamie para Billy.

— Acho que sim — respondeu o menino. — Vou fingir que sou Tim Coração Valente.

Jamie concordou com a cabeça e fez uma expressão séria.

— É uma ótima ideia. Que você se saia bem.

Soprou uma rajada de vento especialmente forte. Uma nuvem intensa de pó entrou pelas grades da janela da cela de embriaguez e desordem. Novamente veio aquele grito estridente pelas calhas. A luz ficava cada vez mais fraca. Passou pela minha cabeça que seria melhor — mais seguro — encarcerar os saleiros que estavam à espera e deixar essa parte para amanhã, mas nove mineiros eram inocentes. Assim como era o menino. Melhor acabar logo com isso. Se *fosse* possível, quer dizer.

— Preste atenção, Billy — falei. — Eu vou fazê-los passar devagar e com calma. Talvez nada aconteça.

— C-c-certo. — A voz era fraca.

— Você quer beber água antes? Ou dar uma mijada?

— Eu estou bem — disse Billy, mas obviamente ele não parecia bem; parecia aterrorizado. — Sai, quantos têm anéis azuis nos tornozelos?

— Todos — respondi.

— Então como...

— Eles não sabem o quanto você viu. Apenas olhe para cada um que passa. E fique para trás um pouquinho, por favor. — Fora do alcance foi o que eu quis dizer, mas não pretendia falar em voz alta.

— O que eu devo dizer?

— Nada. A não ser que veja algo que desperte alguma lembrança. — Eu tinha pouca esperança quanto a isso. — Traga os saleiros, Jamie. Xerife Peavy na ponta da fila e Wegg no fim.

Ele concordou com a cabeça e saiu. Billy esticou o braço através das grades. Por um segundo, não entendi o que ele queria, depois percebi. Eu dei um leve aperto na mão do menino.

— Vá para trás agora, Billy. E se lembre do rosto de seu pai. Ele observa você da clareira.

Ele obedeceu. Eu dei uma olhadela na lista, examinei rapidamente os nomes (provavelmente escritos errado) que não diziam nada para mim, com a mão na coronha da pistola direita. Aquela agora continha uma munição muito especial. De acordo com Vannay, só havia uma maneira garantida de matar um troca-pele: com um objeto perfurante de metal sagrado. Paguei o ferreiro com ouro, mas a bala que ele fez para mim — aquela que rolaria debaixo do cão na primeira engatilhada — era de prata pura. Talvez funcionasse.

Caso contrário, eu meteria chumbo em seguida.

A porta se abriu. O xerife Peavy entrou com um porrete de pau-ferro de meio metro na mão direita, com a cordinha de couro cru em volta do pulso. Ele batia gentilmente com a ponta na palma esquerda ao passar pela porta. Os olhos encontraram o menino pálido na cela, e o xerife sorriu.

— Ei, Billy, filho de Bill — falou Peavy. — Estamos com você e está tudo bem. Não tenha medo de nada.

Billy tentou sorrir, mas parecia ter medo de muita coisa.

Steg Luka veio a seguir, balançando de um lado para o outro nos pés de toco de árvore. Depois dele veio um homem quase tão velho, com um bigode branco encardido, cabelo grisalho sujo que caía nos ombros e olhos franzidos e sinistros. Ou talvez fosse apenas míope. A lista indicava o nome como Bobby Frane.

— Entrem devagar — falei — e deixem que o menino dê uma boa olhada em vocês.

Eles entraram. A cada um que passava, Bill Streeter olhava ansiosamente para o rosto do homem.

— Boa noite, menino — disse Luka ao passar.

Bobby Frane saudou Billy com um chapéu invisível. Um dos saleiros mais novos — Jake Marsh, de acordo com a lista — botou para fora uma língua amarelada por causa do fumo. Os demais apenas passaram arrastando os pés.

Dois mantiveram a cabeça baixa até que Wegg vociferou para que erguessem o rosto e encarassem o menino.

Não houve uma expressão de reconhecimento no rosto de Bill Streeter, apenas uma mistura de medo e perplexidade. Eu mantive minha própria expressão neutra, mas perdia as esperanças. Por que, afinal de contas, o troca-pele se revelaria? Ele devia saber que não tinha nada a perder se levasse o jogo adiante.

Agora havia apenas quatro sobrando... depois dois... e então apenas o moleque que falou sobre ter medo no Busted Luck. Eu vi uma alteração no rosto de Billy quando aquele saleiro passou, e por um instante pensei que tínhamos conseguido alguma coisa, depois me dei conta de que não era nada mais do que o reconhecimento de um jovem em relação a outro. Por fim veio Wegg, que largou o porrete e colocou um soco-inglês de latão em cada mão. Ele abriu um sorriso menos do que agradável para Billy Streeter.

— Não viu alguma mercadoria que queira comprar, jovem? Bem, sinto muito, mas não posso dizer que estou surpre...

— Pistoleiro! — disse Billy para mim. — Sai Deschain!

— Sim, Billy. — Empurrei Wegg com uma ombrada e parei em frente à cela.

Billy levou a língua ao lábio superior.

— Passe com eles de novo, por favor. Só que desta vez peça para levantarem as calças. Eu não consegui ver os anéis.

— Billy, os anéis são todos iguais.

— Não — respondeu ele. — Não são.

A ventania deu uma acalmada, e o xerife Peavy ouviu o menino.

— Virem, seus malditos, e voltem a marchar. Só que, desta vez, levantem as calças.

— Já não foi o suficiente? — resmungou o homem com o relógio de pulso. A lista indicava o nome como Ollie Ang. — Prometeram doses pra gente. Doses *duplas*.

— Qual é o problema, docinho? — perguntou Wegg. — Não vai ter que voltar de qualquer maneira? Sua mãe deixou você cair de cabeça?

Eles resmungaram, mas começaram a voltar pelo corredor na direção do gabinete, dessa vez do mais jovem ao mais velho, com as calças erguidas. Todas as tatuagens eram iguais para mim. A princípio, pensei que elas também parecessem iguais para o menino. Então vi Billy arregalar os olhos e dar outro passo para longe das grades. Porém ele não disse nada.

— Xerife, pare a fila por um momento, por gentileza — pedi.

Peavy foi para a frente da porta do gabinete. Eu fui até a cela e falei baixo:

— Billy? Viu alguma coisa?

— A marca. Eu vi a marca. É o homem com o anel quebrado.

Eu não entendi... e então entendi. Pensei em todas as vezes que Cort me chamou de lerdo da sobrancelha para cima. Ele chamava os outros de coisas piores — claro que fazia, era o trabalho dele —, mas ali, no corredor da cadeia de Debaria com um simum soprando lá fora, pensei que Cort estava certo a meu respeito. Eu *era* lerdo. Apenas minutos antes, pensei que, se houvesse mais coisas do que a lembrança da tatuagem, eu teria captado de quando hipnotizara Billy. Agora, me dei conta, eu *realmente* captei.

Tem mais alguma coisa?, eu perguntara ao menino, já com a certeza de que não havia mais nada, apenas para tirá-lo do transe que obviamente o incomodava tanto. E, quando Billy respondeu *a marca branca* — mas de maneira insegura, como se perguntasse para si mesmo —, o tolo Roland deixou passar.

Os saleiros estavam ficando agitados. Ollie Ang, aquele com o relógio de pulso enferrujado, dizia que eles fizeram o que foi pedido e que queria voltar para o Busted a fim de beber e pegar as malditas botas.

— Qual deles? — perguntei a Billy.

Ele se inclinou para a frente e sussurrou.

Eu concordei com a cabeça, depois me virei para o aglomerado de homens no fim do corredor. Jamie me observava atentamente, com as mãos sobre as coronhas dos revólveres. Os saleiros devem ter visto algo no meu rosto, porque pararam de resmungar e apenas olharam fixamente. Os únicos sons eram o vento e o baque constante da poeira contra o prédio.

Quanto ao que aconteceu a seguir, pensei a respeito muitas vezes desde então, e não acho que poderíamos ter evitado aquilo. Não sabíamos o quão rápido se dava a mudança, entende; não acho que Vannay também soubesse, caso contrário teria nos avisado. Até meu pai disse o mesmo quando terminei de fazer o relatório e fiquei, sob o olhar de reprovação de todos aqueles livros, à espera de que ele julgasse minhas ações em Debaria — não como pai, mas como *dinh*.

Por uma coisa eu fiquei e sou grato. Eu quase disse a Peavy para trazer à frente o homem que Billy indicara, mas aí mudei de ideia. Não porque Peavy ajudara meu pai havia muito tempo, mas porque Pequena Debaria e as minas de sal não eram responsabilidade dele.

— Wegg — falei. — Ollie Ang, venha cá, por favor.

— Qual?

— Aquele com o relógio no pulso.

— Aqui, pronto! — guinchou Ollie Ang ao ser agarrado pelo delegado Wegg. Ele era delicado para um mineiro, parecia um bibliotecário, mas os braços eram musculosos, e notei mais músculos que erguiam os ombros da camisa de trabalho de cambraia. — Aqui, pronto, eu não fiz nada! Não é justo me escolher só porque este moleque aí quer aparecer!

— Feche a matraca — disse Wegg ao puxá-lo em meio ao pequeno aglomerado de mineiros.

— Levante as calças novamente — mandei.

— Vai te foder, fedelho! Você e o cavalo em que veio montado!

— Levante ou eu levanto por você.

Ele ergueu as mãos e cerrou os punhos.

— Tente! Ouse tent…

Jamie chegou por trás do saleiro, sacou uma das armas, jogou de leve no ar, pegou pelo cano e desceu a coronha na cabeça de Ang. Um golpe calculado com inteligência: não nocauteou o homem, mas fez com que abaixasse os punhos, e Wegg o pegou pelo sovaco quando os joelhos cederam. Eu puxei a barra da perna direita do macacão, e lá estava ela: uma tatuagem azul do presídio Beelie que fora cortada — *quebrada*, para usar a palavra de Billy Streeter — por uma grossa cicatriz branca que subia até o joelho.

— Foi isso que eu vi — murmurou Billy. — Foi isso que eu vi quando estava debaixo da pilha de arreios.

— Ele está inventando — falou Ang. Ele parecia atordoado, as palavras saindo confusas. Um filete de sangue escorreu pelo lado do rosto onde o golpe de Jamie tinha aberto um pouco o escalpo.

Eu sabia da verdade. Billy tinha mencionado a marca branca bem antes de ver Ollie Ang na cadeia. Abri a boca com a intenção de mandar Wegg jogá-lo em uma cela, mas foi aí que o velho da equipe de mineiros avançou. Nos olhos havia uma expressão de compreensão tardia. Mais do que isso. Ele estava furioso.

Antes que eu, Jamie ou Wegg pudéssemos detê-lo, Steg Luka pegou Ang pelos ombros e o empurrou contra as grades do outro lado do corredor, em frente à cela de embriaguez e desordem.

— *Eu já devia saber!* — berrou Luka. — *Eu já devia saber há semanas, seu escroto ardiloso! Seu monstro assassino!* — Ele agarrou o braço com o velho relógio. — *Onde você conseguiu isto, se não foi na rachadura de onde vem a luz verde? Onde mais? Ah, seu assassino desgraçado que troca de pele!*

Luka cuspiu no rosto atordoado de Ang, depois se virou para mim e Jamie, ainda erguendo o braço do mineiro.

— Ele disse que encontrou em um buraco do lado de fora de um dos velhos filões ao pé do morro! Disse que provavelmente era uma sobra do espólio roubado da Gangue do Corvo, e nós acreditamos nele como idiotas que somos! Até cavamos em busca de mais sobras nos dias de folga, não foi?

Steg Luka se voltou para o atordoado Ollie Ang. Atordoado era a maneira como ele olhava para nós, mas quem sabia o que se passava por trás daqueles olhos?

— E você ficou escondendo o riso com a porra da manga enquanto a gente cavava, eu tenho certeza. Você encontrou em um buraco, está certo, mas não foi em um dos velhos filões. Você entrou na rachadura! Na luz verde! Foi você! Foi você! Foi...

Ang virou do queixo para cima. Não estou dizendo que ele fez uma careta; a cabeça inteira *virou*. Era como ver um pano ser torcido por mãos invisíveis. Os olhos subiram até um estar quase em cima do outro, e eles mudaram de azul para preto. A pele empalideceu e ficou branca, depois virou verde. Ela se ergueu como se fosse empurrada por punhos por baixo e depois rachou em escamas. As roupas caíram do corpo, porque não era mais o corpo de um homem. Nem era de urso, lobo ou leão. Para aquelas coisas nós poderíamos ter nos preparado. Poderíamos até ter nos preparado para um jacaré, como a coisa que atacou a pobre Fortuna em Serenity. Embora a criatura fosse mais parecida com um jacaré do que qualquer outra coisa.

Em três segundos, Ollie Ang virou uma cobra da altura de um homem. Um *pooky*.

Luka, ainda segurando firme um braço que encolhia na direção de um corpo verde e roliço, soltou um berro que foi abafado quando a cobra — ainda com uma coroa de cabelo humano tremulando na cabeça que se alongava — se enfiou na boca do velho. Houve um som úmido de estalo quando a mandíbula inferior de Luka foi arrancada das juntas e dos tendões que a uniam à mandíbula superior. Eu vi o pescoço enrugado do velho inchar, crescer e ficar liso conforme a criatura — que ainda se transformava, ainda se apoiava nos resquícios cada vez menores de pernas humanas — entrava na garganta dele como uma furadeira.

Houve gritos e berros de horror da ponta do corredor quando os outros saleiros debandaram. Não prestei atenção a eles. Eu vi Jamie abraçar o corpo da cobra, que inchava e crescia, em uma vã tentativa de arrancá-la da garganta do moribundo Steg Luka, e vi a enorme cabeça reptiliana atravessar a nuca do velho, com a língua vermelha tremulando e a cabeça escamosa pintada com gotas de sangue e pedaços de carne.

Wegg desceu um dos punhos com soco-inglês na criatura. A cobra se esquivou com facilidade, depois avançou e expôs presas enormes que ainda cresciam: duas em cima, duas embaixo, e todas pingavam um líquido transparente que escorreu no braço de Wegg. O homem berrou.

— *Queima! Meus deuses, isto* QUEIMA!

Luka, empalado na cabeça, parecia dançar conforme a cobra cravava as presas no delegado, que se debatia. Sangue e pedaços de carne voavam para todos os lados.

Jamie olhou agitado para mim. As armas estavam sacadas, mas onde atirar? O *pooky* se contorcia entre os dois moribundos. A parte inferior do corpo, agora sem pernas, se livrou da pilha de roupas, se enroscou na cintura de Luka em espirais roliças e apertou. A parte atrás da cabeça saía se esgueirando através do buraco cada vez maior na nuca de Luka.

Dei um passo à frente, agarrei Wegg e arrastei o delegado para trás pelo cangote do colete. O braço mordido já tinha ficado preto e inchado, com o dobro do tamanho. Os olhos saltaram das órbitas quando ele me encarou, e os lábios começaram a espumar.

Em algum lugar, Billy Streeter gritava.

As presas saíram.

— Queima — disse Wegg em uma voz baixa, e então já não tinha mais palavras. A garganta inchou, e a língua saiu da boca. Ele desmoronou e estremeceu nos espasmos da morte. A cobra me encarou, a língua forcada entrava e saía. Eram olhos pretos de cobra, mas repletos de compreensão humana. Eu ergui o revólver com a munição especial. Só tinha uma única bala de prata, e a cabeça ia de um lado para outro em um ritmo irregular, mas eu jamais duvidara que acertaria o tiro; era para isso que servia alguém como eu. A criatura avançou, as presas reluziram, e eu puxei o gatilho. O tiro foi preciso, e a bala de prata entrou bem na boca escancarada. A cabeça explodiu em um borrifo vermelho que começou a ficar branco antes mesmo de atingir as grades e o chão do corredor. Eu já tinha visto aquela carne branca e gosmenta antes. Era cérebro. Cérebro *humano*.

De repente surgiu o rosto destruído de Ollie Ang, que me encarou do buraco irregular na nuca de Luka — ele espiava no topo do corpo de uma cobra. Um pelo preto e felpudo surgiu entre as escamas do corpo conforme a força que enfraquecia dentro dele perdia o controle das formas que criava. No momento antes de entrar em colapso, o olho azul que restava ficou amarelo e virou o olho de um lobo. Depois a criatura caiu e levou o pobre Steg Luka com ela. No corredor, o corpo moribundo do troca-pele brilhou e ardeu, estremeceu e mudou. Escutei o estalo de músculos e o rangido de ossos se mexendo. Um pé descalço surgiu, virou uma pata peluda, depois voltou a ser um pé humano. Os restos mortais de Ollie Ang estremeceram completamente, depois ficaram imóveis.

O menino ainda gritava.

— Vá para o colchão e se deite — falei para ele, com a voz não muito firme. — Feche os olhos e diga a si mesmo que acabou, pois por ora acabou mesmo.

— Eu quero você — soluçou Billy enquanto ia para o colchão de palha. As bochechas estavam sujas com respingos de sangue. Eu estava encharcado de sangue, mas isso o menino não viu. Os olhos já estavam fechados. — Eu quero você comigo! Por favor, sai, por favor!

— Eu irei até você assim que puder — falei. E fui.

Nós três passamos a noite em colchões de palha reunidos na cela de embriaguez e desordem: Jamie na esquerda, eu à direita, Bill Pequeno Streeter no meio. O simum começou a diminuir, e até tarde ouvimos os sons festivos na rua principal, enquanto Debaria comemorava a morte do troca-pele.

— O que vai acontecer comigo, sai? — perguntou Billy antes de finalmente adormecer.

— Coisas boas — respondi e torci para que Everlynne de Serenity não provasse que eu estava errado a respeito disso.

— A criatura está morta? Morta de verdade, sai Deschain?

— De verdade.

Mas quanto a isso eu não pretendia correr risco algum. Depois da meia-noite, quando o vento virou mera brisa e Bill Streeter dormia um sono exausto tão profundo que nem os pesadelos o alcançariam, Jamie e eu nos juntamos ao xerife Peavy no lixão atrás da cadeia. Lá nós molhamos o corpo de Ollie Ang com querosene. Antes de jogar um fósforo aceso nele, eu perguntei se algum dos dois queria o relógio de pulso como lembrança. Não se sabe como, mas não havia quebrado na luta, e o ponteiro dos minutos ainda girava.

Jamie balançou a cabeça.

— Eu não — disse o xerife —, pois pode ser amaldiçoado. Vá em frente, Roland. Se eu puder chamá-lo assim.

— E obrigado — falei. Eu risquei o fósforo e deixei cair. Ficamos assistindo até que os restos mortais do troca-pele de Debaria não fossem nada mais do que ossos queimados. O relógio de pulso virou uma massa nas cinzas.

Na manhã seguinte, Jamie e eu reunimos uma equipe para ir à ferrovia. Os homens estavam mais do que motivados. Assim que eles chegaram lá, foi questão de duas horas para recolocar o Apitinho nos trilhos. Travis, o maquinista, dirigiu a operação, e eu fiz muitos amigos quando disse que tinha organizado para que toda a equipe comesse de graça no Racey's no fim do dia e bebesse de graça no Busted Luck à tarde.

Haveria uma comemoração na cidade naquela noite, na qual Jamie e eu seríamos convidados de honra. Era o tipo de coisa que eu dispensaria tranquilamente — estava ansioso para voltar para casa e em geral não sou afeito a companhia —, mas eventos assim muitas vezes fazem parte do trabalho. Uma coisa boa: haveria mulheres, algumas sem dúvida bonitas. Com essa parte eu não me importaria e suspeitava que Jamie também não. Ele tinha muito o que aprender sobre mulheres, e Debaria era um lugar tão bom para começar os estudos quanto qualquer outro.

Ele e eu vimos Apitinho soltar fumaça enquanto fazia a curva lentamente e depois vir na nossa direção outra vez, apontado para o rumo certo: para Gilead.

— Vamos parar em Serenity ao voltar para a cidade? — perguntou Jamie. — Para perguntar se elas aceitarão o garoto?

— Ié. E a prioresa disse que tinha algo para mim.

— Você sabe o que é?

Balancei a cabeça.

Everlynne, a mulher do tamanho de uma montanha, cruzou o pátio de Serenity em nossa direção com os braços abertos. Quase fiquei tentado a sair correndo; era como ficar no caminho de um daqueles enormes caminhões que corriam pelos campos petrolíferos perto de Kuna.

Em vez de nos atropelar, ela nos pegou em um enorme abraço duplo contra os peitos. O cheiro era doce: uma mistura de canela, tomilho e pães. A prioresa deu um beijo na bochecha de Jamie, que ficou corado. Depois me deu um beijo bem nos lábios. Por um momento, nós ficamos envolvidos pelas roupas esvoaçantes e rebuscadas, sob a sombra das asas do capuz de seda. Então Everlynne recuou com uma expressão radiante.

— Que serviço vocês prestaram a esta cidade! E como nós agradecemos!

Eu sorri.

— Sai Everlynne, você é muito gentil.

— Não o suficiente! Vão comer *noonies* conosco, né? E tomarão vinho da campina, embora só um pouco. Vocês beberão mais à noite, não tenho dúvida. — Everlynne deu uma olhadela marota para Jamie. — Mas tomem cuidado quando começarem os brindes; muita bebida pode fazer de um homem não tão homem mais tarde e confundir memórias que ele poderia querer manter. — Ela fez uma pausa, depois abriu um sorriso de quem sabia das coisas, um sorriso que não combinava com seu manto. — Ou... talvez não.

Jamie ficou mais corado do que nunca, mas não disse nada.

— Nós vimos vocês chegando — disse Everlynne —, e tem mais alguém que gostaria de agradecer.

A prioresa se afastou e ali estava a pequena irmã de Serenity chamada Fortuna. Ela ainda estava enfaixada, mas parecia menos fantasmagórica hoje, e o lado do rosto que podíamos ver reluzia de felicidade e alívio. Fortuna deu um passo à frente, timidamente.

— Eu consigo dormir de novo. E, com o tempo, talvez até seja capaz de viver sem os pesadelos.

Ela ergueu a saia do manto cinza e — para meu imenso incômodo — ficou de joelhos diante de nós.

— A irmã Fortuna, antigamente Annie Clay, diz obrigada. Assim como todas nós, mas esse agradecimento vem do meu coração.

Eu a peguei gentilmente pelos ombros.

— Levante-se, lacaia. Não se ajoelhe diante de gente como nós.

Ela me olhou com olhos reluzentes e beijou a minha bochecha com o lado da boca que ainda podia beijar. Depois cruzou o pátio correndo na direção do que presumi ser a cozinha. Cheiros maravilhosos já vinham daquela parte da *haci*.

Everlynne viu Fortuna ir embora com um sorriso afetuoso, depois se virou para mim.

— Há um menino... — comecei a dizer.

Ela assentiu.

— Bill Streeter. Eu sei o nome e a história. Nós não vamos à cidade, mas às vezes a cidade vem até nós. Pássaros amigos piam novidades nos ouvidos, se você me entende.

— Entendo muito bem — respondi.

— Traga o menino amanhã, depois que a cabeça de vocês tiver encolhido e voltado ao tamanho normal — disse a prioresa. — Somos uma companhia de mulheres, mas ficaremos contentes em abrigar um órfão... pelo menos até lhe crescerem pelos em cima do lábio a ponto de ter que se barbear. Depois disso, um menino fica perturbado pelas mulheres, e pode não ser bom que ele fique aqui. Enquanto isso, podemos ensinar as letras e os números... isso se ele for rápido o suficiente no gatilho para aprender. Você diria que ele é rápido o suficiente, Roland, filho de Gabrielle?

Foi esquisito ser chamado pela linhagem da minha mãe e não do meu pai, mas estranhamente prazeroso.

— Eu diria que ele é bem rápido.

— Muito bem, então. E encontraremos um lugar para ele quando for a hora de ir embora.

— Um terreno e um lugar — falei. Everlynne riu.

— Ié, isso mesmo, como na história de Tim Coração Valente. E agora vamos comer juntos, que tal? E com vinho da campina nós brindaremos à valentia dos jovens.

Comemos, bebemos, e de modo geral, foram momentos muito agradáveis. Quando as irmãs começaram a sair das mesas, a prioresa Everlynne me levou aos aposentos particulares, que consistiam em um quarto de dormir e um gabinete muito maior, onde um gato dormia em uma nesga de sol sobre uma enorme mesa de carvalho com pilhas altas de papéis.

— Poucos homens estiveram aqui, Roland — disse ela. — Um foi um sujeito que você talvez conheça. Ele tinha um rosto pálido e roupas pretas. Você conhece o homem de quem falo?

— Marten Broadcloak — respondi. A boa comida no estômago azedou subitamente com ódio. E ciúme, creio, não somente em nome do meu pai, que Gabrielle de Arten enfeitou com um par de chifres. — Ele a viu?

— Ele exigiu vê-la, mas eu recusei e o despachei. A princípio, Marten não quis ir embora, mas mostrei minha faca e disse que havia outras armas em Serenity, ié, e mulheres que sabiam usá-las. Falei que uma das armas era um revólver. Lembrei a Marten que ele estava bem no interior da *haci* e sugeri que era melhor tomar cuidado, a não ser que soubesse voar. Marten obedeceu, mas antes de ir embora me amaldiçoou e amaldiçoou este lugar. — Ela hesitou, fez carinho no gato, depois ergueu o olhar para mim. — Houve um momento em que pensei que talvez esse troca-pele fosse trabalho dele.

— Eu não creio — falei.

— Nem eu, mas nenhum de nós dois terá plena certeza, não é? — O gato tentou subir no imenso playground do colo de Everlynne, que o espantou. — De uma coisa eu *tenho* certeza: Marten conseguiu dar um jeito de falar com ela, embora ninguém jamais venha a saber se foi pela janela da cela tarde da noite ou somente nos sonhos atormentados. Esse segredo ela levou para a clareira, pobre mulher.

A isso eu não tinha resposta. Quando uma pessoa está surpresa e deprimida, geralmente é melhor não dizer nada porque, nesse estado, qualquer palavra será a palavra errada.

— A senhora sua mãe encerrou o retiro conosco pouco depois que mandamos esse tal de Broadcloak embora. Ela disse que tinha um dever a cumprir e muito a pagar. Falou que o filho viria aqui. Eu perguntei como ela sabia, e sua mãe disse: "Porque o *ka* é uma roda e sempre gira". Ela deixou isto para você.

Everlynne abriu uma das muitas gavetas da mesa e retirou um envelope. Escrito na frente estava meu nome, em uma letra que eu conhecia bem. Apenas meu pai teria conhecido melhor. A mão que escrevia daquela forma uma vez virou as páginas de um belo livro velho enquanto lia para mim "O vento pela fechadura". Ié, e muitas outras. Eu amava todas as histórias contidas nas páginas que aquela mão virava, mas nunca tanto quanto amava a mão em si. Mais ainda, eu amava o som da voz que contava as histórias enquanto o vento soprava lá fora. Aqueles foram os dias antes de ela ficar confusa e ceder ao lamentável comportamento que fez com que ela terminasse sob a mira de uma arma em outra mão. Minha arma, minha mão.

Everlynne ficou de pé e ajeitou o avental enorme.

— Tenho que ir ver como as coisas avançam em outras partes do meu pequeno reino. Eu me despeço agora, Roland, filho de Gabrielle, e rogo apenas que puxe a porta para fechá-la ao sair. Ela se trancará sozinha.

— Você confia em mim com suas coisas? — perguntei. Ela riu, deu a volta pela mesa e me beijou de novo.

— Pistoleiro, eu confiaria a minha vida a você — falou Everlynne e saiu. Ela era tão alta que teve que abaixar a cabeça ao passar pela porta.

Fiquei sentado olhando a última missiva por um longo tempo. Meu coração estava cheio de ódio e amor e arrependimento — todas aquelas coisas que me atormentavam desde então. Eu considerei queimá-la, sem ler, mas por fim rasguei o envelope para abrir. Dentro havia uma única folha de papel. As linhas eram irregulares, e a tinta em que foram escritas estava borrada em muitos lugares. Creio que a mulher que escreveu aquelas linhas lutava para manter os últimos resquícios de sanidade. Não tenho certeza se muitas pessoas entenderiam as palavras, mas eu entendi. Tenho certeza de que meu pai também teria entendido, mas eu nunca mostrei a mensagem para ele ou falei a respeito.

O banquete que comi estava podre
o que eu pensei ser um palácio era uma masmorra
como queima, Roland

Pensei em Wegg, morrendo por causa da mordida de cobra.

Se eu voltar para contar o que sei
o que ouvi escondida
Gilead ainda pode ser salva por alguns anos
você pode ser salvo por alguns anos
seu pai, que pouco se importou comigo

As palavras "que pouco se importou comigo" foram riscadas com uma série de traços grossos, mas consegui ler mesmo assim.

ele diz que eu não deveria
ele diz "fique em Serenity até a morte".
ele diz "se você voltar, a morte vai cedo te encontrar".
ele diz "sua morte destruirá a única pessoa no mundo com quem você se importa".
ele diz "você quer morrer pelas mãos do seu filho e ver
toda bondade
toda gentileza
todo pensamento de amor
retirado dele como água de uma caneca?
em nome de Gilead, que pouco se importou com você
e que morrerá de qualquer forma?".
Mas eu preciso voltar.
Eu rezei por isso e meditei sobre isso
e a voz que ouço sempre fala as mesmas palavras:
ISSO É O QUE O KA EXIGE

Havia um pouco mais, palavras que tracei sem parar durante os anos errantes após a desastrosa batalha na colina Jericó e a queda de Gilead. Eu as tracei até o papel se desmanchar e ser levado pelo vento — o vento que sopra pela fechadura do tempo, entende. No fim, o vento leva tudo, não é? E por que não? Por que seria diferente? Se a doçura da vida não fosse embora, não haveria doçura alguma.

Permaneci no gabinete de Everlynne até me controlar. Então guardei as últimas palavras da minha mãe — a carta da falecida — na bolsa e verifiquei se a porta se trancou após eu sair. Encontrei Jamie e cavalgamos para a cidade. Naquela noite houve luzes, música e dança; muitas coisas boas para comer e bebida à beça para ajudar a descer a comida. Houve mulheres também, e naquela noite Jamie Quieto deixou a virgindade para trás. Na manhã seguinte…

A TEMPESTADE PASSOU

1

— Naquela noite — disse Roland —, houve luzes, música e dança; muitas coisas boas para comer e bebida à beça para ajudar a descer a comida.

— Birita — falou Eddie e soltou um suspiro meio cômico. — Eu me lembro bem.

Aquilo foi a primeira coisa que qualquer um deles dizia em muito tempo e quebrou o fascínio que os envolvera naquela noite longa e ventosa. Eles se remexeram como pessoas que acordavam de um sonho profundo. Todos menos Oi, que ainda estava deitado de costas em frente à lareira, com as patinhas espalmadas e a ponta da língua saindo de um jeito engraçado pelo canto da boca.

Roland concordou com a cabeça.

— Houve mulheres também, e naquela noite Jamie Quieto deixou a virgindade para trás. Na manhã seguinte, entramos no Apitinho e voltamos para Gilead. E foi assim que aconteceu, era uma vez.

— Muito antes de o avô do meu avô nascer — completou Jake em voz baixa.

— Isto eu não posso dizer — falou Roland com um sorrisinho e depois tomou um bom gole de água. A garganta estava muito seca.

Por um instante, houve silêncio entre eles. E então Eddie falou.

— Obrigado, Roland. Isso foi massa.

O pistoleiro ergueu uma sobrancelha.

— Ele quer dizer que foi maravilhoso — explicou Jake. — Foi mesmo.

— Eu vejo luz em volta das tábuas que colocamos nas janelas — disse Susannah. — Só um pouco de luz, mas está lá. Você venceu a escuridão na conversa, Roland. Acho que, afinal de contas, você não é um tipo durão e caladão como o Gary Cooper, não é?

— Não sei quem é esse.

Ela pegou e apertou levemente a mão de Roland.

— Deixa pra lá, docinho.

— O vento pode ter diminuído, mas ainda sopra bem forte — comentou Jake.

— Reacenderemos a lareira e depois dormiremos — disse o pistoleiro. — A tarde de hoje deve estar quente o suficiente para sairmos e pegarmos mais lenha. E amanhã...

— De volta à estrada — completou Eddie.

— Isso mesmo, Eddie.

Roland jogou a última lenha na lareira fraca, viu o fogo ganhar vida novamente e depois se deitou e fechou os olhos. Segundos depois, estava dormindo.

Eddie abraçou Susannah, em seguida olhou sobre o ombro dela para Jake, que estava sentado de pernas cruzadas e olhava o fogo.

— Hora de tirar uma soneca, pequeno pioneiro.

— Não me chame assim. Você sabe que detesto.

— Ok, caubói.

Jake mostrou o dedo médio para ele. Eddie sorriu e fechou os olhos. O menino se cobriu com o cobertor. *Minha tolda*, pensou ele e sorriu. Atrás das paredes, o vento ainda gemia — uma voz sem corpo. Jake pensou: *O vento está do outro lado da fechadura. E aqui, de onde ele vem? De toda a eternidade. E da Torre Negra.*

Ele pensou no menino que Roland Deschain tinha sido anos incontáveis atrás, deitado em um quarto redondo no topo de uma torre de pedra. Bem aconchegado na cama para ouvir a mãe ler histórias antigas enquanto o vento soprava pela terra escura. À medida que pegava no sono, Jake viu o rosto da mulher e o achou bondoso, assim como belo. A própria mãe nunca lera histórias para ele. Em seu terreno e lugar, esta tinha sido a tarefa da governanta.

Jake fechou os olhos e viu billy-malhados dançando ao luar sobre as patas traseiras.

Ele dormiu.

2

Quando Roland acordou no início da tarde, o vento tinha virado um sussurro e o ambiente estava bem mais claro. Eddie e Jake ainda dormiam profundamente, mas Susannah havia despertado, subido sozinha na cadeira de rodas e retirado as tábuas que bloqueavam uma das janelas. Agora, estava sentada ali com o queixo apoiado na mão, enquanto olhava para fora. Roland foi até ela e colocou a mão em seu ombro. Susannah ergueu o braço e deu um tapinha na mão dele sem se virar.

— A tempestade passou, docinho.

— Sim. Vamos torcer para que jamais vejamos outra igual.

— E, se virmos, vamos torcer, que haja por perto um abrigo tão bom quanto este. Quanto ao resto do vilarejo Gook... — Ela balançou a cabeça.

Roland abaixou um pouco o corpo para olhar lá fora. Não ficou surpreso com o que viu, mas era algo que Eddie teria chamado de *sensacional*. A rua principal ainda estava ali, mas se encontrava repleta de galhos e árvores despedaçadas. Os prédios que ladeavam a rua sumiram. Restava apenas o auditório de pedra.

— Demos sorte, não foi?

— Sorte é a palavra que os pobres de coração usam para ka, Susannah de Nova York.

Ela pensou a respeito, em silêncio. As últimas brisas da borrasca moribunda passaram pelo buraco onde a janela estivera e mexeram o cabelo curto de Susannah, como se uma mão invisível fizesse carinho. Então ela se virou para ele.

— Ela deixou Serenity e voltou a Gilead… a senhora sua mãe.

— Sim.

— Mesmo que o filho da puta tenha dito a ela que morreria pelas mãos do próprio filho?

— Eu duvido que ele tenha dito exatamente desta forma, mas… sim.

— Não é de admirar que ela estivesse quase perdendo o juízo quando escreveu aquela carta.

Roland ficou em silêncio e olhou pela janela para a destruição trazida pela tempestade. No entanto, eles encontraram abrigo. Um bom abrigo para a tempestade.

Susannah pegou a mão de três dedos de Roland nas suas.

— O que ela disse ao fim? Quais eram as palavras em que você passou o lápis por cima tantas vezes até a carta se desmanchar? Pode me dizer?

Ele ficou um tempo considerável sem responder. Quando ela pensou que Roland não falaria nada, ele respondeu. Na sua voz havia um tremor — quase imperceptível, mas que certamente estava lá — que Susannah jamais escutara antes.

— Ela escreveu na língua inferior até a última linha. E então ela escreveu na língua superior, com cada letra lindamente desenhada: *Eu perdoo você por tudo*. E: *Você pode me perdoar?*

Susannah sentiu uma única lágrima, quente e perfeitamente humana, descer pela sua bochecha.

— E você foi capaz de perdoá-la, Roland? Foi?

Ainda olhando para fora da janela, Roland de Gilead — filho de Steven e Gabrielle, da antiga Arten — sorriu. O sorriso surgiu no rosto como o primeiro brilho da luz do sol sobre uma paisagem rochosa. Ele falou uma única palavra antes de voltar à *gunna* para preparar outro café da manhã vespertino.

A palavra foi *sim*.

3

Eles passaram mais uma noite no auditório. Houve companheirismo e confabulação, mas nenhuma história. Na manhã seguinte, eles recolheram a *gunna* e continuaram pelo Caminho do Feixe — para Calla Bryn Sturgis, para a fronteira, para o Trovão e para a Torre Negra mais além. Estas foram as coisas que aconteceram, era uma vez.

POSFÁCIO

Na língua superior, a mensagem final de Gabrielle Deschain para o filho parece assim:

As duas palavras mais bonitas em qualquer língua são: -: *eu perdoo.*

1ª EDIÇÃO [2013] 2 reimpressões
2ª EDIÇÃO [2025]

ESTA OBRA FOI COMPOSTA PELA ABREU'S SYSTEM EM WHITMAN
E IMPRESSA EM OFSETE PELA GRÁFICA SANTA MARTA SOBRE PAPEL PÓLEN NATURAL
DA SUZANO S.A. PARA A EDITORA SCHWARCZ EM SETEMBRO DE 2025

FSC
www.fsc.org
MISTO
Papel | Apoiando o manejo florestal responsável
FSC® C005648

A marca FSC® é a garantia de que a madeira utilizada na fabricação do papel deste livro provém de florestas que foram gerenciadas de maneira ambientalmente correta, socialmente justa e economicamente viável, além de outras fontes de origem controlada.